PAM NA FU (

SAFBWYNTIAU

Gwleidyddiaeth • Diwylliant • Cymdeithas

Golygydd Cyffredinol y Gyfres: Daniel G. Williams,
Prifysgol Abertawe

Dyma gyfres sydd yn trafod ac ailystyried rhai o bynciau canolog astudiaethau gwleidyddol a diwylliannol Cymru a thu hwnt. Ei nod yw cyflwyno ymdriniaethau grymus ar amrywiaeth o bynciau o fewn y dyniaethau – o ffasgaeth i sosialaeth, o ethnigrwydd i rywioldeb, o iaith i grefydd. Tynnir ynghyd rhai o feddyliau mwyaf praff a difyr Cymru i gynnig safbwyntiau annisgwyl a dadlennol ar hanes, diwylliant a syniadaeth gyfoes o ogwydd gwleidyddol, theoretig a chymdeithasol.

yn y gyfres

Richard Wyn Jones (2013), *'Y Blaid Ffasgaidd yng Nghymru':*
Plaid Cymru a'r Cyhuddiad o Ffasgaeth
Simon Brooks (2015), *Pam na fu Cymru: Methiant*
Cenedlaetholdeb Cymraeg

Pam na fu Cymru

Methiant Cenedlaetholdeb Cymraeg

Simon Brooks

Gwasg Prifysgol Cymru
2015

www.gwasgprifysgolcymru.org

Mae cofnod catalogio'r gyfrol hon ar gael gan y Llyfrgell Brydeinig.

ISBN   978-1-78316-233-8
e-ISBN   978-1-78316-234-5

Cysodwyd yng Nghymru gan Eira Fenn Gaunt, Caerdydd.
Argraffwyd gan CPI Antony Rowe, Chippenham, Wiltshire.

i'm rhieni

Dirmygaf finau Ryddfrydiaeth pob dyn sydd yn credu mewn goresgyniad.

Michael D. Jones

CYNNWYS

Rhagair

Mewn caffis ar Simon-Dach Straße ym Merlin yr ysgrifennais ran gyntaf y llyfr hwn, ac mewn caffis ar Stryd Fawr Porthmadog y cafodd ei gwblhau. Daeth y pwl olaf, mwy sylweddol o ysgrifennu ar ganol cyfnod hir iawn o fod yn ddi-waith. Gallaf gydymdeimlo erbyn hyn gyda Bob Owen, Croesor sy'n sôn yn ei hunangofiant am fynd 'i Borthmadog i "seinio" bob wythnos . . . yng ngŵydd pawb a ymlwybrai heibio . . . bu bron iawn i'r amgylchiadau fy ngwneud yn Folshi.' Ond daeth y byd academaidd i'w achub yntau, ac felly y bu gweithio ar y llyfr hwn o gryn gymorth i mi. Wedi'i chyfansoddi ar dripiau rhwng 'Gwesty Cymru' Borth-y-gest, swyddfa dôl Port ac Ysgol Gynradd Llanrug i godi'r plant, mae'r gyfrol yn un o dair sy'n rhannu'r un nod cyffredinol, sef ymchwilio i amodau ffurfiant cymdeithas Gymraeg yr unfed ganrif ar hugain. Yn 2013, ymddangosodd *Pa Beth yr Aethoch Allan i'w Achub?* o dan fy ngolygyddiaeth innau a Richard Glyn Roberts, sy'n ymdrin ag effaith gwladychiaeth ar y gymdeithas Gymraeg. Yn awr, yn *Pam na fu Cymru*, rwy'n cloriannu'r ideoleg, Rhyddfrydiaeth, a drawsnewidiodd ragolygon y Gymru Fodern. Astudiaeth o amlethnigrwydd ac amlddiwylliannedd oddi mewn i'r gymuned Gymraeg fydd y drydedd gyfrol.

Ni fuasai'r gyfrol hon yn bosibl heb i'm rhieni roi to uwch fy mhen a bwyd ar y bwrdd. Fel arall, byddwn i wedi llwgu! Cefais gefnogaeth a chariad y plant hefyd a addawodd ysgrifennu llyfrau eu hunain, ond nid y math mae 'dad yn eu sgwennu'. Bydd llawer yn cydymdeimlo â hwy, a diolch iddynt am eu hanogaeth a'u synnwyr cyffredin. Bu eraill yn gefn imi hefyd. Roedd Dwynwen

Hywel yn gydymaith hyfryd ar lawer taith i Aberdaron a llethrau'r Wyddfa. Mae Abererch yn lle llawer brafiach ers i Richard Glyn ddisodli John Elias fel prif ysgolhaig y cylch a dangosodd Gwion Owain, Barry Chips ac eraill sut i fyhafio yn y Blac Boi. Cefais groeso yn Llŷn ac Eifionydd hefyd, ac roedd gweithredu fel ysgrifennydd y mudiad Cymreigyddol cyfoes, Cymdeithas Parêd Dewi Sant Pwllheli, yn ffordd i ymlacio (rwy'n falch inni ennill y frwydr i'w gadw'n uniaith Gymraeg yn wyneb pwysau pres cyhoeddus).

Wrth baratoi'r gwaith, elwais yn ddirfawr ar gynghorion amryw o ffrindiau. Mae fy nyled pennaf i'r hanesydd mawr hwnnw Robin Okey, arbenigwr ar dwf hunaniaeth genedlaethol ymysg pobloedd leiafrifol canolbarth a dwyrain Ewrop. Anfonodd ataf lythyr hir pedair tudalen – na, epistol yn wir! – yn dadansoddi drafft o'r deipysgrif yn finiog fanwl, a thrafod â mi ar faes yr Eisteddfod a thrwy ebost sawl blwyddyn yn olynol. Ymatebodd Dafydd Glyn Jones i ddrafft lled derfynol mewn modd treiddgar tu hwnt, yn dilyn sgwarnogod deallusol diddorol odiaeth, ei sylwadau'n llenwi tudalennau lawer, ac rwy'n hynod ddiolchgar iddo. Dywedodd wrthyf hefyd fod yna Stryd Cavour yn Nhalysarn, ac fe'm gogleisiwyd gan yr enw hwnnw bron cymaint â chan Lôn Balaclava yn Nanhoron, Llŷn – y ddau'n brawf digamsyniol o'r cyswllt rhwng Cymru Gymraeg a'r byd. Yr olaf o'r henaduriaid dysg a roes o'u hamser mor hael oedd Prys Morgan, yntau'n bwrw golwg manwl ar y testun hefyd gan wneud awgrymiadau defnyddiol tu hwnt, yn enwedig yng nghyswllt gwledydd gorllewin Ewrop a diwylliant yr Alban a Lloegr.

Yr hen a ŵyr a'r ifanc a dybia, medd y ddihareb, ond at y canol oed cynnar y trois er mwyn rhoi min ar fy nadleuon. Aeth Richard Glyn Roberts drwy'r cwbl â chrib fân ddwywaith yn codi anghysondebau syniadol (a gwallau iaith!). Bu'n fwy o ddylanwad deallusol arnaf na neb arall ond odid yn ystod y blynyddoedd diweddar, yn enwedig ym maes cymdeithaseg cenedlaetholdeb. Bu ei safbwynt ôl-Farcsaidd a gwrthryddfrydol digymrodedd, wedi'i ysbrydoli gan Pierre Bourdieu ac Alain Badiou, yn arf pellach i minnau yn fy ymdriniaeth â Rhyddfrydiaeth y Gymru Gymraeg. Trafodwyd llawer yn oriau mân y bore dros wydraid o win coch a chwpanaid o de, bisgedi ceirch a chosyn caws, o Ffatri Laeth

Rhydygwystl neu Normandi, yn ei dyddyn wrth y ffin rhwng Eifionydd a Llŷn.

Daeth yn ogystal gymwynasau o gyfeiriadau eraill. Darllenodd E. Wyn James ddrafft cynnar iawn o ran gyntaf y gwaith. Fe'm cyfeiriwyd gan Gwennan Higham at ddyfyniad tra phwysig gan Herder, a chan Hywel Jones at sylw diddorol gan E. G. Ravenstein. Fe'm dysgwyd gan Tony Bianchi pam na ddaeth Northumbria yn genedl. Roedd gwahoddiad i draddodi Darlith Goffa Syr Hugh Owen ym Mhrifysgol Bangor yn gyfle i feddwl o'r newydd am y Llyfrau Gleision. Cefais sgyrsiau buddiol am Michael D. Jones gyda Dafydd Tudur mewn symposiwm ar genedlaetholdeb Cymreig, yn Barcelona o bob man. Trefnwyd y daith honno gan Brifysgol Abertawe, sefydliad a wnaeth lu o gymwynasau â mi, ac rwy'n ddiolchgar i Mike Sullivan, Syd Morgan ac Alan Sandry. Diolch hefyd i Brifysgol Abertawe am gyfrannu at gostau cyhoeddi'r gyfrol hon. A diolch i Wasg Prifysgol Cymru, yn ogystal ag i'w darllenydd anhysbys ym maes athroniaeth. Gwnaethpwyd gwaith manwl a chymen ganddynt.

Ond mae fy niolch pennaf i Daniel G. Williams. Yn ddeallusol, rwy'n edmygydd mawr o'i waith. Bu o wir gymorth a help imi mewn cyfnod anodd, ac nid yn broffesiynol yn unig. Diolch iddo am gyfeillgarwch triw sy'n croesi ffiniau disgyblaeth ac ideoleg, ac am fy annog i ysgrifennu'r llyfr hwn. Buasai darnau digyswllt ohono mewn drôr am flynyddoedd, a heb ei anogaeth mewn drôr y buasent wedi aros.

Rwyf yn ddiolchgar i Ymddiriedolaeth Saunders Lewis am ddyfarnu imi ysgoloriaeth a'm galluogodd i ddechrau mynd i'r afael â'r gwaith hwn, rai blynyddoedd yn ôl bellach. Gyda'r nawdd hwn, dysgais yr Almaeneg o fynychu cyrsiau iaith y Goethe Institut yn Freiburg a Berlin, ynghyd ag ym mhrifysgolion Fienna a Tübingen. Caniataodd Prifysgol Freiburg, Prifysgol Fienna a Phrifysgol Humboldt, Berlin imi ddefnyddio eu llyfrgelloedd. Cefais hwyl arni hefyd yn *Hauptbücherei* Fienna ac yn llyfrgell ganolog dinas Prag. Diolch yn arbennig i Barbara Rüth, fy lletywraig radlon yn Friedrichshain, Berlin, ble y bûm yn lletya am sawl mis, ac a geisiodd roi sglein ar fy Almaeneg lafar. Lle i enaid gael llonydd yw Berlin, a daeth y teulu ataf hefyd am gyfnod. Ym Merlin y dysgodd fy merch ei geiriau cyntaf mewn ail iaith, ac er i'r rheini gael eu bwrw dros gof ganddi erbyn hyn, byddaf yn ei hatgoffa mai trydedd iaith yw'r Saesneg iddi, a bod modd mentro i'r byd mawr heb fynd trwy byrth Lloegr.

Simon Brooks
Eifionydd

Nodyn: Iaith a Thermau

Llyfr Cymraeg yw hwn yn defnyddio ffynonellau mewn tair iaith yn bennaf: Cymraeg, Almaeneg a Saesneg. Er hynny, rwy'n dymuno i'r darllenydd gael profiad Cymraeg o'i ddarllen. Cyfieithais yr holl ddyfyniadau Almaeneg i'r Gymraeg, gan gadw'r testun Almaeneg yn y cefn ar ffurf troednodiadau (diolch i Marion Löffler, Heini Gruffudd a Gwennan Higham am fwrw golwg dros rai o'r cyfieithiadau, ac am gynnig cywiriadau a gwelliannau yn ôl y galw). Ceir llond dwrn o gyfieithiadau o'r Ffrangeg hefyd, a chan nad wyf yn medru'r iaith honno bu Richard Glyn Roberts yn ddigon caredig i'm cynorthwyo.

Cyfieithais hefyd y rhan fwyaf o'r dyfyniadau Saesneg. Byddai gwneud fel arall yn gosod Saesneg ar ris gwahanol i ieithoedd y cyfandir. Gosodais y Saesneg wreiddiol yn y cefn, ac eithrio pan fo'r Saesneg yn gyfieithiad ei hun o iaith arall. Ni chyfieithais er hynny yr ychydig ddyfyniadau sy'n ymddangos yn unig mewn troednodyn. Gadewais rai testunau heb eu cyffwrdd hefyd os oedd yr ergyd yn debygol o fynd ar goll o'u trosi. Ni chyfieithais nemor ddim ychwaith o ddatganiadau Cymry'r bedwaredd ganrif ar bymtheg (y ganrif hir hyd at 1914). Mae'n haws gwerthfawrogi sawr eu bombast Fictoraidd yn yr iaith gysefin. A rhaid oedd tynnu sylw hefyd at ddefnydd helaeth rhai o'r Cymry hyn o'r Saesonaeg yn lle'r hen Omeraeg, sy'n awgrym mor bendant o'u safbwynt diwylliannol a gwleidyddol.

Anghenraid mewn llyfr Cymraeg fel hwn yw pennu terminoleg ar gyfer cysyniadau. Mewn diwylliannau iach, mae termau'n ymrafael â'i gilydd am oruchafiaeth a datblyga disgwrs syniadol yn sgil hyn. Yng Nghymru, fodd bynnag, ceir tuedd ddiweddar i derminoleg gael ei sefydlogi gan eiriadurwyr a phwyllgorau, weithiau wrth drosi o iaith arall; fel arfer, ond nid yn ddieithriad, o'r Saesneg. Ar un olwg arwydd yw hwn o awydd i greu iaith fodern ac yn hyn o beth mae i'w gymeradwyo, ac eto ni ddylid caniatáu i'r arfer fynd yn orthrwm ar drafodaeth fewnol y gymdeithas Gymraeg ynglŷn ag ystyron ei geiriau ei hun. Nid Saesneg neu Almaeneg neu Ffrangeg mewn cyfieithiad yw Cymraeg, ond Cymraeg.

Enghraifft o'r safoni newydd yw'r term 'Ymoleuad', a ddefnyddir yn ddiweddar i gyfeirio at yr 'Enlightenment'. Nid yw ar gael yn argraffiad cyntaf *Geiriadur Prifysgol Cymru*. Mae'n drosiad da: gellir gweld ei debyg yn y gair Almaeneg, 'Aufklärung'. Er hynny, mae'n well gennyf innau arddel 'Goleuedigaeth', fel yn fy nghyfrol flaenorol *O Dan Lygaid y Gestapo: Yr Oleuedigaeth Gymraeg a Theori Lenyddol yng Nghymru*. Fel arall, byddid yn cadw 'Goleuedigaeth', a thrwy awgrym 'oes oleuedig', ar gyfer y Diwygiad Methodistaidd. Mae hynny'n rhoi blaenoriaeth i grefydd fel y digwyddiad gweddnewidiol, canolog yn hanes modern y Cymry. Roedd y Diwygiad Methodistaidd yn fudiad o bwys, yn llawer mwy dylanwadol yng Nghymru na'r 'Enlightenment' seciwlar, ond ni oleuodd genedl y Cymry yn y materion a drafodir yn y gyfrol hon.

Yn yr un modd, bu'n rhaid imi gnoi cil ar sut i ddweud mewn Cymraeg yr hyn a gyflëir mewn Saesneg gan 'particularism' ac 'universalism'. O ran 'particularism', rwy'n cydsynio â'r geiriadurwyr fod 'neilltuoldeb', a gwahanol amrywiadau arno, yn cyfleu'r pwnc yn dda. Mwy o dalcen caled yw 'universalism'. Mewn disgwrs gwleidyddol Cymraeg yn y bedwaredd ganrif ar bymtheg defnyddid 'cyffredinol' ar gyfer 'universal': mynegid yn bur helaeth yn ail hanner y ganrif fod y Saesneg yn 'iaith gyffredinol', 'universal language'. Gwir y ceir 'hollfydol' a 'chyfanfydol' a rhai termau eraill mewn rhai geiriaduron, ond onid gwell gwreiddio theori Gymraeg yn y traddodiad cynhenid? Felly, er defnyddio 'cyfanfydedd' hefyd, at ei gilydd rwyf wedi arfer 'y cyffredinol', 'cyffredinolrwydd' ac weithiau 'cyffredinoldeb' ar 'universalism'.

Bûm yn pendroni wedyn ai mân ynteu mawr yw cysyniadau fel Rhyddfrydiaeth, Sosialaeth, Ceidwadaeth ac ati: yn y llyfr hwn, ideolegau ydynt ac felly maent wedi eu gwaddoli â phriflythyren. Ond cedwais 'Genedlaetholdeb' yn 'genedlaetholdeb', am ei fod yn fwy nag ideoleg, ac eto'n ddiffygiol fel ideoleg, yng Nghymru o leiaf 'Politico . . . has turned into an orthographic battle between the Upper and lower cases', meddai Tom Nairn am genedlaetholdeb a'r Alban. Ac felly hefyd yn y llyfr hwn, nid anwleidyddol hollol mo'r penderfyniadau ynghylch orgraff.

Yn y diwylliant Cymraeg, nid yw geiriau fel 'Cymraeg', 'Cymreig', 'Saesneg', 'Seisnig', 'Prydeinig', 'Cymry', 'Saeson', ac yn y blaen yn sefydlog eu hystyr. Maent yn ansefydlog hollol yn ystod cyfnod yr astudiaeth hon sy'n pontio rhwng cenedlaetholdeb ethnoieithyddol Cymraeg a fethodd a chenedlaetholdeb sifig Cymreig a fethodd hefyd. Er hynny, ac er nad yw'r gwahaniaeth yn amlwg bob tro (yn enwedig, efallai, yn y bedwaredd ganrif ar bymtheg), rwyf wedi ceisio arddel y term 'cenedlaetholdeb Cymraeg' i ddynodi'r dull o feddwl a oedd am weld hybu cenedligrwydd y Cymry, ac ennill gwladwriaeth hyd yn oed, er mwyn diogelu'r diwylliant Cymraeg at yr hirdymor. Naws mwy 'sifig' sydd i'm defnydd o 'genedlaetholdeb Cymreig' gyda'i bwyslais ar ryddid i Gymru fel tiriogaeth, ac sy'n gofidio llai am dynged y grŵp ieithyddol lleiafrifol sy'n trigo yno. Fodd bynnag, nid yw'r ffin rhwng y sifig a'r ethnig yn sefydlog ychwaith, ac fel cysyniadau ac mewn realiti maent yn aml yn gyfystyron, ac fel popeth astrus ac enbyd mewn bywyd mae'r ansicrwydd sy'n deillio o hyn yn aros gyda ni o hyd.

Ymddangosodd y map gyntaf yn *Hanes Ewrop 1815–1871*, gan Marian Henry Jones.

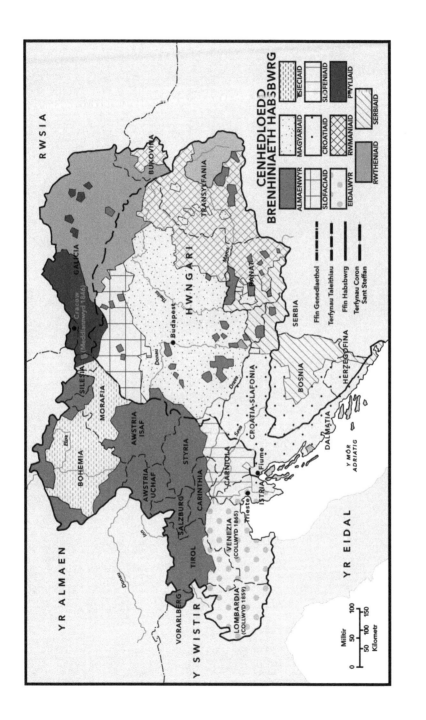

CENHEDLOEDD
BRENHINIAETH HABSBWRG

TSIECIAID
SLOFENIAID
PWYLIAID
SERBIAID
MAGYARIAID
CROATIAID
RWMANIAID
ALMAENWYR
SLOFACIAID
EIDALWYR
RWTHENIAID

Ffin Genedlaethol
Terfynau Taleithiau
Ffin Habsbwrg
Terfynau Coron
Sant Steffan

R W S I A

YR ALMAEN

Y SWISTIR

YR EIDAL

GALICIA

BUKOVINA

TRANSYLFANIA

Cracow
(Meddiannwyd 1846)

• Budapest

BANAT

Maros

Tibisg

Donau

Drava

SILESIA

MORAFIA

BOHEMIA

AWSTRIA
ISAF

AWSTRIA
UCHAF

STYRIA

CARINTHIA

CARNIOLA

SALZBURG

TIROL

VORARLBERG

Elbe

Inn

Donau

H W N G A R I

SERBIA

CROATIA-SLAFONIA

BOSNIA

HERZEGOFINA

DALMATIA

ISTRIA
Fiume •
Trieste •

VENEZIA
(COLLWYD 1865)

LOMBARDIA
(COLLWYD 1859)

Sava

Drava

Y MÔR
ADRIATIG

Milltir
0   50   100
0 50 100 150
Kilometr

1

Methiant Annisgwyl
Cenedlaetholdeb Cymraeg

Pam nad yw Cymru heddiw'n wlad Gymraeg ei hiaith? Pam nad yw Cymru heddiw'n wlad annibynnol? Sut y gallai gwlad a oedd yn 1850 yn uniaith Gymraeg dros y rhan fwyaf o'i thiriogaeth fod o fewn dim i golli'r iaith cyn pen can mlynedd? Diffyg datblygiad mudiad cenedlaethol Cymreig yn ystod y bedwaredd ganrif ar bymtheg sy'n bennaf gyfrifol am hyn, a phan gafwyd o'r diwedd gamau egwan i'r cyfeiriad hwnnw yn y 1880au a'r 1890au, nid oedd iaith yn ganolog i'r weledigaeth. Mewn rhannau eraill o Ewrop, cafwyd twf mewn cenedlaetholdeb ymhlith cenhedloedd a phobloedd ddiwladwriaeth. Ac roedd eu cenedlaetholdeb hwythau'n seiliedig ar iaith. Hon oedd Oes Cenedlaetholdeb gwledydd bychain. Ond ni chafwyd ymchwydd o'r fath yng Nghymru.

Roedd lle canolog Rhyddfrydiaeth fel ideoleg yng ngwledydd Prydain yn gyffredinol, ac ymhlith y Cymry yn benodol, yn ystod ail hanner y ganrif yn greiddiol i'r methiant hwn. Anghywir yw tybio, fel y gwneir yn gyffredinol, fod cynnydd gwleidyddol y Gymru Ryddfrydol Anghydffurfiol Gymraeg ynghlwm rywsut wrth dwf mewn cenedlaetholdeb. Mewn gwirionedd, bu dylanwad Rhyddfrydiaeth fel athrawiaeth wleidyddol yn rhwystr i dwf ymwybyddiaeth genedlaethol. Camliwiwyd hanes syniadol Cymru fel hyn gan mai'r Blaid Ryddfrydol oedd cartref radicaliaeth Gymreig, a Chymru Fydd, grŵp pwyso a oedd o blaid ymreolaeth i Gymru, yn fudiad o'i mewn. Ond methiant oedd hwnnw, a gwobr ei arweinwyr, T. E. Ellis a David Lloyd George, oedd cael swyddi gan y llywodraeth. Ond nid yn y 1890au pan fethodd Cymru Fydd y ceir gwreiddiau ffaeledd cenedlaetholdeb Cymraeg. Mae'r rheini

i'w canfod yn rhawd syniadol Rhyddfrydiaeth Gymraeg genhed-
laeth ynghynt. Dengys yr ymateb i Lyfrau Gleision 1847 y buasai
meddylfryd gwrthgenedlaetholgar yn rhan annatod o Ryddfryd-
iaeth Gymraeg o'i chychwyn.

Anffawd fawr y diwylliant Cymraeg yw na allasai twf Rhydd-
frydiaeth wrthgenedlaetholgar fod wedi digwydd ar adeg waeth.
Roedd Cymru'r Llyfrau Gleision yn wlad Gymraeg ei hiaith. Cymry
uniaith oedd mwyafrif y boblogaeth. Lleferid y Gymraeg nid yn
unig yng nghefn gwlad, ond hefyd gan drwch poblogaeth ardal-
oedd diwydiannol y gogledd-ddwyrain a chymoedd y de. Roedd
Caerdydd hithau'n ddwyieithog. Mor hwyr â 1867, roedd modd
penodi ffigwr cenedlaethol fel Islwyn yn olygydd ar bapur newydd
Cymraeg yng Nghasnewydd.[1] Pe cawsid yng Nghymru'r bedwar-
edd ganrif ar bymtheg y math o fudiad cenedlaethol a gafwyd
mewn rhannau eraill o Ewrop, ni fuasai o angenrheidrwydd wedi
arwain at annibyniaeth i Gymru, nac ymreolaeth. Roedd y Blaid
Geidwadol yn ddigyfaddawd ei gwrthwynebiad i genedlaetholdeb
Celtaidd, ac roedd adain unoliaethol gref i'r Blaid Ryddfrydol.
Roedd y wladwriaeth Brydeinig yn endid hynod nerthol, ac yn
barod, fel y dengys hanes Iwerddon, i ddefnyddio trais arfau er
mwyn amddiffyn ei hundod tiriogaethol.

Ond diau y buasai datblygiad mudiad cenedlaethol Cymreig
ieithgarol wedi gweddnewid rhagolygon y Gymraeg. Gallasai ei
bwysau fod wedi sicrhau bod Deddfau Addysg 1870 a 1889 yn
gorseddu'r Gymraeg yn brif iaith ysgolion elfennol, a maes o law
sirol, Cymru. Llwyddai llawer o genhedloedd bychain Ewrop i
ennill consesiynau a fyddai'n sicrhau mai trwy'r iaith frodorol yr
addysgid eu plant.[2] Gydag addysg Gymraeg, buasai'r gymdeithas
Gymraeg ar dir sicrach o lawer o safbwynt cymathu plant mewn-
fudiad mawr y 1890au a'r 1900au i ardaloedd megis canol Mor-
gannwg. Nid oedd y dirywiad ieithyddol yn y maes glo yn anorfod;
gydag ymateb gwleidyddol gwahanol, gallasai fod wedi aros yn
rhanbarth Cymraeg cadarn. Os felly, awgryma hanesyddiaeth a
sosioieithyddiaeth gymharol y byddai'r Gymraeg heddiw'n iaith
mwyafrif pobl Cymru, a'r wlad yn debyg ei chymeriad ieithyddol
i genhedloedd bychain fel y Ffindir ac Estonia, neu Fohemia cyn
ymyrraeth Natsïaeth, yn defnyddio'r iaith frodorol yn bennaf, ond

gyda lleiafrif ar y cyrion, ac yn y trefi mawrion, yn coleddu llafar yr hen rym ymerodraethol o hyd.

Ac eto, cymharol brin fu'r ymdriniaethau â chwestiwn hollbwysig diffyg mudiad cenedlaethol yng Nghymru'r bedwaredd ganrif ar bymtheg. Mae hyn yn od, oherwydd o safbwynt astudiaethau cenedlaetholdeb, 'fe ellid dadlau', fel y gwnaeth Richard Wyn Jones, 'mai dyma'r unig gwestiwn hanesyddiaethol o bwys cyffredinol a godir gan y profiad Cymreig'.[3] Go brin, fodd bynnag, fod ei ofyn o fudd ideolegol i ysgolion hanes yr ugeinfed ganrif. I haneswyr â'u gwreiddiau ym mudiad llafur y de-ddwyrain, ceid tuedd i bwysleisio gwerinoldeb ac undod dosbarth mewn modd sy'n cymryd yn ganiataol y bu enciliad y gymdeithas Gymraeg yn 'South Wales' yn broses led naturiol. Nid oes dim i'r haneswyr hyn ei ennill o ofyn pam na cheid mudiad iaith torfol yng nghymoedd y de cyn i hunaniaethau di-Gymraeg y rhanbarth gael eu ffurfio. I'r garfan fwy Chwigaidd a rhyddfrydol o haneswyr sy'n credu mewn Cynnydd, sef y rhan fwyaf, bu'r hyn a ddigwyddodd yn ystod 'deffroad y werin' yn y bedwaredd ganrif ar bymtheg yn amlwg er gwell. Buasai bwrw golwg rhy feirniadol ar dynged y gymdeithas Gymraeg yn ystod y cyfnod hwn yn bwrw amheuaeth ar eu bydolwg yn ei gyfanrwydd.

Yn yr un ffordd, ni fuasai codi'r cwestiwn wrth fodd cenedlaetholwyr. Pwysleisia cenedlaetholdeb Cymraeg (mewn caneuon fel 'Yma o Hyd' Dafydd Iwan a llyfrau hanes poblogaidd Gwynfor Evans) wyrth goroesiad y Gymraeg yng nghlyw iaith ymerodraeth gryfa'r byd. Neges arwrol felly: ymdrechodd gwerin Cymru ymdrech deg i gadw'r Gymraeg, a chan hynny fe'i cadwyd. Ond mae'n amheus faint o ymdrech a gafwyd mewn gwirionedd. Roedd y Gymraeg yn iachach o lawer hyd at ganol y bedwaredd ganrif ar bymtheg na rhai o'r ieithoedd sydd erbyn hyn yn unig ieithoedd swyddogol rhai o aelod-wladwriaethau'r Undeb Ewropeaidd. Go brin fod archwilio i'r caswir hwn yn debyg o borthi neges genedlgarol o arwriaeth Gymreig a fyddai'n hawdd i genedlaetholwyr ei threulio.

Ni ellir cyhuddo cenedlaetholwyr o anwybyddu'r pwnc yn gyfan gwbl er hynny. Erbyn degawdau clo'r ugeinfed ganrif cafwyd nifer o astudiaethau disglair gan ysgolheigion cenedlaetholgar o agweddau 'taeog' Cymry Oes Fictoria a'r awydd yn eu plith i annog Prydeineiddio ar eu pobl eu hunain.[4] Ond ceir tuedd yn y cyfrolau hyn i godi'r wladwriaeth Brydeinig a'r diwylliant angloffon yn unig gwmpawd diwyllianol y drafodaeth, a phrin y mentrir i dir mawr Ewrop. Gan hynny, heb fedru cymharu hanes Cymru â hanes gwledydd bychain eraill, nid oes cyfle teg i esbonio *pam* fod y Cymry wedi bod mor chwannog i gefnu ar y Gymraeg, a *pham* na ddatblygwyd mudiad cenedlaethol.

Trueni hynny, oherwydd o goleddu safbwynt Ewropeaidd cymharol, gwelir yn gliriach fyth y gellid bod wedi disgwyl i'r Gymraeg nid yn unig oroesi'r bedwaredd ganrif ar bymtheg, ond ymgryfhau. Yn 1847, roedd yr iaith yn hollbresennol; erbyn cyfrifiad 1951, cwta ganrif yn ddiweddarach, yr oedd y boblogaeth oll, ac eithrio'r hen iawn a'r ifanc heb fynd i ysgol, yn medru Saesneg, a llai na thraean yn medru Cymraeg. Mae dirywiad ieithyddol o'r fath, mewn gwlad fodern na welsai lanhau ethnig, yn unigryw yn hanes diweddar Ewrop.

Er hyn oll, dywed Geraint H. Jenkins:

> Ni fyddai neb ond yr hanesydd llymaf yn beirniadu Cymry Cymraeg blaengar oes Victoria am sylweddoli bod angen i'w cyd-wladwyr ddysgu siarad Saesneg yn rhugl . . . mewn cyfnod pan oedd economi Cymru yn newid y tu hwnt i bob adnabyddiaeth, byddai wedi bod yn amhosibl cynnal unieithrwydd Cymraeg ar raddfa eang.[5]

Mae'r datganiad yn rhy esgusodol o lawer. 'The question of language shift *is* a central one in modern Welsh history',[6] chwedl Robin Okey, ac er bod Geraint Jenkins wedi gwneud mwy na neb i ymholi'n ysgolheigaidd ynglŷn â rhawd y Gymraeg, rhagdybiaeth nad oes modd ei phrofi yw tybio y bu'r cwbl yn anorfod. Dichon na fuasai unieithrwydd Cymraeg yn bosibl heb fesur helaeth o ymreolaeth Gymreig. Er hynny, nid yw'n glir pam na cheid galwadau taerach o blaid ymreolaeth os mai dyna oedd yn angenrheidiol.

Mewn hanesyddiaeth Ewropeaidd ar y llaw arall, ceir rhagdybiaeth amgen, sef ei bod yn rhyfedd na ddilynodd Cymru drywydd gwahanol. Wrth ysgrifennu ar gyfer cynulleidfa â disgwyliadau tra gwahanol i'r Cymry, noda'r hanesydd Almaeneg Knut

Diekmann, yn ei *Die nationalistische Bewegung in Wales* ('Y mudiad cenedlaethol yng Nghymru'), y bodolai yng Nghymru'r bedwaredd ganrif ar bymtheg 'y posibilrwydd ar gyfer datblygiad cenedlaetholdeb yn ol y fformiwla, "un genedl = un wladwriaeth". Ond ni chodwyd hyn gan yr arweinwyr meddwl.'[7]

Neu, o fynegi'r peth mewn ffordd arall, fel y gwnaeth Saunders Lewis yn *Tynged yr Iaith* yn 1962: 'Bu amser, yng nghyfnod deffroad y werin rhwng 1860 a 1890, y buasai'n ymarferol sefydlu'r Gymraeg yn iaith addysg a'r Brifysgol, yn iaith y cynghorau sir newydd, yn iaith diwydiant. Ni ddaeth y cyfryw beth i feddwl y Cymry.'[8] Nodweddir darlith Saunders Lewis gan ymwybod â'r cyd-destun Ewropeaidd wrth iddo ddangos i'r iaith frodorol ennill ei phlwyf mewn amryw o wledydd bychain Ewrop, a'i throi'n iaith dysg mewn prifysgolion megis yn 'y Swistir, a Ghent a Louvain yng ngwlad Belg.'[9] Ond peth prin mewn hanesyddiaeth Gymreig yw'r ymwybod cymharol hwn.

Gan hanesydd Tsiecaidd, Miroslav Hroch, sy'n ddylanwad ffurfiannol ar nifer o feddylwyr Cymreig a aeth i'r afael â'r broblem hon fel Robin Okey a Richard Wyn Jones, y ceir y cyfeiriad mwyaf adnabyddus gan ysgolhaig rhyngwladol at yr 'eithriad Cymreig'. Mae cwmpas ei astudiaeth gymharol o genedlaetholdebau gwledydd 'anhanesiol' Ewrop (y gwledydd llai hynny nad ydynt wedi meddu ar eu gwladwriaethau eu hunain ers dyddiau'r Oesoedd Canol), *Die Vorkämpfer der Nationalen Bewegung bei den Kleinen Völkern Europas* ('Arloeswyr mudiadau cenedlaethol cenhedloedd bychain Ewrop'), yn dra rhyfeddol. Cynhwysa ddeongliadau o gyfansoddiad cymdeithasegol mudiadau cenedlaethol fel rhai'r Tsieciaid, y Ffiniaid, yr Estoniaid, y Lithwaniaid, y Slofaciaid, y Fflemiaid a Daniaid Schleswig ar awr eu prifiant yn y bedwaredd ganrif ar bymtheg.

Yn nhyb Hroch, enghraifft *par excellence* yw Cymru o fethiant i godi cenedl. Gwlad ydoedd a chanddi'r holl nodweddion angenrheidiol ar gyfer meithrin mudiad cenedlaethol ac adeiladu cenedl fodern ond na wnaeth hynny:

> Gadewch inni gynnig enghraifft eithafol . . . I Gymru ar ddiwedd y bedwaredd ganrif ar bymtheg yr oedd pob nodwedd o'r diffiniad

'clasurol' [o genedligrwydd] yn ddilys hyd yr eithaf: roedd ganddi
batrwm anheddu cywasgedig, undod diwylliannol hen-sefydledig
a neilltuol, iaith lenyddol a oedd wedi'i moderneiddio, ffurfiodd yn
ei thiriogaeth hyd yn oed gyfangorff economaidd nid annhebyg i
farchnad genedlaethol – ac er gwaethaf hyn oll ni allwn siarad bryd
hynny am genedl Gymreig a oedd wedi'i datblygu'n llawn.[10]

Ar yr olwg gyntaf, nid yw'r methiant hwn yn ddealladwy, na'r
hyn a'i cymhellodd yn amlwg. Perthyna'r Cymry i ddosbarth o
bobloedd yn Ewrop a oedd o ran eu niferoedd 'yn fychan ond nid
yn bitw'.[11] Cynhwysai'r garfan hon ddarpar-genhedloedd y Slofac-
iaid a'r Slofeniaid, pobloedd y Baltig, ynghyd â'r Basgiaid a'r
Llydawyr. Gan y bu gwledydd i'r dwyrain o afon Rhein yn fwy
llewyrchus at ei gilydd yn eu hymdrechion cenedlaetholgar na'r
rhai yng nghwr gorllewinol y cyfandir, arweiniwyd rhai i haeru
fod gwahaniaethau geowleidyddol, cymdeithasegol ac economaidd
diadlam rhwng dwyrain a gorllewin Ewrop, a bod y llyffetheirio
ar dwf cenedlaetholdebau lleiafrifol yn y gorllewin ymron â bod
yn anochel.[12] Ac eto, onid esgusodol yw'r awgrym hwn hefyd?

Mae'n siŵr y byddai rhai am dynnu sylw at wladwriaeth Ffrainc
er mwyn ceisio cynnal y ddamcaniaeth gan nodi'r methiant i lunio
cenhedloedd llwyddiannus yn Llydaw a Phrofens. Fodd bynnag,
gwelir yn syth mai dehongliad y Ffrancod o hunaniaeth sifig
sy'n gyfrifol am yr anap. Cafwyd yn Ffrainc er 1789 ideoleg werin-
iaethol a fynnai fod cydraddoldeb dinasyddion ynghlwm rywsut
wrth egalitariaeth ddiwylliannol. Mynnwyd fod y wlad yn an-
wahanadwy o ran tiriogaeth, treftadaeth a'r defnydd, yn y sffêr
cyhoeddus o leiaf, o iaith gyffredin. Yn hyn yr oedd Ffrainc yn
wahanol i Brydain, ond nid yn gwbl annhebyg ychwaith. Nid oes
cymaint â hynny o fwlch rhwng Jacobiniaeth ddiwylliannol y
Ffrancwyr a Rhyddfrydiaeth y Prydeinwyr – dulliau cymathol o
feddwl ydynt â gwreiddiau tebyg iawn yn yr Oleuedigaeth. Fodd
bynnag, mae Cymru yn fethiant mwy trawiadol na chenhedloedd
llai Ffrainc am iddi gael ei diwydiannu a'i moderneiddio'n drylwyr
ac am yr honna Rhyddfrydiaeth Brydeinig fod modd i'r Cymry
ddewis eu tynged. Ni ellir dweud i'r wladwriaeth Ffrengig erioed
honni hynny am genhedloedd diwladwriaeth Ffrainc.

Bu methiannau ymddangosiadol ar benrhyn Iberia hefyd er bod Catalwnia yn meddu ar fwy na digon o'r cynhwysion angenrheidiol ar gyfer bod yn wladwriaeth. Fel yr Alban, yr oedd Catalwnia yn genedl 'hancsyddol'; yn wir, yn 'rhagredegydd bron i'r genedl-wladwriaeth'.[13] Mor hwyr â'r ddeunawfed ganrif, buasai gwrthryfel arfog o blaid ymreolaeth. Erbyn y bedwaredd ganrif ar bymtheg, yr oedd yn gymdeithas gefnog, fodern a chanddi, yn Barcelona, ddinas fwrgais a ffyniannus o bwys Ewropeaidd. Ac eto, hyd at oddeutu'r 1850au, yr oedd newid iaith i'r Sbaeneg yn mynd rhagddo gan fod gwerthoedd rhyddfrydol Sbaenaidd yn cael eu harddel gan yr elît brodorol.[14] Roedd hyn yn ddrych o'r sefyllfa yng Nghymru, ond wedi hynny bu tro ar fyd.

Pan oedd y Prydeineiddio a'r Seisnigo ar Gymru yn dwysáu eto fyth, ac yn wir yn y 1860au yn cyrraedd ei *apogée*, meithrinid hunaniaeth Gatalan a oedd yn ymwrthod â chymathiad. Ben-thyciwyd syniadau am yr 'ysbryd' cenedlaethol oddi wrth Ramant-iaeth Almaeneg.[15] Ceid galwadau am ymreolaeth, ac am arddel y Gatalaneg ymhob agwedd ar fywyd: yn ddiweddarach yn y ganrif, dadleuwyd dros ei sefydlu'n unig iaith y genedl.[16]

Faint o fethiant felly oedd Catalwnia mewn gwirionedd? Gosod-wyd sylfaen gref yn y bedwaredd ganrif ar bymtheg ar gyfer cenedlaetholdeb Catalan torfol yr ugeinfed ganrif a'r unfed ganrif ar hugain, cenedlaetholdeb nad yw wedi dod i'r golwg yng Nghymru hyd heddiw. Amodau allanol lawn gymaint ag unrhyw ffaeledd tybiedig yng Nghatalwnia ei hun yw'r rheswm na sefyd-lwyd cenedl-wladwriaeth. Prin oedd y cyfle i sefydlu gwladwr-iaethau ar gyfer cenhedloedd llai Sbaen ar derfyn y Rhyfel Byd Cyntaf, gan y buasai Sbaen yn niwtral ac nid oedd y wladwriaeth wedi'i gwanhau. Rhwygwyd Sbaen gan ryfel cartref y 1930au, ond Franco'r Sbaengarwr a drechodd (pe bai wedi colli, mae'n debyg y buasai Catalwnia wedi cadw'r ymreolaeth a dderbyniodd yn 1932). Ac yn ieithyddol, nid oedd Catalwnia yn fethiant o gwbl. Catalwnia yw un o'r ychydig genhedloedd diwladwriaeth yn y Gorllewin lle mae'r iaith frodorol yn iaith mwyafrif y boblogaeth o hyd.

Onid tebyg yw trywydd Gwlad y Basg? Nid oedd ei chenedl-aetholdeb mor ffyniannus â rhai o genedlaetholdebau canolbarth

7

a dwyrain Ewrop, ond o leiaf yr oedd yn bodoli, ac ni ellir dweud hynny mewn difrif am genedlaetholdeb yng Nghymru.[17] Os yn wir mai rhyw fath o Saunders Lewis Basgaidd oedd ei sylfaenydd adain dde a charismataidd, Sabino de Arana y Goiri, mae'n arwyddocaol iddo roi cychwyn i Blaid Genedlaethol y Basgiaid yn 1895, ddeng mlynedd ar hugain cyn y gwelodd Plaid Genedlaethol Cymru olau dydd.[18] Roedd y Basgiaid genhedlaeth dda o flaen y Cymry.

Breiniwyd Gwlad y Basg â Statud Awtonomi yn 1936, ac fel yn achos Catalwnia gallasai ei hanes fod wedi bod yn wahanol iawn pe na bai Franco wedi cario'r dydd. Heddiw, ceir ôl ymdrech a difrifoldeb amcan ar y mudiad iaith a'r mudiad cenedlaethol sy'n ddieithr iawn i'r byd Cymraeg. Nid yw'r Basgiaid yn credu mewn dwyieithrwydd sy'n hybu'r iaith fwyafrifol, ac mae'r mwyafrif o blaid annibyniaeth. Mae eu mudiadau cenedlaethol adain chwith, y mudiadau *Abertzale*, wedi cefnu'n seicolegol ar Sbaen a'r Sbaeneg.

Y gwir amdani yw i genedlaetholdeb ffynnu yng ngorllewin Ewrop pan fo ymwybod â gorthrwm ac ymwybod â gwahaniaeth ethnig yn cyd-fynd. Onid yw hanes y Deyrnas Gyfunol ei hun yn profi hyn? Enillodd Iwerddon ei rhyddid yr un pryd â gwledydd canolbarth a dwyrain Ewrop, yn sgil cyflafan y Rhyfel Byd Cyntaf. Anghofiwn yn aml i'r Deyrnas Gyfunol golli talp go lew o'i thiriogaeth wedi'r Rhyfel Mawr – llai ufallai nag Awstria, ond mwy fel canran o'i harwynebedd na Rwsia, a fuasai yn y blynyddoedd treng hynny trwy felin sawl rhyfel cartref a chwyldro Bolshefic. Ni chadwodd Iwerddon ei hiaith, ond roedd y newid mawr i'r Saesneg eisoes ar droed ymhell cyn oes aur cenedlaetholdeb iaith.[19] Roedd Cymru ar y llaw arall yn endid ieithyddol cydlynol hyd at y 1870au o leiaf. Nid oedd sefyllfa cenedlaetholdeb Cymraeg, mewn potensial o leiaf, yn anobeithiol o gwbl.

Awgrymwyd rhesymau eraill i esbonio methiant cenedl y Cymry. Buasai sefydlogrwydd hirdymor diargyfwng yn y wlad ers y Rhyfel Cartref. Nid dibwys efallai myth Ynys Prydain fod y Cymry wedi cyfanheddu Cymru a Lloegr cyn dyfodiad yr Eingl (a'u bod yn gyndyn felly, trwy gyfrwng annibyniaeth Gymreig, o ildio eu hawl ar yr ynys i gyd), natur hirhoedlog y berthynas rhwng Cymry a Saeson, ac ymgais y Tuduriaid ac eraill i blethu hanes y ddwy genedl ynghyd.[20] Ac eto, onid yw pethau cyffelyb (mytholeg am faboed cenhedloedd, brenhinllin yn honni disgyniad o fwy nag un genedl, cydfyw pobloedd ar yr un tir dros ganrifoedd lawer) yn wir am sawl tiriogaeth a chenedl ar hyd a lled y cyfandir?

Hwyrach hefyd fod Cymru yn ei phenrhyn mynyddig rhwng Lloegr a'r môr yn ynysig iawn mewn modd nad oedd yn wir am genhedloedd mewn lleoedd eraill, megis yn nhiroedd Brenhiniaeth Habsbwrg. Dyna ymerodraeth fwyaf amlethnig Ewrop: y bobloedd bwysicaf oedd yr Almaenwyr, y Magyariaid, y Tsieciaid, y Slofeniaid, yr Eidalwyr, y Pwyliaid, y Rwtheniaid (sef yr Wcreiniaid a'r Rusyniaid), y Slofaciaid, y Rwmaniaid, y Serbiaid, y Croatiaid, gwahanol bobloedd Almaenaidd ar ddisberod fel y Sacsoniaid a'r Swabiaid, yr Iddewon a'r Roma (a hefyd, mewn niferoedd llai, yr Armeniaid, y Bwlgariaid a'r Albaniaid, y Ladiniaid a'r Ffriuliaid, y *Bunjevci* a'r *Šokci*, a myrdd o grwpiau bychain eraill).[21] Oherwydd y trwch o ieithoedd a siaredid, roedd hunanymwybyddiaeth ieithyddol y gyfundrefn wleidyddol gymaint â hynny'n uwch. Meginid cenedlaetholdeb ethnoieithyddol gan amrywiaeth ieithyddol. Nid oedd gan y Cymry y fantais hon. Roedd y Deyrnas Gyfunol hithau'n wladwriaeth amlgenedl, ond nid oedd yn amlieithog ond ar ei chyrion, a gwahenid y Cymry oddi wrth lawer o'u cymdogion agosaf, yn Iwerddon yn ogystal ag yng ngwladwriaethau Ffrainc a Sbaen, gan ragfarn wrth-Gatholig.

Ond os oedd Cymru yn ynys ethnig, a honno'n ynys wedi'i hynysu, nid oedd yn unigryw yn hyn o beth. Ynysig iawn oedd Iwerddon (ac yn ynys go-iawn hefyd), ynysig oedd Norwy, Y Ffindir a Gwlad yr Iâ. Cafwyd ymhob un o'r cenhedloedd hyn, tair ohonynt yng ngorllewin Ewrop, fudiadau cenedlaethol cryfion a lwyddai i ennill annibyniaeth yn ystod hanner cynta'r ugeinfed ganrif.

Rhy hawdd hefyd yw haeru bod anweledigrwydd cenedlaetholdeb Cymreig yn ganlyniad grym eithriadol y Deyrnas Gyfunol. O ran ei bri rhyngwladol, yr Ymerodraeth Brydeinig oedd Unol Daleithiau ei hoes ac yr oedd o hyd yn cynyddu mewn pŵer. Mae'n wir, fel y noda'r hanesydd o dras Gymreig Norman Davies, na ddatblygodd mudiad cenedlaethol yn yr Alban yn ystod 'Oes Cenedlaetholdeb' ychwaith a bod hyn yn hynod awgrymog.[22] Ond

9

tybed a yw methiant cyfochrog Cymru a'r Alban i'w briodoli i nerth y wladwriaeth Brydeinig yn unig?

Dadleua Tom Nairn yn *The Break-up of Britain* y dylasai cymdeithas sifil yr Alban fod wedi bod o fantais i genedlaetholdeb Albanaidd, ac eto nid ydoedd.[23] Mewn gwirionedd, mae hunaniaethau sifig yn broblematig iawn i leiafrifoedd cenedlaethol. Priodola Nairn ddiffygion cenedlaetholdeb yr Alban i lwyddiant yr Oleuedigaeth Albanaidd yn trawsnewid cymdeithas gyn-fodern cyn i oes cenedlaetholdeb rhamantaidd wawrio, ynghyd â gallu'r fwrgeisiaeth Albanaidd i elwa ar gynnydd y fwrgeisiaeth Seisnig wedi uno Lloegr a'r Alban yn 1707. Ni roddid o ganlyniad bwyslais digonol ar yr ethnig Albanaidd. Mae'n siŵr hefyd fod presenoldeb y Gael fel yr Arall ethnig wedi gwneud rhinweddau hunanfoddhaus Prydeinig y Sgotyn hyd yn oed yn amlycach iddo. Ni ellid fod wedi codi'r Alban yn genedl sifig heb yn gyntaf ei glanhau o'i lleiafrif ethnig, fel y gwnaed o 1745 ymlaen.

Er bod yr Alban yn wlad lai rhyddfrydol o lawer na Chymru, mae'r pwyslais ar hunaniaeth sifig yng nghysgod Prydeindod cyfansawdd yn awgrymu y gallai grymoedd gwleidyddol, cymathol wedi bod ar waith yn yr Alban nad oeddynt yn gwbl annhebyg i'r rhai a oedd yn mynd rhagddynt yng Nghymru. Nid oedd a wnelo hyn, yn ei hanfod, fawr ddim â nerth unigryw yr Ymerodraeth Brydeinig, er na wnâi ei grymuster sefyllfa'r Cymry'n haws. Cwyd mudiad cenedlaethol trefnedig Iwerddon ei ben, a'i wrthryfel arfog, i chwerthin am ben yr honiad fod yr ymerodraeth yn anorchfygadwy. Hyd yn oed yng ngwlad y menig gwynion ei hun, yr oedd yn y 1860au rhyw 3,000 yn arddel cenedlaetholdeb milwriaethus: Ffeniaid Gwyddelig oeddynt.[24] Felly, nid oedd pob lleiafrif cenedlaethol yng ngwledydd Prydain yn ddi-fynd yn wyneb cenedlaetholdeb y wladwriaeth Brydeinig. Awgryma'r gymhariaeth â'r Alban mai cymathiad i'r sifig Saesneg sydd wrth wraidd methiant cenedl y Cymry, a'i fod yn ffactor hefyd ym methdaliad yr Alban, cenedl Brotestannaidd, Brydeinig arall, ond nid felly yn hanes y Gwyddelod, y bobl anwar hynny a fodolai 'beyond the pale'.

Ond siawns nad yw methiant Cymru yn fwy trawiadol nag un yr Alban oherwydd roedd gan Gymru fantais nad oedd gan yr

Albanwyr, sef y gwahaniad iaith amlwg ac ymddangosiadol ddi-adlam rhyngddi hi a Lloegr. Ni allai iaith fod yn sylfaen i genedligrwydd yr Alban gan fod tair iaith wahanol yno (Saesneg, Sgoteg a Gaeleg), ac yr ocdd y gryfaf, Saesneg, hefyd yn briod iaith Lloegr. Roedd siaradwyr Sgoteg yn deall Saesneg, ac nid oedd y bwlch rhwng y ddwy iaith Germanaidd yn ddigon llydan i fod yn sail ddichonadwy i fudiad cenedlaethol. Iaith y cyrion, cyff gwawd, cocyn hitio oedd yr Aeleg. Ni wynebai Cymru, a oedd yn Gymraeg a Chymreig drwyddi draw, a heb leiafrifoedd mewnol ystyrlon cyn canol y ganrif ac eithrio yn yr hen Saesonaethau ac ar hyd y gororau, anawsterau o'r fath.

Pam na fu odid ddim ymdrech yng Nghymru i drefnu gwrthsafiad ethnig? Dywed Nairn i Ramantiaeth yr Alban fod yn farwanedig, a bod hynny'n gloffrwym.[25] Ond yr oedd gan Gymru ei hiaith, y llinyn arian hanfodol hwnnw a oedd yn gweu trwy genedlaetholdebau llwyddiannus tir mawr Ewrop. Yng nghyswllt hyn oll, ymddengys y methiant i feithrin mudiad cadarn o blaid hawliau cenedlaethol ac ieithyddol y Cymry yn annirnad. Mae'n un o baradocsau mawr hanes y genedl.

Cenhedloedd canolbarth a dwyrain Ewrop

Oedwn yn awr er mwyn bwrw golwg ar rai o fudiadau cenedlaethol canolbarth Ewrop a fu gymaint yn fwy llwyddiannus na'r mudiad cenedlaethol Cymreig er mwyn dangos pa mor eithriadol o fethedig oedd yr eithriad Cymreig. Ystyrir yn gyntaf fudiadau cenedlaethol mwyaf arwyddocaol tiriogaethau Brenhiniaeth Habsbwrg.

Bu'r adfywiadau cenedlaethol ymhlith y Magyariaid a'r Tsieciaid – hwy a'r Almaenwyr oedd tair cenedl bwysica'r frenhiniaeth – ganol y bedwaredd ganrif ar bymtheg yn rhai trawiadol. Yn Hwngari, gwnaed yr Hwngareg, iaith y Magyar, yn iaith swyddogol yn 1844. Disodlodd Ladin a fuasai'n *lingua franca* weinyddol mewn tiriogaeth amlieithog lle yr oedd o leiaf chwe iaith ar lafar. Ar ôl *Ausgleich* 1867, pan ddaeth Hwngari yn bartner hafal ag Awstria oddi mewn i'r hyn a elwid bellach yn Ymerodraeth Awstro-Hwngaraidd, bu'r llywodraeth Hwngaraidd mor filwriaethus ei

chenedlaetholdeb fel y troes ar leiafrifoedd a chenhedloedd eraill
oddi mewn i'w thiriogaeth ei hun, a cheisio'u Magyareiddio. Ar
un wedd, cenedl-wladwriaeth oedd Hwngari oddi mewn i ymerod-
raeth fwy, ac un ddigon anoddefgar hefyd. Er gwaethaf cefnogaeth
gwlatgarwyr Cymreig i annibyniaeth Hwngari yn ystod chwyl-
droadau mawr Ewrop yn y blynyddoedd 1848–9, go brin fod y
Magyariaid yn ddigon tebyg i'r Cymry i fod yn wrthrych astudiaeth
gymharol ystyrlon. Er hynny, dengys Hwngari mor gynnar yn y
bedwaredd ganrif ar bymtheg y medrai ysbryd y cenedlaetholdeb
newydd danio.

    Tebycach o lawer i'r Cymry yw'r Tsieciaid. Roedd eu lleoliad
unig fel penrhyn Slafaidd mewn môr Almaeneg a'u lle pwysig yn
yr economi ddiwydiannol fyd-eang yn ddrych o'r sefyllfa yng
Nghymru mewn mwy nag un ffordd. Roedd cenedlaetholwyr
Cymreig yn ymwybodol o'r cyffelybiaethau, gan iddynt droi at y
gwledydd Tsiec am ysbrydoliaeth. Troes Emrys ap Iwan atynt yn
1880 er mwyn tanseilio dadleuon Lewis Edwards, prif arweinydd
y Methodistiaid Calfinaidd, o blaid yr 'Inglis Côs', y capeli Saesneg
a godwyd mewn ardaloedd Cymraeg eu hiaith, ac er mwyn herio
difrawder y Cymry yn gyffredinol:

Paham yn enw pob synnwyr y dylem ni ymboeni ar hyd y blynydd-
oedd i ddysgu'r plant Cymreig i ddarllen Cymraeg, a'r Ysgrythur
Lân yn eu hiaith eu hunain yn yr Ysgolion Sabbothol, tra bu'r
Bohemiaid a chenhedloedd darostyngedig eraill, yn dysgu iaith eu
gwlad yn yr ysgolion dyddiol, a hynny ar draul y genedl a'u dar-
ostyngodd? Yn ddiau, y Cymry yw'r genedl wirionaf ar wyneb y
ddaear! Nid rhyfedd fod y Saeson yn ein diystyru![26]

Canmolwyd y mudiad cenedlaethol Tsiecaidd gan Saunders Lewis
hefyd.[27]
    Ac eto, nid yw'r gymhariaeth bob tro yn dal dŵr. Yn un peth,
cymdeithas lawer mwy bwrgais na Chymru oedd un Bohemia:
mae mynd am dro o gwmpas Prag, neu dref sba fel Karlsbad
(Karlovy Vary), yn ddigon i brofi'r pwynt, hyd yn oed o ystyried
holl *follies* Ardalyddion Biwt yn nalgylch Caerdydd. Y dosbarth
bwrgais oedd sail y mudiad cenedlaethol Tsiecaidd, ac yr oedd

datblygiad hanesyddol y naill yn dylanwadu'n gadarnhaol ar gynnydd y llall.[28] At hyn, yr oedd llawer mwy o Tsieciaid na Chymry, tua 4 miliwn yn y 1840au, a 6.5 miliwn ar drothwy'r Rhyfel Mawr.[29] Dyma esboniad amlwg arall pam y bu'r mudiad cenedlaethol Tsiecaidd yn fwy llwyddiannus na'r un Cymreig, er nad yr unig reswm, nac ychwaith yr un pwysicaf. Yn 1817, yr oedd bron cymaint o siaradwyr Gwyddeleg ag o siaradwyr Tsieceg, ac ni fu'r niferoedd o ryw gymorth mawr i'r Wyddeleg.[30]

Ni ellir tanbrisio na'r egni na'r radicaliaeth a geid ym Mohemia, na'r effaith a gâi yn cythruddo'r Almaenwyr. Gwnaed hwyl am ben yr ymgyrchydd iaith a newyddiadurwr enwog Karel Havlíček-Borovský yn y wasg Almaeneg yn 1848 mewn modd na fyddai'n ddieithr i ymgyrchwyr iaith Cymru yn y 1960au a'r 1970au. Mewn cartŵn, fe'i portreadwyd fel rhyw Foses digrifddwys yn dwyn dwy lechen y Deg Gorchymyn nad oedd arnynt ond tri gair yn cael eu hailadrodd: *jenom česky mluv* (siarada Tsieceg yn unig).[31] Cryfder y Tsieciaid a oedd wrth wraidd y difrïo arnynt, ac roedd yn dra gwahanol i'r gwendid affwysol a amlygasid yng Nghymru gan y Llyfrau Gleision flwyddyn ynghynt.

Taflwyd y Tsieciaid i weithgarwch gwleidyddol newydd gan Chwyldroadau 1848–9, ac erbyn y 1860au roedd y mudiad cenedlaethol eisoes yn un torfol. Roedd y buddugoliaethau'n sylweddol: yr oeddid wedi sicrhau yn 1848, yn llawysgrif y Kaiser ei hun, addewid y byddai'r Tsieceg yn gyfartal â'r Almaeneg yng ngweinyddiaeth y wladwriaeth ac mewn addysg gyhoeddus.[32] Dadlennol yw cymharu hyn â'r diffyg cynnydd yng Nghymru. Yn ail hanner y ganrif, roedd nifer yr ysgolion uwchradd a ddysgai trwy'r Tsieceg ar gynnydd: ceid yng Nghymru'r cyfnod feddylfryd a fyddai'n gorseddu addysg sirol uniaith Saesneg. Yn 1882, cytunwyd i rannu Prifysgol Prag yn ddwy ran ar seiliau ieithyddol: yng Nghymru, llifai ceiniogau gwerin Dyffryn Ogwen i goffrau coleg ar y bryn uniaith Saesneg. Yn bwysicaf oll, bu newid iaith graddol yn y trefi mawrion o'r Almaeneg i'r Tsieceg, newid iaith *o* iaith y wladwriaeth *i* gyfeiriad yr iaith ddiwladwriaeth: y gwrthwyneb a oedd yn digwydd yng Nghymru. Roedd Almaenwyr Bohemia mewn dyfroedd dyfnion. Aeth yr elfen Almaeneg yn llai pwysig ym mywyd y wlad gyfan, a dechreuodd yr Almaenwyr synio amdanynt eu

hunain fel perchnogion gororau ffiniol Bohemia yn unig, y Sudeten-
land.[33] Hyd yn oed yma, trowyd ardaloedd a fuasai unwaith yn
uniaith Almaeneg yn ddwyieithog wrth i siaradwyr Tsieceg ddylifo
iddynt er mwyn gweithio yn y diwydiannau a geid yno. Erbyn
diwedd y ganrif, yr oedd rhai cenedlaetholwyr Almaeneg eisoes
yn sôn am 'dranc Almaenrwydd ym Mohemia'.[34]

Ymhlith y bobloedd fwy distadl, megis y Slofaciaid a'r Slofeniaid
nad oeddynt ond ychydig yn fwy niferus na'r Cymry Cymraeg,
ceid llwyddiannau rhyfeddol na freuddwydid am eu tebyg yng
Nghymru.[35] Y Slofaciaid oedd un o leiafrifoedd lleiaf llewyrchus
canolbarth Ewrop, ond yr oedd hyd yn oed hwythau â mwy o
lewyrch ar eu trefniadaeth ddiwylliannol na'r Cymry. Safonwyd
yr iaith yn y 1840au, a cheid nifer o fuddugoliaethau diwylliadol
ac addysgol pwysig yn y 1860au.[36] Ond wedi'r *Ausgleich* yn 1867,
daeth y Slofaciaid o dan bwysau ieithyddol o du'r Magyariaid.
Erbyn 1890, gostyngasai nifer yr ysgolion a ddysgai trwy gyfrwng
y Slofaceg i ychydig dros fil.[37] Yn 1913, nid oedd ond 260 o ysgolion
elfennol yn weddill a ddysgai'n rhannol trwy'r Slofaceg, a barn
haneswyr yw mai statws cymdeithasol isel siaradwyr Slofaceg a
gadwai llawer rhag eu Magyareiddio'n fwy trylwyr.[38] Ond wrth
synio am y Slofaciaid fel methiant yn y termau hyn, oni phwysleisir
mewn gwirionedd methiant y gymdeithas Gymraeg? Yn y 1870au,
ni lwyddasai'r gwyddonydd cymdeithasol Almaenig E. G. Raven-
stein i gael hyd i un 'Welsh school' yng Nghymru gyfan.[39] A
thynnwyd sylw yn y Llyfrau Gleision at y ffaith nad oedd ond un
ysgol yn siroedd Aberteifi, Brycheiniog a Maesyfed lle dysgid y
Gymraeg fel pwnc: '[a] most striking and important peculiarity in
them, which will be a subject of the utmost satisfaction to every
friend to Wales'.[40]

Roedd y gymuned Gymraeg mor drawiadol o ddihawliau yn y
cyfnod hwn, fe'i codwyd gan wleidyddion yng nghanolbarth
Ewrop yn enghraifft o ddarostyngiad a oedd yn cyfiawnhau trwy
ei hesiampl wrthnysig orthrwm ar ieithoedd diwladwriaeth mewn
rhannau eraill o Ewrop. Gan ateb gohebiaeth oddi wrth uchelwr
o Fohemia yn 1842 ynglŷn â hawl y Slofaciaid i gael rheolaeth dros
eu sefydliadau addysg a'u gweinyddiaeth leol, mynnodd y gwleid-
ydd Hwngaraidd Ferenc Pulzsky mai'r cwbl a wnâi'r Magyariaid

oedd gofyn i'r Slofaciaid dderbyn sefyllfa yr oedd y Cymry wedi ei derbyn yn y Deyrnas Gyfunol eisoes.

Ni fynnwn ddim mwy oddi wrthych chi na'r hyn y mae'r Saeson yn ei fynnu gan drigolion Celtaidd Cymru ac Ucheldiroedd yr Alban, a dim mwy nag y myn y Ffrancwyr gan Lydaw a'r Alsas. Rydym am i bob dogfen gyhoeddus yn Hwngari, yn ogystal â chofrestrau bedyddio a chofnodion cwfaint, gael eu llunio mewn Hwngareg, i wersi ysgol fod mewn Hwngareg, sydd i raddau (mewn ysgolion Protestannaidd) eisoes wedi digwydd eleni, mewn gair, bod yr iaith Hwngareg yn etifeddu hawliau'r Lladin ymhob ffordd . . .[41]

Ni ellir condemniad cliriach ar sefyllfa Cymru yn y bedwaredd ganrif ar bymtheg na hyn. Y genedl debycaf i'r Cymry o ran niferoedd oedd y Slofeniaid, cenedl o ryw 1.2 miliwn. Moderneiddiwyd yr iaith Slofeneg, a mabwysiadwyd erbyn y 1840au orgraff gyfoes.[42] Yn y cadarnle ieithyddol yn nhalaith Carniola, datblygodd mudiad cenedlaethol torfol a oedd erbyn y 1880au yn tra-arglwyddiaethu. Dysgid Slofeneg yn yr ysgolion uwchradd, a datblygodd dwyieithrwydd gweinyddol o fath nas ceid yng Nghymru tan ail hanner yr ugeinfed ganrif. Yn Slofenia, fel mewn nifer o genhedloedd anhanesiol canolbarth a dwyrain Ewrop, datblygasai'r ymwybyddiaeth genedlaethol yn eithriadol o gyflym. Dim ond yn 1844–5 y dechreuid arfer y termau 'Slofenia' a 'Slofeneg' mewn disgwrs cenedlatholgar.[43] Erbyn 1848, fodd bynnag, roedd ymgyrch wleidyddol eisoes ar droed, ac ugain mlynedd yn ddiweddarach yn 1867 enillwyd grym gwleidyddol am y tro cyntaf.[44] Yn negawdau ola'r ganrif, 'cafodd y prosesau cymathu o Slofeneg i'r Almaeneg eu hatal ac mewn sawl achos hyd yn oed eu gwyrdroi'.[45] Hyd yn oed mewn porthladd cyfalafol amlethnig ac amlieithog fel Trieste, a oedd y tu allan i berfeddwlad y diriogaeth genedlaethol, llwyddai'r Slofeniaid i wrthsefyll cymathu ieithyddol.[46]

Ni flodeuodd mudiadau cenedlaethol yng ngwledydd y Baltig, a oedd yn rhan o Ymerodraeth Rwsia, mor fuan yn y ganrif ag oddi mewn i diroedd Habsbwrg. Yn Estonia ceid newid iaith graddol i'r Almaeneg hyd at y 1860au, gyda seiliau seicolegol digon tebyg iddo i'r hyn a oedd yn digwydd yng Nghymru. Er mwyn codi yn y byd, roedd yn rhaid dysgu Almaeneg, ac roedd iaith, diwylliant ac arferion cymdeithasol yr Almaenwyr yn gosod patrwm ar gyfer ymddygiad gweddus.[47] Fodd bynnag, roedd cefn gwlad yn parhau'n uniaith Estoneg. Pan ddechreuodd y mudiad cenedlaethol ddatblygu yn y 1860au, gwnaeth hynny'n weddol gyflym.[48] Cynorthwyid yr Estoniaid yn hyn gan un fantais na chafodd y Cymry. Yn eu lle strategol rhwng y bydoedd Rwsieg ac Almaeneg, bu gwledydd y Baltig yn ysglyfaeth i ymrafael ieithyddol dau rym ymerodraethol. O'r 1880au ymlaen, cychwynnodd Ymerodraeth Rwsia ar ymgyrch Rwsieiddio. Ond yn hytrach na gwanhau'r Estoneg, ei phrif effaith oedd tanseilio statws oruchafol yr Almaeneg a manteisiodd y gymuned Estoneg ar y gwendid.[49] Un ffactor yng ngoroesiad nifer o ieithoedd llai dwyrain Ewrop yw iddynt gael eu dominyddu ar wahanol adegau gan ddiwylliannau ymerodrol a oedd yn cystadlu â'i gilydd, tra oedd gwledydd fel Cymru a Llydaw wedi wynebu'r un genedl oruchafol. (Fodd bynnag, nid yw hyn yn esbonio methiant y Cymry yn gyfan gwbl. Un grŵp ethnig dominyddol, sef yr Almaenwyr, a wynebai'r Tsieciaid.) Erbyn diwedd y bedwaredd ganrif ar bymtheg, wrth i filoedd o Estoniaid uniaith lifo i'r trefi, nid oedd modd i'r boblogaeth Almaeneg gymharol fechan eu cymathu, er gwaethaf eu statws cymdeithasol uwch.

Nid oedd pob agwedd ar weithgarwch y mudiadau cenedlaethol hyn yn llwyddiant, ond mae'r patrwm cyffredinol yn glir. Rhwng 1848 a'r Rhyfel Byd Cyntaf llwyddodd y rhan fwyaf o genhedloedd bychain canolbarth a dwyrain Ewrop o faintioli tebyg i Gymru i ennill yr hyn a elwir gan Robin Okey yn 'sofraniaeth fewnol'.[50] Nid enillasai'r cenhedloedd hyn eu hannibyniaeth, ond yr oeddynt wedi gafael mewn digon o rym diwylliannol ar lefel ranbarthol i warchod eu nodweddion ethnoieithyddol priodol. Ni ddigwyddodd hyn yng Nghymru; dyma'r prif reswm, ond odid, am ddirywiad y Gymraeg yng Nghymru o'r 1840au ymlaen.

16

Y math anghywir o fodernrwydd

Mae'r diffyg datblygu hwn ar genedlaetholdeb Cymraeg yn y bedwaredd ganrif ar bymtheg hyd yn oed yn fwy trawiadol o ystyried lle Cymru yn y Chwyldro Diwydiannol. Barn nifer dda o haneswyr a theorïwyr cenedlaetholdeb, yn enwedig rhai o anian Farcsaidd, yw bod hunaniaeth genedlaethol yn gynnyrch yr oes fodern.[51] Mae manteision y ddadl hon i'r sawl o dueddfryd gwrthgenedlaetholgar yn amlwg. Wrth daeru mai creadigaethau 'gwneuthuredig' neu 'ddychmygedig' yw cenhedloedd, tanseilir y canfyddiad poblogaidd mai endid naturiol, tragwyddol yw cenedl, yn trosglwyddo i'r oesoedd a ddêl y glendid a fu. Ond er na all yr un genedl fod yn 'naturiol', mae'r awgrym na cheid ymwybod â chenedligrwydd cyn datblygiad modernrwydd yn arwydd o ddiffyg dealltwriaeth o ddiwylliant yr Oesoedd Canol. Ceir consensws rhyngwladol erbyn hyn fod i ethnigrwydd cyn yr oes fodern ei hanes dilys ei hun, a bod ymwybyddiaeth o fuddiannau'r *ethnie*, y grŵp ethnig, wedi bod yn nodwedd ar sawl cymdeithas ddynol mewn sawl oes, ffaith sydd o'r pwys mwyaf yn achos llawer o genhedloedd anhanesiol, gan gynnwys Cymru, am mai yn yr Oesoedd Canol y cafwyd eu hunig fynegiant blaenorol o genedligrwydd gwleidyddol.[52] Amlygiad Cymraeg o'r consensws hwn yw maentumiad J. E. Caerwyn Williams i hunanymwybod ethnig fod yn nodwedd ar y Cymry erioed, a dadl Peredur Lynch fod y canu proffwydol Cymraeg yn arwydd o ledaeniad ymwybod cenedlaethol i blith y bobl gyffredin yng Nghymru erbyn yr Oesoedd Canol Hwyr a'r Cyfnod Modern Cynnar.[53] A siawns nad yw gwrthryfel Glyndŵr, gyda'i weddau ethnig (bron y dywedir 'cenedlaethol') amlwg, yn cynnig rhagor o dystiolaeth o'r un peth.

Ni ellir gwadu er hynny nad oes dolen gyswllt rhwng twf modernrwydd yn Ewrop a datblygiad mudiadau cenedlaethol yr oes fodern. Mae'n ffaith ddiymwad mai'r bedwaredd ganrif ar bymtheg oedd Oes Cenedlaetholdeb yn Ewrop, ac iddi gydredeg â thraarglwyddiaeth cyfalafiaeth a threfolrwydd a oedd yn y broses o ddisodli'r gymdeithas amaethyddol, ffiwdal mewn mannau, a fodolai gynt. Fel rheol gyffredinol, yng nghanolbarth Ewrop o leiaf, ceid tuedd i genedlaetholdeb fwrw ei wreiddiau cynharaf a dyfnaf yn y parthau hynny fel Bohemia a brofasai ffyniant economaidd. Ar y llaw arall, mewn nifer o leoedd na phrofasant fodernrwydd cymdeithasol tan yr ugeinfed ganrif, o'r braidd y datblygodd cenedlaetholdeb o gwbl. Yn Bessarabia (Moldofa heddiw), bu'r Chwyldro Diwydiannol yn arbennig o wan, a hyd yn oed yn 1910 nid oedd ond 0.15% o'r boblogaeth yn weithwyr diwydiannol. Ni chafwyd corff cenedlaetholaidd, *Societatea pentru cultură naţională moldovenească*, y Gymdeithas ar gyfer Diwylliant Moldafaidd Cenedlaethol, tan 1905.[54] Mewn cymdeithas wledig lle nad oedd ond ychydig dros 5% yn llythrennog, ni ellid sefydlu papurau newydd, ac anodd oedd lledaenu propaganda.

Ceir wrth gwrs sawl math o fodernrwydd: rhawd syniadaeth oleuedig oddi ar Voltaire, Jean-Jacques Rousseau, Adam Smith ac athronwyr eraill y ddeunawfed ganrif, twf trefi mawrion, ar-brofion celfyddydol beiddgar a newydd, datblygiad cyfryngau print torfol yn cysylltu aelodau o'r genedl â'i gilydd, ac mae perthynas y rhain oll â'r wladwriaeth yn hollbwysig.[55] Ond diau mai'r modernrwydd pwysicaf yw cynnydd mewn diwydiant, gan fod hyn yn trawsnewid ardaloedd cyfain, yn ogystal â gweddnewid bywyd beunyddiol y lliaws. Synia'r theorïwr enwog Ernest Gellner am fodernrwydd fel ffrwyth cymdeithas wledig yn mynd yn ddiwydiannol, a deil mai'r newid hwn sy'n gyfrifol am ledaeniad cenedlaetholdeb.[56] Er mwyn hwyluso cyfathrebu effeithiol mewn economi sy'n gwasanaethu marchnadoedd eang, mae angen i gymdeithasau cyfalafol datblygedig feddu ar iaith gyffredin. Gyrrir cenedlaetholdeb gan awydd i sefydlu iaith y grŵp ethnig yr ym-gyrchir yn ei enw yn iaith gyffredin. Esbonnir gan hyn ffenomen ryfedd, sef er bod cenedlaetholdeb yn aml yn delfrydu ffordd wledig o fyw, mae'n cael ei danio yn amlach na pheidio gan bobl sy'n trigo mewn trefi, mewn llefydd llai rhamantaidd o lawer.

O safbwynt Cymru, mae yn hyn glamp o baradocs. Roedd Cymru ymhlith y cymdeithasau a brofai fwyaf o ddatblygiadau diwydian-nol yn y bedwaredd ganrif ar bymtheg; yn wir, roedd yn grud i'r Chwyldro Diwydiannol. Cymdeithas drwyadl Gymraeg oedd y gymdeithas hon a fu, ar ddiwedd y ddeunawfed ganrif a chychwyn y bedwaredd ganrif ar bymtheg, ymhlith y ddwy neu dair cym-deithas gyntaf yn y byd i'w gweddnewid gan ddatblygiadau diwydiannol dwys. Yn ôl theori Gellner, Eric Hobsbawm ac eraill, dylasai'r wrbaneiddio sydyn a chynnar hwn fod wedi esgor ar genedlaetholdeb ethnig brwd. Ac eto, dyma gymdeithas na chafwyd y nesaf peth i ddim o genedlaetholdeb ethnoieithyddol trefnedig ynddi; yn wir yr oedd hwnnw ar ei wannaf rhwng y 1850au a'r 1880au pan oedd y gymdeithas ddiwydiannol wedi aeddfedu, a phan oedd masnach gyfalafol ddilyffethair – yr union fasnach a oedd yn gyrru Tsieciaid, Slofeniaid a phobloedd fychain eraill ar ras wyllt i amddiffyn eu hieithoedd – yn ei hanterth.

Ni ellir esgusodi'r ffaeledd ar sail esgus bod yr iaith yn darfod amdani. Chwythai gwyntoedd demograffig trwy gymoedd y de a oedd yn bleidiol iawn i'r Gymraeg. Pair dadeni oedd diwydiant i'r Gymraeg, gan gadw Cymry yng Nghymru, ac ni phrofwyd allfudo sylweddol i'r Unol Daleithiau (cymharer hyn â thynged yr Wyddeleg a gyfyngid fwyfwy i ymylon cymdeithas amaethyddol a gollodd ymron i bedair miliwn o drigolion oherwydd newyn ac allfudo). Gan mai cymdeithas o ymfudwyr ydoedd, roedd cyfartaledd oedran yn y maes glo yn isel iawn, y gyfradd briodi yn uchel eithriadol, a'r gyfradd eni yr uchaf ym Mhrydain. 'Fel rhywogaeth fiolegol, roedd y Cymry yn ffodus; yn y bedwaredd ganrif ar bymtheg, canfuont eu hunain mewn lle ffafriol iawn ac amlhasant yn gyflym', meddai'r hanesydd Brinley Thomas. 'Cynyddodd eu nifer bum gwaith, ac adfywiodd yr iaith Gymraeg oherwydd dilyniant unigryw o symudiadau demograffig. Roedd yn lwc annisgwyl . . .'[57]

Mae'r trosiad biolegol yn anffodus, ond yr ergyd yn ddiamwys. Roedd twf poblogaeth Gymraeg yr ardaloedd diwydiannol mor rymus nes iddi drechu am gyfnod ideoleg wrth-Gymraeg y wladwriaeth.[58] Roedd Cymru yn ffodus yn ei modernrwydd mewn ffyrdd eraill hefyd. Gan fod cynifer yn Gymry uniaith, cafwyd gwasg Gymraeg nerthol. '*Propellum power*' oedd y wasg hon, yn ôl un sylwedydd cyfoes.[59] Gallasai fod wedi bod yn sail i ymlediad cenedlaetholdeb: 'ieithoedd print osododd y seiliau ar gyfer ymwybyddiaethau cenedlaethol', chwedl Benedict Anderson, ond rhoi pwyslais ar grefydd yn hytrach nac iaith oedd y canlyniad yng Nghymru.[60] Pan gafwyd ymddiddori brwd mewn cenedligrwydd sifig erbyn diwedd y ganrif, bu'r wasg Gymraeg yn ffordd bwysig o'i hybu. Fodd bynnag, nid oedd cenedlaetholdeb iaith difrif ar gyfyl y wleidyddiaeth sifig hon, a gallai Emrys ap Iwan ddychanu *'Kumree Fidd'* ddechrau'r 1890au fel mudiad wedi bod 'â thafod ac â phin yn canmol y Gymraeg a'r ymddeffroad Cymreig *yn Seusneg.*'[61]

Am ba reswm bynnag, nid arweiniodd twf modernrwydd yng Nghymru at dwf cyfatebol mewn gwleidyddiaeth iaith. Yn wir, mae Robin Okey, yr awdurdod pennaf yn y maes, wedi dadlau i'r profiad Cymreig a Basgaidd (ni chafwyd twf mor arwyddocaol mewn cenedlaetholdeb yng Ngwlad y Basg ag y buasid wedi disgwyl wrth i Bilbo a'i pherfeddwlad gael eu diwydiannu) ddangos na ellir ymddiried yn theori foderneiddio Hobsbawm, Gellner et al., a bod 'paradocs, sef bod y proses o "foderneiddio" cymdeithasau anoruchafol yng nghyd-destun diwylliant goruchafol yn dwyn yn ei sgil adfywiad ieithyddol, yn ôl haneswyr dwyrain Ewrop, ond cymathiad yn ôl y dybiaeth gonfensiynol yng Nghymru.'[62]

Haneswyr â'u gwreiddiau a'u cydymdeimlad yn nwyrain Ewrop, hyd yn oed yn eu condemniad llaes ohoni, yw Hobsbawm a Gellner, a hwyrach mai dyna pam y maent wedi mynd ar gyfeiliorn. Yng Nghymru, ni fanteisiodd y gymdeithas Gymraeg ar yr amgylch-iadau demograffig mwyaf ffafriol i osod sylfeini ar gyfer cenedl fodern. Ni wnaed y Gymraeg yn rhan annatod o unrhyw gyfundrefn sefydliadol: fe wanhawyd ei phresenoldeb yn y capell hyd yn oed. Esboniad gorsyml Brinley Thomas ar chwalfa gymunedol y Gymraeg yn nwyrain Morgannwg ar droad yr ugeinfed ganrif yw: 'yn sydyn, yn negawd cyntaf y ganrif, roedd dylif o 100,000 o fewnfudwyr o'r tu allan i Gymru.'[63] Ond pe bai moderneiddio diwydiannol wedi arwain, yn unol â thesis Gellner, at foderneiddio ideolegol ar ffurf cenedlaetholdeb, yna siawns na fyddai'r Gymraeg wedi ei chodi'n arwydd o undod ethnoieithyddol yn wyneb y fath fewn-lifiad. Ym Mohemia, Trieste a Riga – enghreifftiau oll lle y ceid dosbarth gweithiol amlethnig – nid arweiniai'r gymysgfa bobloedd at newid iaith o'r Tsieceg, y Slofeneg a'r Latfieg i'r Almaeneg a'r Rwsieg. Yn hytrach, datblygodd gwahanol grwpiau iaith rwyd-weithiau a sefydliadau ar wahân.[64] Awgryma'r cwbl bwysigrwydd ideoleg yn ogystal ag ystyriaethau sosioeconomaidd ym methdaliad Cymru Gymraeg ail hanner y bedwaredd ganrif ar bymtheg.

Yn yr un modd ag y bu British Rail ers talwm yn cyfiawnhau bod trenau'n hwyr ar y sail ei bod hi'n bwrw'r math anghywir o eira, ceir gan rai sylwebwyr yr awgrym mai'r hyn sy'n cobonio methiant y theori foderneiddio yng Nghymru yw mai'r math anghywir o foderneiddio economaidd a gafwyd.[65] Dywed Hroch i foderneiddio yng Nghymru ddigwydd yn rhy fuan, a bod yn rhaid i genedlaetholdeb fod ar droed cyn i'r gymdeithas ddiwydiannol aeddfedu'n llawn os yw am lwyddo.[66] Cwyd Fflandrys yn enghraifft o dynged cenedl pan fo modernrwydd economaidd yn mynd yn wyllt cyn bod mudiad cenedlaethol torfol yn bwrw gwreiddiau:

> Gall ymddangos fel pe bai'r mudiad gwlatgar Fflemeg wedi rhedeg ei gwrs o dan amodau ffafriol odiaeth . . . Esgorodd y radd uchel o drefoli yng Ngwlad Belg a'r lefel uchel o ddatblygiad economaidd cyffredinol ar hen ddigon o weithgarwch newyddiadurol. Nid oedd gan yr un mudiad cenedlaethol arall, ar gyfnod cymharol yn ei ddatblygiad, gynifer o gyfnodolion wrth law â'r mudiad Fflemeg. Ni welwn yn yr un achos arall gynifer o fudiadau a chymdeithasau gwlatgar . . . Er gwaetha'r ffactorau hyn, a ddylasai yn ôl ein tybiaethau ni fod wedi cyflawni swyddogaeth integreiddiol, ni chafodd y mudiad Fflemeg, fel y gwelsom, ddylanwad torfol . . . Ymddangosodd y mudiad Fflemeg ar adeg pan oedd Gwlad Belg cisoes wedi datblygu'n economaidd yn sylweddol; roedd yn wlad â chyfundrefn economaidd gyfalafol. Nid rhwng taeogion a thirfeddianwyr yr oedd y tyndra gwaelodol yn y gymdeithas ond rhwng y dosbarth bwrgais a'r gweithwyr (neu, mewn rhai achosion, a'r cynhyrchwyr crefft bychain).[67]

For Wales, see Flanders. Cymru oedd un o'r gwledydd cyntaf yn y byd i brofi twf diwydiant, a'r awgrym sydd yn ymhlyg yn hyn yw y llesteiriwyd twf cenedlaetholdeb gan gylchrediad syniadau sosialaidd yn y maes glo. Mae i'r ddadl un gwendid hollbwysig, fodd bynnag. Gwlad ryddfrydol, nid sosialaidd, oedd Cymru yn y cyfnod rhwng Brad y Llyfrau Gleision a'r 1890au, a methiant rhyddfrydol oedd y methiant i sefydlu mudiad cenedlaethol pan oedd y Gymraeg yn iaith lafar mwyafrif y boblogaeth.

Gellid tynnu sylw hefyd at natur yr economi Gymreig, gan ystyried Cymru'n 'drefedigaeth fewnol' hyd yn oed yng nghyd-destun bwrlwm masnachol y bedwaredd ganrif ar bymtheg.[68] Gorddibyniaeth ar y sector cynhyrchu cynradd, sef mwyngloddio yn bennaf, oedd ei phrif nodwedd.[69] Mewn maes glo proletaraidd, nid oedd cyfle i gymdeithas fwrgais frodorol o'r iawn ryw ffynnu, a dadleuir mai hyn a lesteiriodd ddatblygiad cenedlaetholdeb. Meddai Cymru ar safle od fel gwlad a oedd yn graidd i'r Chwyldro Diwydiannol, ac eto heb feddu ar y cyfalaf brodorol er mwyn medru ei ddatblygu â'i hadnoddau ei hunan, ac o'r herwydd yr oedd yn parhau ar yr ymylon mewn termau ethnig.[70] Ond nid y maes glo oedd Cymru gyfan, ac nid yw absenoldeb cenedlaetholdeb bwrgais ym mhentrefi'r cymoedd yn esbonio pam na ddatblygodd yng Nghaerdydd.

Bu meddiannu trefi yn enw'r genedl ddarostyngedig yn rhan bwysig eithriadol o lwyddiant cenedlaetholdeb yng nghanolbarth a dwyrain Ewrop. Un o nodweddion y mudiad cenedlaethol Tsiec-aidd o'i gychwyn oedd bod mwyafrif y deallusion cenedlaetholgar wedi'u geni mewn trefi. Roedd hyn yn wir hefyd am ymron i hanner y gwladgarwyr Ffineg, er bod dros naw o bob deg o'r boblogaeth yn byw mewn ardaloedd gwledig. Yn Slofacia hefyd, roedd naws trefol i'r mudiad cenedlaethol mewn gwlad wledig.[71] Ymhlith Mwslemiaid Bosnia, a roes fynegiant i'w deffroad cened-laethol yn y 1890au, roedd tref Mostar yn ganolbwynt hynod bwysig.[72] Ac yn Slofenia yn 1848, dim ond 5% o danysgrifwyr papur newydd pwysica'r Slofeneg, *Kmetijske in rokodelske novice* ('Gwybodaeth newydd ar gyfer ffermwyr a chrefftwyr'), a oedd yn ffermwyr er gwaetha'r enw ffermwrol, a 30% yn perthyn i'r dosbarth trefol, bwrgais.[73]

Ond nid mewn trefi yr oedd calon y mudiad cenedlaethol Cymreig. Hogiau'r wlad oedd Tom Ellis a David Lloyd George, a sawl un arall. Gwir y buasai trefi bychain fel y Bala a Rhuthun yn ganolfannau pwysig ar gyfer dadleuon digon bywiog ynghylch y cwestiwn cenedlaethol. Yno yr oedd Lewis Edwards, Michael D. Jones ac Emrys ap Iwan yn byw. Ond roeddynt yn rhy wladaidd i osod agenda ar gyfer cenedl yr oedd ei chalon economaidd bellach yn y de. Yn y brifddinas, er bod pwl o godi capeli Cymraeg yn y 1850au yn tystio i fywiogrwydd y diwylliant Cymraeg, Saesneg oedd iaith y *bourgeoisie* pan nad oeddynt yn addoli.[74] Nid Riga neu

Brag oedd Caerdydd, ac erbyn y 1870au prin iawn oedd y rhieni Cymraeg, hyd yn oed yn ardaloedd Cymreicia'r ddinas, a drosglwyddai'r iaith i'w plant.[75] Dim ond yn negawdau ola'r ganrif y cafwyd arwyddion digamsyniol o wlatgarwch bwrgeisiol Cymreig, mewn cymdeithasau fel Cymmrodorion Caerdydd a Chymdeithas yr Iaith Gymraeg (nid y corff presennol, sylwer), mudiad Dan Isaac Davies o blaid addysg ddwyieithog.[76]

Ai diffyg hunanhyder a loriodd yr adfywiad cenedlaethol Cymreig yn y bedwaredd ganrif ar bymtheg? Y tu allan i Gymru, yn Llundain a gogledd-orllewin Lloegr, datblygodd dosbarth bwrgais, Cymraeg ei iaith a oedd ar brydiau, er gwaethaf ei ledneisrwydd, yn rhoi mynegiant gwleidyddol i'w wlatgarwch. Yn Llundain y sefydlwyd Cymru Fydd.[77] Ym Manceinion a Lerpwl, aethpwyd ati yng ngeiriau Saunders Lewis i newid 'safonau'r Bala, a chodi peth cwbl newydd, sef dosbarth canol Cymreig.'[78] Dyma *milieu* Gwilym Hiraethog, R. J. Derfel ac yn wir Saunders ei hun. Ond ni ellid dinas barhaus i'r bywyd Cymraeg yn y trefi mawrion, estron hyn. Ni ellid codi gwladfa Gymreig ar dir Lloegr.

Trywydd y methiant

Beth oedd dylanwad hyn oll ar drywydd cenedlaetholdeb yng Nghymru? Synia Hroch am ddatblygiad mudiadau cenedlaethol cenhedloedd anhanesiol, diwladwriaeth mewn tri cham: cam A, *Landespatriotismus*, sef diddordeb ysgolheigaidd, hynafiaethol a diwylliadol yn y genedl; cam B, ymgyrchu trefnedig ar ran y genedl; a cham C, ffyniant mudiad cenedlaethol torfol.[79] Er bod y model tri cham hwn ar un wedd braidd yn brennaidd ac anystwyth, a hefyd wedi mynd yn ystrydeb i ryw raddau erbyn hyn, mae'n parhau'n ddull defnyddiol o arddangos cronoleg cenedlaetholdebau bychain fel cenedlaetholdeb Cymreig.

Mapiwyd camau Hroch ar y tirlun gwleidyddol Cymreig gan Richard Wyn Jones fel a ganlyn: cam A, Morrisiaid Môn, Iolo Morganwg a'u cymheiriaid; cam B, Emrys ap Iwan a Michael D. Jones, sef cenedlaetholwyr mwyaf pybyr ail hanner y bedwaredd ganrif ar bymtheg.[80] Noda hefyd absenoldeb cam C, y cam olaf yn natblygiad mudiadau cenedlaethol llwyddiannus ac un na chafodd ei gyflawni yng Nghymru o gwbl, o leiaf nid yn y bedwaredd ganrif ar bymtheg. Mae'n siŵr y gellid cael amrywiad ar gam A Richard Wyn Jones, gan na chafodd Iolo Morganwg fawr o ddylanwad ar drywydd syniadol y bedwaredd ganrif ar bymtheg, a rhoi mwy o bwyslais ar ddeallusion y 1820au a'r 1830au, yn benodol yr Hen Bersoniaid Llengar, y cymdeithasau Cymreigyddol a chylch Llanofer, a dadlau hefyd efallai i Emrys ap Iwan a Michael D. Jones fod mor annodweddiadol o'u cyfnod ag i fod yn anghynrychioliadol o'r hyn a oedd gan Hroch mewn golwg.

Awgryma Richard Wyn Jones i'r methiant i gyrraedd cam C olygu y byddai'n rhaid i genedlaetholdeb Cymreig yr ugeinfed ganrif afradu egni yn ceisio gwarchod enillion cam A yn erbyn erydiad.[81] O safbwynt ieithyddol, methwyd â chyflawni hyn, a chafodd hyfywedd cymunedol y Gymraeg ei danseilio'n llwyr, er gwaethaf rhai o'r cyflawniadau sefydliadol pwysig a gafwyd ar ôl 1962. Rhan o stori cenedlaetholdeb Cymreig yw iddo fethu ar adegau hanfodol bwysig, a datblygu'n eithriadol o araf fel arall.

Wedi methiant cenedlaetholdeb yn y bedwaredd ganrif ar bymtheg, byddai'n rhaid aros am dri-chwarter canrif cyn cael am y tro cyntaf yn y Gymru Gymraeg gam C, y mudiad cenedlaethol torfol. Ymysg ei uchafbwyntiau, gellir cyfrif Gwynfor Evans yn ennill Caerfyrddin yn 1966, protestiadau Cymdeithas yr Iaith Gymraeg yn y 1960au a'r 1970au, a'r twf mewn hunaniaeth genedlaethol a aeth law-yn-llaw â hyn, gan ledu hefyd i blith y di-Gymraeg, yn enwedig yng nghymoedd y de, ac ennill o drwch blewyn y refferendwm ar ddatganoli yn 1997.

Serch hynny, mae'r ffaith mai cenedl Gymreig yn hytrach na Chymraeg a aeth i mewn i'w theyrnas wedi pleidlais 1997 yn dangos y pris a dalwyd am fethiant y bedwaredd ganrif ar bymtheg. Creiddiol i'r methiant yw'r bwlch o ddeng mlynedd ar hugain rhwng darfod yr hen *Landespatriotismus* tua diwedd y 1840au, a'r troi graddol i gyfeiriad cenedlaetholdeb sifig yn y 1880au. Roedd y degawdau coll hyn, y 1850au, y 1860au a'r 1870au, yn gyfnod o radicaliaeth ryddfrydol ar batrwm Prydeinig.

Methiant oedd methiant cenedlaetholdeb yng Nghymru o ran cam B, sef meithrin ideoleg i gyfleu cenedlaetholdeb yn effeithiol, a hyn a rwystrodd gyrraedd cam C a llunio mudiad torfol ymhlith y werin. Roedd hen ddigon o dyndra rhwng tirfeddianwyr Saesneg a'u tenantiaid Cymraeg, a meistri Saesneg a'u gweithwyr Cymraeg, i gyfiawnhau brwydr genedlaethol ar sail anghyfiawnder ethnig ac economaidd, ac eto ni throsglwyddid gwewyr y werin bobl i'r arweinyddiaeth wleidyddol ond ar ffurf dadleuon *rhyddfrydol* a wadai fod gorthrwm yn bodoli. Dengys terfysgoedd yr Wyddgrug yn 1869, pan yrrwyd rheolwr Seisnig o waith glo, a gwrthryfel y Ddraig Goch yn 1874, ysgarmes ym maes glo'r de rhwng undeb llafur Cymraeg ac undeb Prydeinig am oruchafiaeth, fod ym-wybyddiaeth ethnig yn hyfyw ymhlith y dosbarth gweithiol Cymraeg.[82] Ceir disgrifiad trawiadol o derfysgoedd yr Wyddgrug yn *Rhys Lewis* (1885) Daniel Owen, sy'n darlunio'n glir gymhellion ethnig digymrodedd llawer o'r terfysgwyr, wrth bwysleisio yng nghymeriad Bob Lewis gymedroldeb y sawl a oedd o gefndir Methodistaidd, ac felly o fewn gafael ideoleg Rhyddfrydiaeth Brydeinig.[83]

Ni ellir dweud felly i genedlaetholdeb Cymraeg fethu am na allai fod wedi apelio at y lliaws gwerinol. Ni thycia'r ddadl: y bwrgais a mân-fwrgais a oedd yn dawedog, yn wir yn fradwrus.[84] 'Trahison des clercs' ydoedd, chwedl Ieuan Gwynedd Jones, 'y carfannau elitaidd a gollodd hyder yng ngallu'r iaith i ymdopi a moderneiddio cymdeithas, a hwy a drosglwyddodd eu hymdeim-lad o annigonolrwydd i'r darllenydd a'r gwrandawr cyffredin.'[85] Chwythodd cenedlaetholdeb ei blwc am na symudodd o blith yr ysgolheigion brwdfrydig a'r offeiriaid gwlatgar i ganol y dosbarthiadau masnachol a phroffesiynol. Ni chafwyd cynnwrf ymhlith y dosbarth canol is, y dosbarth Ceiriogaidd hwnnw o *station masters* a siopwyr a oedd mewn gwledydd llai eraill yn hynod wlatgar. Nid oedd hyd yn oed y weinidogaeth anghydffurfiol Gymraeg, yr oedd ei lles materol yn y fantol, am arddel yr iaith yn wleidyddol. Methiant mewn syniadaeth oedd methiant cened-laetholdeb Cymraeg.

2

Cenedl Iaith

Beth oedd yn gyfrifol am y dryswch syniadaethol hwn? Dechreuir ymhél â'r cwestiwn hwn trwy fwrw golwg ar yr Oleuedigaeth, y mudiad athronyddol yn y ddeunawfed ganrif a ddiffiniodd seiliau deallusol y byd modern, a'r ymateb Cymraeg iddi. Nodweddid yr *Aufklärung*, y *Lumières* neu'r *Enlightenment*, sef yr Oleuedigaeth, gan bwyslais newydd ar reswm, a chan honiadau ynghylch natur gwirionedd, a'r hawl i ddiffinio gwirionedd. O'r herwydd ceid pwyslais cynyddol ar gyfrwng rheswm, sef iaith.

Aed ati gan hynny i resymegu iaith, ond wrth gychwyn ar y dasg frawychus hon, wynebai'r Oleuedigaeth fyd a oedd yn frith o ieithoedd a thafodieithoedd, llawer ohonynt wedi'u cymysgu blith draphlith ar draws yr un diriogaeth. Tasg amhosibl fyddai peri i bob iaith a thafodiaith fod yn offeryn at iws y rhesymeg newydd, a chlodforid o'r herwydd ragoriaethau rhesymegol yr iaith a arferid yn weinyddol gan y wladwriaeth. Ni pherthynai ieithoedd eraill y wlad, ieithoedd y bobloedd ddiwladwriaeth, i'r byd newydd, ac fe'u lluchiwyd gan yr Oleuedigaeth ar y domen, yn fynegiant anhydrin o fyd afresymegol a aethai'n ddiwerth. Nid syn felly i Ffrainc, wedi'r Chwyldro Ffrengig, droi tu min at ieithoedd lleiafrifol fel y Llydaweg, y Fasgeg a'r *langue d'oc* a'u siaradwyr. Nid rhyfedd ychwaith i Absoliwtiaeth Oleuedig yr ymerodraethau mawrion gael ei hadnabod gan leiafrifoedd canol a dwyrain Ewrop 'fel cyfnod o ganoli, o "almaeneiddio", "rwseg-eiddio" neu o "ddi-genedlaetholi" yn gyffredinol'.[1] Ym Mhrydain, roedd y Gymraeg hithau ymhlith yr ieithoedd gwrthodedig hyn.

Wedi'r didoli ar ieithoedd i wersylloedd y rhesymegol a'r af-resymegol, daeth yr ieithoedd nas coleddid gan yr Oleuedigaeth yn ddeniadol i feddylwyr y mudiad rhamantaidd. Canmolai'r estheteg ramantaidd bopeth nad oedd yn rhesymolaidd gan gynnwys cefn gwlad, yn enwedig ei fynyddoedd ysgythrog (yn yr Alpau neu Eryri, dyweder), a gwerinos ddilychwin y dolydd gleision, yn gyfforddus yn ei naturioldeb, sef 'y werin gyffredin ffraeth' y canodd bardd rhamantaidd arall amdani unwaith. Ar y cyfandir, roedd llafar y werin bobl yn wrthrych pob math o ramanteiddio. Roedd diddordeb yn y *sublime* yn nodwedd ar Ramantiaeth Seisnig hithau, ond nid cymaint felly mewn ieithoedd 'ar ddarfod', ac mae'n rhaid troi golygon tua'r Almaen os am olrhain dylanwad syniadau rhamantaidd am iaith ar y meddwl Ewropeaidd. Roedd y duedd i ieithmona yn gryf mewn Rhamantiaeth Almaeneg am nad oedd gan y bobloedd Almaeneg wladwriaeth y gallent uniaethu â hi. Mewn ffordd ryfedd, gwlad ddiwladwriaeth oedd yr Almaen hithau. Roedd ei deallusion gan hynny'n pwyso ar ddiwylliant i ddiffinio'r genedl, a chanodd y beirdd Almaeneg, Goethe a Schiller, mewn cerdd ar y cyd: 'Yr Almaen? Ond ble mae honno? Wn i ddim sut i gael hyd i'r wlad, / Lle mae'r [wlad] ysgolheigaidd yn cychwyn, daw'r [wlad] wleidyddol i ben.'[2]

I rai o athronwyr yr oes, fel Johann Gottfried von Herder a Johann Gottlieb Fichte, yr oedd undod diwylliannol y bobl Almaeneg eu hiaith yn ateb amlwg i'r cwestiwn hwn. Bodolai'r Almaen lle bodolai'r Almaeneg. Barn Herder oedd fod gwerinoedd a chenhedloedd yn cael eu diffinio gan ymwybod â'u priod iaith. Eisoes erbyn 1772 disgrifiasai'r famiaith fel 'Arwyddair y tylwyth, rhwymyn y teulu, offeryn y wers, arwrgerdd ar gampau'r Tadau, a'u lleisiau o'u beddau'.[3] Roedd iaith yn hanfod, ac fel y noda brawddeg gyntaf enigmatig ei gyfrol *Abhandlung über den Ursprung der Sprache* ('Traethawd ar ddarddiad iaith'), yn nodwedd gynhwynol: 'Eisoes fel anifail mae gan ddyn iaith'.[4] Mynnodd Fichte yn ei 'Reden an die deutsche Nation' ('Anerchiadau i'r genedl Almaenig'), a draddodwyd yn 1808, fod iaith yn diffinio'r genedl, y *Volk*, am mai mewn iaith y mynegir y meddwl.[5] Tybiodd Herder yn ei dro fod angen i'r iaith genedligol fod yn bur, ac angen i ddyn gael ei fagu mewn cymuned organaidd, megis fel planhigyn ym myd natur. 'Y peth

naturiol yw i ddyn dyfu o fewn i ymglymiad un Bobl', yw cyf-
ieithiad rhydd (iawn) yr athronydd J. R. Jones ar gychwyn *Prydein-
dod* (1966) o'r dyfyniad gan Herder sy'n amlygu'r safbwynt hwn:
'Canys y mae'r gymuned hon yn gymaint planhigyn naturiol â'r
teulu, oddieithr bod iddi fwy o ganghennau'.[6] Cam gwag oedd
cymysgu gwerinoedd gan fod pob *Volk* yn meddu ar ei gymeriad
ei hun. 'Dylai Pobloedd fyw yn ymyl ei gilydd, nid gwasgu byw
trwy a thros ei gilydd', dywedodd.[7]

Dylanwadodd y meddylfryd newydd hwn yn fuan ar bobloedd
ddiwladwriaeth canolbarth a dwyrain Ewrop. Dôi grwpiau ieith-
yddol bychain, neu'r deallusion yn eu plith o leiaf, i synio am
grwpiau ethnig fel cymunedau cenedlaethol a ddiffinnid gan yr
iaith lafar a leferid yn eu plith. Daethant i grefu am wladwriaethau,
neu ranbarthau ymreolus, o'u heiddo eu hunain, lle y gallai eu
hiaith fod yn briod gyfrwng y diriogaeth gyfan, yn hytrach nag
yn wyriad gwrthodedig oddi mewn i diriogaeth fwy. Gan mai
tarddiad y syniadau hyn oedd y mudiad rhamantaidd Almaeneg,
roedd llif eu dylanwad gymaint â hynny'n gryfach yng nghanol-
barth y cyfandir nag yn unman arall. O'r Baltig i'r Adriatig, lled-
aenid syniadau'r *Aufklärung* yn eang, yn aml gan y prifysgolion
Almaeneg a leolid yno. Bu Prifysgol Fienna, a sefydliadau dysg
eraill ym mhrifddinas Ymerodraeth Awstria, yn ffordd o'u cyflwyno
i ddeallusion o blith lleiafrifoedd cenedlaethol a oedd wedi ym-
gartrefu yn y ddinas.[8] Trwy Brifysgol Prag y dygwyd syniadau
rhamantaidd am y *Volk* at sylw myfyrwyr Bohemia. Dengys araith
ddylanwadol am genedligrwydd a draddodwyd yn 1803 gan y
llenor a'r cyfieithydd Tsiecaidd, Karel Hynek Thám, yr oedd ôl
dylanwad Herder yn amlwg arni, mor fuan yn y bedwaredd ganrif
ar bymtheg y treiddiasai'r syniadau newydd i blith rhai o'r bobloedd
lai.[9] Yn y dwyrain, ceid brwdfrydedd newydd ynghylch treftadaeth
pobloedd y Baltig; enghraifft glasurol o'r ffenomen o ddisgwrs
meistri ethnig yn creu gwrthbwysau iddo'i hun. Yn Estonia, bu'r
syniadau goleuedig a ledaenid gan Brifysgol Almaeneg Tartu yn
fodd i greu gwŷr ifainc o dras Estonaidd, 'nad ydynt, diolch i
ddylanwad syniadau'r *Aufklärung* a Rhamantiaeth Almaeneg, yn
cywilyddio mwyach oherwydd eu hunaniaeth Estonaidd, ond yn
datgan eu tras gyffredin yn gyhoeddus'.[10]

Mae'r gwahaniaeth rhwng cylch dylanwad y byd Almaeneg a chylch dylanwad y byd Saesneg yn drawiadol yn hyn o beth, o leiaf yn ystod ail hanner y bedwaredd ganrif ar bymtheg. Cafwyd rhyw lun ar syniadau goleuedig yng Nghymru'r ganrif gynt: tystiai ymholiadau gwybodaethol y Morrisiaid, cynnwrf radicalaidd y 1790au wedi Chwyldro Ffrainc, ac ysgrifeniadau didactig fel *Pantheologia, neu Hanes Holl Grefyddau'r Byd* (1762–79) Pantycelyn hyd yn oed, fod peth tebygrwydd rhwng cyrchoedd y Cymry ar wybodaeth ac ymbalfaliadau cyffelyb ymhlith rhai o genhedloedd llai'r cyfandir, megis yn Nenmarc a'r gwledydd Tsiec.[11] Roedd yng Nghymru'r cyfnod rhamantaidd ddeunydd crai tebyg iawn i'r hyn a geid yng nghenhedloedd canoldir Ewrop, ac mae gan Iolo Morganwg yn ei chwilotan hynafiaethol a'i ffugiadau cenedlaethol ei le mewn pantheon o ffigyrau Ewropeaidd hafal.[12] Nid oes fawr o ôl dylanwad yr Almaen ar Gymru, er hynny. Mudiad syniadol oedd radicaliaeth a gyrhaeddodd Gymru wedi'i hidlo trwy ridyll yr ymwybod Saesneg.[13] Nid oes cyfeiriad at Herder yn llythyrau Iolo Morganwg.[14] Er hynny, ceir tebygrwydd rhwng rhai o syniadau Herder ac eiddo ieithyddion Cymraeg ail hanner y ddeunawfed ganrif, yn neilltuol eu pwyslais ar 'athrylith iaith' a'r cyswllt rhwng priod iaith a phriod bobl, er nad oes, hyd y gwn, gyfeiriad penodol at Herder yn eu gweithiau hwythau ychwaith.[15] Gallasai'r pwyslais hwn ar anian iaith fod wedi bod yn sail theoretig i genedlaetholdeb yng Nghymru o dan amgylchiadau hanesyddol gwahanol. Ac yn wir, treiddiodd syniadau Herder i Gymru yn fwy uniongyrchol yn y ganrif newydd, yn ystod y 1820au a'r 1830au, trwy gylch Llanofer, cylch o ddeallusion dŵad o dueddfryd Anglicanaidd a cheidwadol a oedd mewn cyswllt agos â'r byd Almaeneg.

Ymddengys Cymru yn y ganrif rhwng 1750 ac 1850 fel pe bai ar fin dilyn llwybr Ewropeaidd a fyddai'n arwain at genedlaetholdeb. Buasai'r cyfnod rhamantaidd yn awyrgylch fwy ffafriol nag a gafwyd erioed o'r blaen ar gyfer gwerthfawrogi rhinweddau'r wlad, a cheid ymhlith y Cymry hunanhyder newydd.[16] Ond gyda diwedd y cyfnod rhamantaidd daeth yr hen bryderon Seisnig yn eu holau, rhoddwyd mynegiant o'r newydd i'r gri gyfarwydd fod angen gwareiddio'r Cymry, a bu hyn yn gnoc i hyder y Cymry.

Wrth dynnu sylw at y 1840au fel y cyfnod allweddol sy'n dynodi'r newid hinsawdd deallusol, ni ddiystyrir pwysigrwydd y cyfnod cynharach, ond yn hytrach ei bwysleisio wrth ddangos natur y cyfnewidiad ideolegol a ddaeth yn holl-lywodraethol yn ystod y 1840au, efallai cyn 1847 hyd yn oed, ac effeithiau pellgyrhaeddol y syniadau rhyddfrydol a oedd ynghlwm wrtho.

Anghydffurfwyr oedd arweinwyr y genedl erbyn hynny, ac ni cheid yn eu plith fawr o gydymdeimlad â mudiadau ieithgarol, rhamantaidd. Nodweddiadol o'u hymateb i Ramantiaeth yw'r gyfrol *Crefydd yr Oesoedd Tywyll, neu Henafiaethau Defodol, Chwareu-yddol, a Choelgrefyddol* (1852) gan William Roberts (Nefydd), gol-ygydd *Y Bedyddiwr* a *Seren Gomer*. Disgrifiad cynnes o'r Fari Lwyd ac arferion gwerin cysylltiedig ydyw, ond er mwyn cadw wyneb o flaen iwtilitariaid byd Cymraeg y 1850au, mae'n rhaid con-demnio'r pethau hyn fel 'hen ddefodau Paganaidd a Phabaidd yn gymysgedig â'u gilydd' na ddylent gael lle 'yn un man ond yn amgueddfa (*museum*) yr hanesydd a'r henafiaethydd.'[17] Afraid dweud nad mewn amgueddfa y dymunai gwlatgarwyr y rhan fwyaf o genhedloedd llai Ewrop gadw eu diwylliannau.

Gwelir yma effaith y cyfyngu yng Nghymru ar orwelion syn-iadol. Nid oedd cefndir gwerinol, tlodi a diffyg addysg llawer o Gymry fawr o gymorth yn hyn o beth. Nodweddiadol yn ei oes ei hun oedd y cerydd a dderbyniodd Lewis Edwards oddi ar law ei Gymdeithasfa am ofyn caniatâd yn 1830 i fynd i Lundain i geisio addysg.[18] Roedd gwendidau eraill, mwy strwythurol, yn cyfrannu at y llesgedd hefyd. Nid oedd prifysgol yng Nghymru. Tan 1854 roedd gwaharddiad ar anghydffurfwyr rhag mynd i Rydychen. Nid âi Ymneilltuwr Cymraeg i mewn i dyrau'r brifysgol honno tan 1862, ac nid er mwyn cynnau chwyldro cenedlaethol y men-trodd Thomas Charles Edwards yno, ac yntau'n fab i neb llai na Lewis Edwards ei hun.[19] Er gwaethaf pwysigrwydd Cymdeithas Dafydd ap Gwilym yn y 1880au, a phresenoldeb Cymry da fel Syr John Rhŷs, John Morris-Jones ac O. M. Edwards yn Rhydychen, nid oedd dylanwad prifysgol hynaf Lloegr yn fuddiol i bob cangen o wybodaeth yng Nghymru, hyd yn oed erbyn diwedd y ganrif. 'Yr wyf yn gorfod cwyno nad oedd i mi ragflaenoriaid yn y maes hwn yn yr iaith Gymraeg', meddai'r Dr R. Llugwy Owen, a'i ddoethuriaeth o Brifysgol Tübingen yn yr Almaen, yn ei *Hanes Athroniaeth y Groegiaid* (1899), cyfrol led swmpus:

> Daeth lliaws mawr o bryd i bryd yn ol i Gymru o ganol Groeg Rhydychen, ond ni wnaeth neb o honynt ddim yn y cyfeiriad hwn o gwbl; tybed mai dynion meirw oedd eu hathrawon yn y Brifysgol? Sut arall y digwyddodd y ffaith nad anfonasant gymaint ag un yn ol i'w wlad wedi ei fywhau i wneud cymwynas fel hyn i Gymru?[20]

Roedd diffygion prifysgolion Prydain yn eu hymwneud â Chymru a'r Gymraeg yn amlwg, a'r syrthni meddyliol a achosid gan hyn ymhlith nodweddion y bywyd Cymreig y sylwyd arnynt gan sylwebwyr o'r cyfandir. Synnai Almaenwyr fod cyn lleied o hawliau cenedligol gan y Cymry, a chyn lleied o ymwybyddiaeth y gellid eu mynnu. Rhyfeddodd yr ieithydd a'r ethnograffydd Lorenz Diefenbach, a oedd yn genedlaetholwr Almaenig, nad oedd modd astudio'r Gymraeg mewn unrhyw brifysgol yng ngwledydd Prydain a bod y Cymry heb hawliau iaith.

> Ond yn enwedig heddiw yn ôl [*The Cambro-Briton*] dim ond yr iaith Saesneg a ganiateir yng Nghymru yn y llysoedd barn ac fel ffordd i swyddi o anrhydedd; ac odid nad yw'n anghredadwy nad oes darlithyddiaethau mewn unrhyw brifysgol yn Ynysoedd Prydain ar gyfer ieithoedd a llenyddiaeth ei thrigolion hynaf a mwyaf cyfreithlon . . .[21]

Yn nhyb nifer o ymwelwyr Almaeneg, gwlad oedd Cymru a barlysasid yn ddeallusol. Gwlad fynyddig ydoedd, y Cymry'n Brydeinwyr pybyr, neu'n anwariaid na fynnent ymryddhau o'r gorthrwm arnynt. Cymherid y Cymry â thrigolion y Tirol: tlodion a oedd yn dreisgar ac yn drist, yn gerddorol ac yn bruddglwyfus.[22] 'Wales ist das Tyrol Englands', meddai Heinrich Rohlfs, sylfaenydd yr Archif Almaenig ar gyfer Hanes a Daearyddiaeth Feddygol, yn blaen wrth ymweld â Chymru yn y 1860au.[23]

Câi gwŷr fel Rohlfs hi'n rhyfedd nad oedd y gwahaniaeth iaith rhwng Cymru a Lloegr wedi esgor ar unrhyw ymwybod o arwahanrwydd gwleidyddol. 'Mae'r Cymro cystal Sais yn wleidyddol â'r

un sy'n hanu o waed Eingl-Sacsonaidd', meddai.[24] Anodd i ŵr o
chwaeth o ganol Ewrop amgyffred hyn. Ceisiodd gymharu'r Cymry
â'r Iddewon i esbonio'r diffyg, gan ddadlau fod rhesymau seicolegol
dros gymeriad 'hynod' y Cymry, a oedd i'w briodoli i ddiffyg
ymreolaeth wleidyddol, a'r diraddio ar y Gymraeg:

> Fel cenedl ormesedig, ni nodweddir y Cymry gan rinweddau disglair
> y meddwl. Mae colled eu hannibyniaeth wleidyddol, a'r ymosodiad
> parhaol gan yr elfen Eingl-Sacsonaidd ar eu hiaith, yn creu ym-
> ddygiad hynod yn y meddwl y gellir ei esbonio'n seicolegol, ond
> na ellir edrych arno fel ychwanegiad dymunol at gyfathrebu cym-
> deithasol.[25]

Bydysawd cwbl wahanol oedd un y Cymry i hwnnw a fodolai
oddi mewn i gylch dylanwad y byd Almaeneg ar gyfandir Ewrop,
lle roedd syniadaeth yr *Aufklärung* wedi peri i genhedloedd dar-
ostyngedig gefnu ar y math o hunanddelweddaeth oddefol a
thruenus a oedd mor hoff gan y Cymry.

Nid nad oedd gan rai o feddylwyr yr Almaen beth dylanwad
ar y meddwl Cymraeg. Yn wir, ym maes diwinyddiaeth roedd yn
bur bellgyrhaeddol, ac ym maes ieithyddiaeth ac Efrydiau Celtaidd
yn ffurfiannol. Daethai Lewis Edwards o dan ddylanwad syniadau
Almaenig pan oedd yn efrydydd yng Nghaeredin, ac yn ei gylch-
grawn *Y Traethodydd* cafwyd ysgrifau ganddo ar Goethe a Kant.[26]
Enwir Immanuel Kant gan R. Tudur Jones fel un y darllenid ei
waith gan y gweinidog cyffredin.[27] Yn wir, roedd Kant yn athronydd
neilltuol ddylanwadol yng Nghymru. Honna Glyn Tegai Hughes
i fotiff y sêr yn nwy *Storm* Islwyn ymdebygu mewn modd hynod
i ddatganiad Kant yn *Kritik der praktischen Vernunft* ('Beirniadaeth
y rhesymeg ymarferol') (1788) ynghylch y 'nefoedd serennog
uwchben, a'r ddeddf foesol o'm mewn'.[28] Y syniadau goleuedig a
gâi fwyaf o groeso yn y Gymru Gymraeg oedd y rhai a safai am y
pen â rhesymoliaeth, ac a oedd yn go annhebyg o gymell protest
wleidyddol.

Roedd Hegel hefyd yn ddylanwad, ac mae trywydd y dylanwad
yn ddadlennol iawn.[29] Mewn rhannau eraill o Ewrop, ystyrid
Volksgeist Hegelaidd yn un o utgyrn cenedlaetholdeb.[30] Ond yng

Nghymru, nid ymddengys fod Hegeliaeth yn gysylltiedig â chened-laetholdeb mewn unrhyw ffordd. Roedd Syr Henry Jones, Llan-gernyw, un o Hegeliaid enwocaf gwledydd Prydain, yn Brydeiniwr da.[31] Rhyddfrydwr Cymreig ydoedd ac yn un o'r 'liberal Cambrianists' a oedd yn 'progressive' ond na roddent ormod o bwys politicaidd ar yr iaith Gymraeg.[32] Roedd 'Cymru Annibynol . . . mor ddiwerth' yn ei olwg, 'fel yr adsefydlwn Dderwyddaeth yn Sir Fon mor gynted a Senedd Gymreig yn Sir Gaernarfon.'[33]

Prin oedd yr ymwybyddiaeth ymhlith y Cymry o berthnasedd yr *Aufklärung* Almaeneg i'r cwestiwn cenedlaethol. Gwir y darlithid ar Fichte yng Ngholeg y Bala, prif athrofa'r Methodistiaid Calfin-aidd, ond ar athronwyr 'Synnwyr Cyffredin' yr Alban, fel Thomas Reid, yr oedd y pwyslais. Eto, cafwyd rhyw lun o fudiad Herderaidd yng Nghymru, er na ellir dirnad arwyddocâd ei fethiant heb gyfeirio'n gyntaf at ffenomen ddiwylliannol bwysica'r ganrif, Anghydffurfiaeth.

Anghydffurfiaeth yn y potes

Ar yr olwg gyntaf, ymddengys mai crefydd oedd yn bennaf gyf-rifol am y methiant hwn i goleddu gwerthoedd yr Oleuedigaeth yn llawn: 'O'i chymharu â gweddill y dosbarth bwrgais Ewrop-eaidd,' chwedl Knut Diekmann, 'gwahaniaethodd Anghydffurf-iaeth yn ei bydolwg crefyddol. Roedd rhesymoliaeth yr *Aufklärung* yn estron iddi', ac anodd anghytuno â'i farn.[34] Oherwydd y Diwyg-iad Methodistaidd, rhwystrau ar ledaeniad syniadau goleuedig yng Nghymru, maint pitw'r dosbarth canol brodorol, ac yn bennaf oll yr adwaith amddiffynnol i ymosodiad y Llyfrau Gleision yn 1847, caregwyd delwedd y Cymry ohonynt hwy eu hunain fel cenedl dduwiolfrydig.

'Gellir dywedyd mewn termau cyffredinol fod y Cymry yn genedl o Ymneilltuwyr,' meddai Henry Richard, yr Apostol Hedd-wch, prif wleidydd Cymreig y 1870au, ychydig cyn ei fuddug-oliaeth hanesyddol yn ymgeisydd Rhyddfrydol ym Merthyr Tudful yn etholiad cyffredinol 1868.[35] Hyrwyddai Anghydffurfiaeth agweddau Benthamaidd a Darwinaidd ynghylch y cwestiwn cenedlaethol yng Nghymru. Roedd athroniaeth iwtilitaraidd Jeremy Bentham yn cyfiawnhau'r dybiaeth mai'r hyn sy'n cyfrif yw bodlonrwydd y nifer mwyaf, safbwynt a all fod yn bur ddiystyriol o fudd lleiafrifoedd cenedlaethol fel y Cymry. Pan asiwyd y farn honno wrth Ddarwiniaeth Gymdeithasol, sef y dybiaeth mai'r grŵp cymdeithasol mwyaf haeddiannol sydd drechaf, a bod esblygiad cymdeithasol o'r fath i'w chwennych am fod dethol naturiol ar waith mewn cymdeithasau dynol fel ag ym myd natur, cafwyd cyfuniad hynod niweidiol. Roedd bellach athrawiaeth yn bodoli a oedd yn cyfiawnhau, megis yn wrthrychol, orthrwm ar y Gymraeg. Yn rhethregol o leiaf, cyfiawnheid hyn ymhellach mewn cyfeiriadau lu at ragluniaeth, y rhan greiddiol honno o ddiwinyddiaeth Galfinaidd sy'n mynnu fod i bawb ei dynged nad oes modd ei osgoi. 'Ein doethineb yn gystal â'n dyledswydd yw ymostwng i drefn Rhagluniaeth', meddai Lewis Edwards yn 1867.[36]

Ystyr hyn o'i gymhwyso at yr ymryson iaith yng Nghymru oedd derbyn lledaeniad anorfod yr iaith fain, ac yn wir paratoi ar ei gyfer drwy godi capeli Saesneg mewn broydd Cymraeg. Anogwyd y Cymry i brysuro dyfodiad y diwylliant goruchafol. Lewis Edwards, ganol ei helynt yn 1880 gydag Emrys ap Iwan ynghylch yr Achosion Saesneg, biau'r dyfyniad allweddol: 'Gan fod y deyrnas yn myned yn Saeson, y mae yn rhaid i ninnau fyned ar ei hol'.[37]

Felly, parodd Anghydffurfiaeth i'r Cymry fedru cyfiawnhau eu darostyngiad eu hunain. Fodd bynnag, nid ydym yn nes, o ddweud hynny, at ddirnad beth oedd yn gwneud iddynt ddymuno ei gyfiawnhau. Gallasai rhagluniaeth fod wedi cynnal dadl wrthwynebol, gan y gellid, pe mynnid, fod wedi cael hyd i ddigonedd o dystiolaeth ganol y bedwaredd ganrif ar bymtheg fod y cerrynt rhagluniaethol yn llifo i gyfeiriad buddugoliaeth y Gymraeg.

Mewn gwledydd eraill, nid oedd Anghydffurfiaeth yn elyn digymrodedd i genedlaetholdeb, er bod yn ei safbwyntiau unigolyddol y potensial i danseilio gwrthsafiadau cymunedol. Yn yr Iseldiroedd roedd Calfiniaeth yn gefn i genedlaetholdeb ac roedd honno'n wlad wrban a soffistigedig yng ngorllewin Ewrop.[38] Ni rwystrid y Boeriaid yn Neheudir Affrica gan eu credoau Calfinaidd rhag gwrthsefyll gyda grym arfau ymdrechion yr Ymerodraeth

Brydeinig i'w gwastrodi. Syniai'r Boeriaid amdanynt hwy eu hunain fel 'pobl etholedig', bydolwg clasurol wrthdrefedigaethol yr oedd y Cymry hefyd ar un adeg yn ei goleddu'n frwd.[39] Byddai gorfodi Saesneg arnynt yn ymosodiad ar eu crefydd: 'Dygwch ein hiaith a down yn Saeson a derbyn eu crefydd', meddai un o'u diwinyddion.[40] I'r Boeriaid, amod parhau'n genedl grefydd oedd cadw'r iaith Afrikaans ac aros yn genedl iaith, safbwynt tra gwahanol i'r agwedd Gymreig a fynnai nad oedd o ryw dragwyddol bwys a barhâi'r Cymry i siarad Cymraeg ai peidio, er y byddai'n drueni pe na wnaent, bid siŵr.

Beth felly oedd y cymhelliad amgen a elwir yn 'seicoleg' ac a rwystrai'r Cymry rhag dilyn yr un llwybr â phobloedd Galfinaidd eraill? Roedd deongliadau gwrthwynebol o gysyniadau holl-gwmpasog fel crefydd ac iaith yn cylchdroi yn y bedwaredd ganrif ar bymtheg, roedd yn rhaid i'r Cymry ddewis rhwng gwahanol dybiaethau am y 'neilltuol' a'r 'cyffredinol', a'r *dewis* hwnnw a oedd yn dyngedfennol. Bu'r Cymry, gan eu bod yn drwyadl Brotestannaidd, yn gyfforddus yng nghôl Prydain ers canrifoedd, ac eto roeddynt mewn perthynas drefedigaethol â hi. Er bod y gorchwyl o integreiddio Cymru yn y Lloegr Fwy wedi'i hwyluso'n arw gan Brotestaniaeth gyffredin y ddwy wlad, bu'n rhaid cyfieithu'r Beibl yn 1588 er mwyn selio'r fargen. Beibl oedd hwnnw y cyfeiria Angharad Price ato'n gwbl gywir fel y 'llyfr mwyaf trefedigaethol yn hanes Cymru'.[41] Er hynny, rhoes Beibl William Morgan stamp arwahanrwydd ar Anglicaniaeth y Cymry. Gyda'r cyfieithiad yn rhodd oddi wrth Frenhines Lloegr, pa syndod i'r Cymry dybio y gallai'r genedl ffynnu'n uned grefyddol o dan adain wleidyddol Lloegr? Byddai agwedd wrth-Gymraeg yr Eglwys yn ystod y bedwaredd ganrif ar bymtheg yn rhoi ysgytwad i'r dybiaeth hon, ond ni fyddai'n ei disodli.

Felly, pan ddaeth Anghydffurfiaeth i fri yn ystod ail hanner y ganrif, daliodd ei gafael yn y ddeuoliaeth ryfedd hon: yr oedd ei chapeli yn gydnabyddiaeth o arwahanrwydd sefydliadol Cymru, ac eto perchid yr uned weinyddol yr oedd Cymru'n rhan ohoni, sef Lloegr. Math o hunaniaeth Brydeinig â gwedd Gymreig arni oedd Anghydffurfiaeth. Math o fydolwg 'cyffredinol' hefyd wrth gwrs: lle cyffredinol iawn o ran ei hapêl oedd y nefoedd, roedd llwyddiant materol yn y fuchedd hon yn adlewyrchiad teg o'r gobeithion o'i chyrraedd, ac mewn cymhariaeth diau fod neilltuedd ethnig y ddadl iaith yn ymddangos yn ddibwys iawn. Gallai Anghydffurfiaeth fod yn gywely cyfforddus i apêl gwobrau daearol, ac ym Mhrydain, Saesneg oedd iaith y ddaear.

Mynegiant o genedligrwydd Cymreig sifig oedd Anghydffurfiaeth Gymreig ac nid oedd yn rhyw bwysig iawn pa iaith a siaredid yn ei chapeli. Pan edwinai Ymneilltuaeth yn yr ugeinfed ganrif, ni fu fawr o newid ymhlith y Cymry o ran eu hymlyniad at yr hunaniaeth sifig Gymreig-Brydeinig hon. Fe'i troswyd i'r maes seciwlar, megis ar ffurf cefnogaeth i'r Blaid Lafur ac i Sosialaeth ddemocrataidd. O feddwl y buasai yng Nghymru ddeunydd crai ardderchog ar gyfer cenedlaetholdeb ethnig, cam gwag oedd y pwyslais hwn ar y genedl sifig yn bendifaddau, ac arweiniodd yn fwy nag odid ddim arall at fethiant hanesyddol cenedl y Cymry.

Mae cenedlaetholdebau sifig ac ethnig bob tro yn weddau ar ei gilydd trwy fod y sifig yn ymgorffori buddiannau grŵp ethnig goruchafol. O feddwl am Anghydffurfiaeth Gymreig mewn termau sifig, gellir dechrau amgyffred pam y bu'n llai na brwd ynghylch hunaniaeth Gymraeg rhy anhydrin. Hefyd, roedd y sifig yng Nghymru yn annatod ynghlwm wrth Ryddfrydiaeth, ac aeth Anghydffurfwyr yn fwy rhyddfrydol wrth i'r ganrif dreiglo yn ei blaen. Arminiaid oedd llawer o ryddfrydwyr *laissez-faire* penna'r Gymru Gymraeg, gwŷr megis y gweinidog Annibynnol John Roberts, Conwy (J.R.).[42] Ni chredai Arminiaid mewn Etholedigaeth, ond yn hytrach credent y gallai Achubiaeth fod ar gael i bawb a ewyllysiai hynny: safbwynt democrataidd a rhyddfrydol a weddai i'r oes. Wrth i danau eirias y Diwygiad Methodistaidd bylu'n araf deg gyda threigl y blynyddoedd, a chyda thwf y radicaliaeth a'r ddyneiddiaeth a ddaeth yn sgil hyn, roedd llai a llai yn glynu at y math o Uchel-Galfiniaeth wrthryddfrydol a goleddasid gan John Elias, ffigwr diffiniadol Methodistiaeth Gymraeg yn ystod hanner cyntaf y ganrif.

Am mai codi Anghydffurfiaeth yn briod fynegiant o genedligrwydd sifig Cymreig er mwyn gwrthsefyll breintiau gwladol yr Eglwys Anglicanaidd oedd nod Lewis Edwards a'i genhedlaeth, nid doeth yn eu tyb hwy oedd agor y fflodiart ieithyddol, a chychwyn trwy hynny ysgarmes â'r wladwriaeth ar fater nad oedd a wnelo'n uniongyrchol â buddiannau Ymneilltuwyr. Felly, er mynd yn rhyddfrydol, ni allai'r Anghydffurfwyr gynnig llwyfan i genedlaetholdeb.

Pwysleisiwyd teyrngarwch y Cymry i'r wladwriaeth Brydeinig er mwyn dangos na fynnai Anghydffurfiaeth danseilio'r drefn gymdeithasol. Pe bai raid, yr oedd yr iaith Gymraeg i'w hoffrymu ar allor y strategaeth hon. Eithriadau prin oedd gweinidogion fel Emrys ap Iwan a ddatganodd ei fod 'yn Gymro yn gystal ag yn Fethodist' ac na fynnai 'addaw dim fel Methodist a'm rhwystrai i deimlo ac i siarad fel Cymro.'[43] Peryglid gan ddatganiad o'r fath holl resymeg wleidyddol a seicolegol y cyfnod, a bu'r driniaeth ohono gan Lewis Edwards yn frwnt neilltuol.

Nid y Cymry oedd yr unig leiafrif cenedlaethol yn Ewrop i arddel teyrngarwch i'r wladwriaeth er mwyn ceisio ennill consesiynau oddi wrthi. Yn wir, ar yr amod y caent ryw elfen o 'sofraniaeth fewnol' yn eu bywyd diwylliannol, dyna'r norm ymhlith cenhedloedd anhanesiol ar hyd a lled y cyfandir. Ond roedd parodrwydd y Cymry i aberthu eu hiaith yn enw hyn yn gwbl wahanol i'r meddylfryd a geid yng nghanolbarth a dwyrain Ewrop lle y pwysleisid mai iaith oedd hanfod y genedl. Wedi *Ausgleich* 1867, yn rhan o ymdrech Budapest i Fagyareiddio'r diriogaeth a oedd hellach o dan ei rheolaeth, ymgasglwyd ar sawl lleiafrif, yn eu plith y *Siebenbürger Sachsen*, lleiafrif Almaeneg a wladychasai ran o Dransylfania yn y ddeuddegfed ganrif a'r drydedd ganrif ar ddeg. Ond yn hytrach na gwrthryfela'n agored, pwysleisiodd y Sacsoniaid eu teyrngarwch i'r wladwriaeth mewn ymgais i liniaru'r polisïau hyn. Er iddynt feddu ar elfen o ymreolaeth sefydliadol ers yr Oesoedd Canol, cenedl fechan iawn oedd y 'sächsischen Nation' o ryw 200,000 o bennau yn unig, a phragmatiaeth oedd piau hi.[44]

Ond nid oedd bod yn dawedog o ran hawliau iaith yn rhan o'r strategaeth gymodlon hon. I'r gwrthwyneb, roeddynt yn driw er mwyn amddiffyn eu hunaniaeth ethnoieithyddol: 'Ni chwestiynwyd y teyrngarwch i'r wladwriaeth y perthynai'r *Sachsen* iddi, ond pwysleisiwyd yn hytrach Almaenrwydd yn ogystal â datgan yr hawl i wrthsefyll gorchmynion a phenderfyniadau a beryglai sylfeini eu bodolaeth.'[45] Defnyddid yr Eglwys er mwyn gwarchod buddiannau'r mudiad cenedlaethol. Dyma sefyllfa wahanol i'r un a fodolai yng Nghymru lle nad oedd gwarchod y Cymry fel cenedl iaith yn flaenoriaeth. Ym marn y rhyddfrydwyr Cymreig, cenedl a ddiffinnid gan ei Hanghydffurfiaeth oedd y Cymry.

Cymdeithion Herder yng Nghymru

Ar dir mawr Ewrop, syniadaeth Herder oedd y prif ddylanwad athronyddol ar y ddealltwriaeth wleidyddol o swyddogaeth iaith. Mewn gwirionedd, dylasai'r syniadau hyn fod wedi mennu ar Gymru a newid ei chwrs gwleidyddol. Yn wir, roedd gan Herder ei hun ddiddordeb yn y gwledydd Celtaidd – fe'i gwefreiddiwyd gan gerddi Ossian, bardd Gaeleg, yn honedig o'r drydedd ganrif, y ffugiwyd ei fodolaeth a'i farddas gan y Sgotyn James Macpherson, twyllwr hynod debyg ei anian i Iolo Morganwg.[46] Er mai diwylliant Gaeleg yr Alban a aeth â bryd Herder yn bennaf, gwyddai mai gwlad Geltaidd oedd Cymru, a barnai mai iaith ramantaidd oedd y Gymraeg. Pe digwyddai ymweld â Phrydain, meddai yn 1770, ni fyddai'n fawr o dro cyn iddo fentro 'i Gymru a'r Alban a'r Ynys Hir' gan mai 'yno rwyf am glywed caneuon Celtaidd y bobl yn holl iaith a sain y berfeddwlad yn cael eu canu'n wyllt'.[47]

Gwyddai Herder hefyd am hanes Cymru, mai gwlad ydoedd a goncrwyd gan y Saeson, a bod ei hiaith mewn perygl. Yn ei *Ideen zur Philosophie der Geschichte der Menschheit* ('Syniadau ar gyfer athroniaeth hanes y ddynoliaeth') (1784–91), dadleuodd fod ieithoedd pobloedd ddarostyngedig yn rhwym o gael eu disodli'n hwyr neu'n hwyrach. Dywedodd am y Cymry

> iddynt barhau'n annibynnol am gyfnod hir, mewn meddiant llawn o'u hiaith, dull llywodraethu ac arferion, y mae gennym ddisgrifiad hynod ohonynt yn rheoliadau llysoedd eu brenhinoedd a'u swyddogion; serch hynny daeth hefyd amser eu diwedd. Concrwyd Cymru a'i huno â Lloegr; dim ond iaith y Cymry a barhaodd ac mae'n parhau o hyd, yma yn ogystal ag yn Llydaw. Mae'n goroesi o hyd, ond mewn gweddillion bregus; ac mae'n dda bod ei nodweddion wedi'u nodi mewn llyfrau, oherwydd mae'n anochel y bydd hi, fel holl ieithoedd Pobloedd a ormeswyd yn gyffelyb, yn cyrraedd ei diwedd . . .[48]

Fodd bynnag, nid oedd Cymru'n gwbl amddifad o'r math o ymddiddori yn hynodion a hynafiaethau'r genedl sy'n tarddu o'r bydolwg Herderaidd. Dominyddid ei bywyd deallusol, seciwlar yn y 1820au gan y clerigwyr gwlatgar hynny yn Eglwys Loegr a adnabyddir fel yr Hen Bersoniaid Llengar, ac eraill o gyffelyb fryd, ceidwadol ac Anglicanaidd. Hyrwyddai'r Hen Bersoniaid eu diddordebau hynafiaethol Cymraeg yn ogystal ag ymgyrchu dros gymreigio Eglwys Wladol a oedd mewn rhannau o'r wlad wedi llwyr ymseisnigo. 'Prin bod odid ddim byd yn digwydd ym myd astudiaethau Cymraeg yn ystod y dauddegau heb i'r clerigwyr hyn fod ynglŷn ag ef', meddai Bedwyr Lewis Jones amdanynt.[49] Nid oedd y Personiaid heb ymglywed â sŵn anghynnes y gwynt trefedigaethol a chwythai o'r dwyrain ychwaith. Yr ateb i broblemau ieithyddol Cymru, meddai un ohonynt, oedd i'r ychydig di-Gymraeg ddysgu Cymraeg.[50]

Efallai mai'r ffigwr mwyaf diddorol yn y mudiad Cymreigyddol hwn yw un a oedd ar ei gyrion, gan ei fod yn ifanc ac at hynny'n Ymneilltuwr. Maes o law byddai Samuel Roberts, Llanbryn-mair (a adnabyddid fel 'S.R.') yn dod yn un o feddylwyr pwysica'r Gymru Gymraeg. Byddai ei agwedd at y Gymraeg yn ystod ei yrfa faith yn newid yn ddramatig, gan adlewyrchu newid mwy sylfaenol yn nisgwrs cyhoeddus y wlad. Ond roedd o hyd yn geidwadwr gwlatgarol pan enillodd yn 1824, yn ŵr ifanc yn ei ugeiniau cynnar, ar gystadleuaeth y traethawd yn Eisteddfod y Trallwng. Mae ei lith fuddugol, 'Ardderchawgrwydd yr Iaith Gymraeg', yn grynhoad eglur o danbeidrwydd y *Landespatriotismus* Cymraeg, a dyfynnir yr athronydd ceidwadol Edmund Burke yn gymeradwyol ganddo.[51] Dadleua S.R. o blaid amrywiaeth ieithyddol sy'n amlygu amrywiaeth y ddynoliaeth, ac mae'r pwyslais i gyd ar *wahaniaethau*, sef neilltuolrwydd neu arbenigrwydd diwylliannau penodol: 'y mae iaith *wahanol*, neu gangheniaith *wahaniaethol*, bron yn mhob ynys a gor-ynys, o begwn y gogledd hyd begwn y dê'.[52] Yn athronyddol, pwyslais ar y neilltuol (*particular*) ar draul y cyffredinol (*universal*) sydd wrth wraidd hyn, fel y mae wrth wraidd syniadaeth mudiadau Cymreigyddol y 1820au a'r 1830au i gyd. Maentumia S.R. ei bod 'yn gyson âg egwyddorion gwladgarwch i bob cenedl farnu yn dda am ei hiaith ei *hun*', a'r pwyslais ar yr '*hun*' yn cadarnhau hawl cymuned ieithyddol ar ei phriod iaith, ac i fynnu lle priodol iddi ym mywyd y wlad.[53] Yng Nghymru, mae i neges 'neilltuoldeb' (*particularism*) Cymraeg genadwri wrthdrefedigaethol amlwg.

Ar derfyn y traethawd, cyhoeddir yr hyn na ellir ei ystyried ond fel rhaglen wleidyddol mudiad Herder yng Nghymru. Gelwir am safoni'r orgraff, cyhoeddi geiriadur ac arweinlyfr celfyddydol, astudio'r Gymraeg yn yr ysgolion, ei defnyddio yn y llysoedd, coleddu purdeb iaith (syniad Herderaidd amlwg) ac annog y bendefigaeth i'w siarad.[54] Pwysir hefyd am arddel y Gymraeg yn gyhoeddus, 'mewn llythyrau a hyspysiadau; ac ar arwydd-estyll, arfbeisiau, bedd-feini a chof-golofnau'. Yn bennaf oll, dadleuir nad oes modd datod y cwlwm rhwng Cymru a'r Gymraeg: byddai hynny 'yn beth hollol *analluadwy*'; rhywbeth nad oes modd ei wneud. Enwau'r Gymraeg sydd ar yr afonydd a'r mynyddoedd a thirwedd Cymru oll; hi yw 'fflam fywiol . . . allorau teuluaidd', a hi hefyd yw cynheilydd y gymdeithas, ac ni ellir ei gwaredu 'heb lŵyr gladdu ein henw a'n coffadwriaeth fel cenedl.' Cofeb i'r Gymru a allai fod wedi bod, ond ni ddaeth i fodolaeth, yw'r traethawd heriol a thra gwych hwn.

Mwy adnabyddus ar y pryd oedd cylch Llanofer. Roedd iddo bob math o bosibiliadau cenedlaethol a chenedligol ac nid oedd, fel Cymru Fydd, wedi'i gondemnio ymlaen llaw i fethiant. Teulu bonedd Seisnig a symudodd ar ddiwedd y ddeunawfed ganrif i ardal Llanofer, ychydig i'r de o'r Fenni yn sir Fynwy, a roes gychwyn i'r cylch. Ymhlith ei aelodau mwyaf blaenllaw oedd y llysgennad Prwsiaidd pwysig Christian Bunsen, a ddaeth yn aelod o'r teulu trwy briodas. Ysgolhaig o fri oedd 'Das Gelehrte Bunsen' ('y Sgolar Bunsen'), a thrwyddo daeth blaenau Morgannwg a gwastadedd Gwent, gyda'u gwerin, tirfeddianwyr estron a diwydiant haearn, i gyswllt â phrif ffrwd meddwl Ewrop. Roedd yr athronydd Arthur Schopenhauer a'r hanesydd Barthold Niebuhr ymhlith ei gydnabod, ac nid oes ddwywaith nad oedd yn gyfarwydd â gwaith Herder.[55]

Fel Herder, credai Bunsen fod iaith yn adlewyrchu anian ei siaradwyr, a'i bod felly o bwys anhraethol. Nid anodd cymhwyso'r ddadl hon at y werin yr oedd teulu Llanofer yn byw yn eu hymyl. Roedd dylanwad Bunsen ar ei chwaer-yng-nghyfraith, Augusta

Hall, a adnabyddid fel Arglwyddes Llanofer, yn bellgyrhaeddol. Daeth hi'n lladmerydd Herder yng Nghymru, gan frolio mewn traethawd arobryn yn 1834 ragoriaethau 'cenedlgarwch sydd deimlad naturiol yr hwn a hanfoda ynom ar ein genedigaeth.'[56] Mae'r chwedl am ei thröedigaeth at achos y Gymraeg wrth iddi farchogaeth yng nghwmni un o weision ei thad, a hwnnw'n cwyno am enciliad yr iaith yn ardal y Fenni, yn cynnwys yn ei bathos Herderaidd holl ofid y mudiad hwnnw am hen bethau sydd ar ddarfod.[57] Perthynas Herderaidd yn y bôn oedd yr un rhyngddi hi a'r clerigwr Anglicanaidd Thomas Price (Carnhuanawc), awdur *Hanes Cymru a Chenedl y Cymry* (1836–42) a hyrwyddwr Cymreigrwydd o bob math. Dywedodd yntau yn 1833 y dylai gwybodaeth o'r Gymraeg fod yn 'sine qua non' yng Nghymru.[58] Roedd cymdeithas Cymreigyddion y Fenni a chyfoeswyr fel cyfieithydd y Mabinogi, Charlotte Guest, yn rhan o'r byd diwylliannol hwn hefyd.[59]

Bodolai felly yng Nghymru hanner cyntaf y bedwaredd ganrif ar bymtheg gylch o ddeallusion a oedd ynghlwm wrth fywyd athronyddol y cyfandir, ac yr oedd syniadaeth Herder yn ddylanwad arnynt. Roedd tynged ieithoedd bychain Ewrop yn ingol fyw iddynt, a daeth atynt bererinion o bob cwr o Ewrop a rannai'r gofid hwn. Un ohonynt oedd y polyglot rhyfeddol Georg Sauerwein, ymgyrchydd dros bob gradd o bobloedd fychain, a gŵr a ddysgodd y Gymraeg a barddoni ynddi.[60] Brwydrodd dros hawliau'r Lithwaniaid a'r Sorbiaid ym Mhrwsia (a barddoni mewn Sorbeg a Chernyweg; yn wir, yr oedd dysgu ieithoedd bychain a barddoni ynddynt yn chwiw ganddo), a thystia'r cwbl fod rhai, o leiaf, yn synio am y Gymraeg fel un iaith ymhlith nifer, yn rhan o rwydwaith o ieithoedd diwladwriaeth cyffelyb ar hyd Ewrop.[61] O dan ddylanwad yr Ewropeaeth hon, dadleuai cylch Llanofer o blaid dyfodol i'r diwylliant Cymraeg. Cafwyd pwyslais ar addysg ddwyieithog (ac arbrawf ar hyn ym mhentrefi'r cylch), dyfeisiwyd gwisg Gymreig, hyrwyddid cerddoriaeth a dawnsfeydd traddodiadol, dethlid yr hen wyliau Cymreig, a noddid â phres mawr, yn cyfateb i gannoedd o filoedd o bunnau yn arian heddiw, Eisteddfodau hollbwysig y Cymreigyddion yn y Fenni. Digwyddai hyn oll ar adegau yn wyneb cryn wrthwynebiad.[62]

Os nad oedd cylch Llanofer yn boliticaidd mewn ystyr bleidiol, yr oedd yn wleidyddol ar lefel fwy ffurfiannol o lawer. 'Ond, os, er y cwbl, y dywed neb ymaith âg y Gymraeg; dywedaf finnau – ymaith âg ein rhyddid – ymaith â bod yn Genedl', meddai Ioan Tegid yn 1820, cefnogwr brwd Eisteddfodau'r Fenni, hyrwyddwr casglu llawysgrifau, a chlerigwr alltud a gâi ddychwelyd i Gymru trwy ddylanwad Llanofer.[63] Ni ellid hyrwyddo'r Gymraeg heb hyrwyddo, rywsut, hefyd cenedl y Cymry, ac yr oedd i hynny ei berygl. Yn wir, yr oedd 'strategaeth Llanofer' o hybu gweledigaeth hunanymwybodol Gymraeg yn un o'r pethau 'a wnaeth ymosodiad grymus y Llyfrau Gleision yn angenrheidiol.'[64]

Tuag adeg yr ymosodiad hwnnw, bu tro ar fyd. Daeth y *Landespatriotismus*, a chyfnod y cymdeithasau Cymreigyddol a oedd yn rhan mor bwysig ohono, i ben. Yn 1854, cynhaliwyd Eisteddfod Gymreigyddol ola'r Fenni. Roedd yng Nghymru bellach *épistémè* newydd, ryddfrydol, fwy Seisnigaidd ac roedd honno'n niwl ar y wlad.[65] Athrawiaeth goll oedd Herderiaeth cylch Llanofer, er gwaethaf ymdrechion ambell broffwyd yn yr anialwch fel Michael D. Jones i wthio'r agenda ethnoieithyddol yn ei blaen.[66] 'The remaining nationalists', meddai Prys Morgan am chwalfa'r mudiad, 'were driven to silence or to Patagonia.'[67]

Pan ddaeth Anghydffurfiaeth yn gyfan gwbl lywodraethol oddi mewn i'r diwylliant Cymraeg, fe annilyswyd mathau eraill ar Gymreictod, y diwylliant Anglicanaidd a gystadlai â hi yn eu plith, ac nid oedd lle mwyach ar gyfer gwlatgarwch ceidwadol. Yn ôl un hanesydd, roedd y rhwyg rhwng 'y gwladgarwyr Ceidwadol a'r Ymneilltuwyr Radicalaidd yn rhy ddyfn' i'w bontio, a dyma 'o bosibl, drychineb mwyaf y ganrif.'[68] Heb yr hollt, hwyrach y buasai trywydd syniadol y cyfnod wedi'r Llyfrau Gleision yn wahanol. Ond pan ddaeth yn y 1840au, 'ysgariad Methodistiaeth a Thorïaeth', chwedl R. T. Jenkins,[69] ailddiffiniwyd y genedl Gymreig ar seiliau anghydffurfiol-ryddfrydol, a gwthiwyd gweledigaeth Johann Gottfried von Herder dros gof.

Cenedl ddwyieithog – cenedl a godir ar dywod ydyw

Sut, tybed, y byddai cenedlaetholdeb Cymraeg wedi datblygu pe na fuasai wedi ei lyffetheirio gan Anghydffurfiaeth ryddfrydol? Ar gyfandir Ewrop, amcan y mudiadau cenedlaethol oedd creu tiriogaethau a pheuoedd lle y câi'r briod iaith flaenoriaeth, gyda'r nod o greu'r amodau mwyaf ffafriol posibl ar gyfer ei pharhad. Yn y byd ideolegol hwn, nid oedd gofyn ymarferol am ddwy-ieithrwydd. Os cafodd ei grybwyll o gwbl, tacteg ydoedd, nid egwyddor. O ffeirio iaith, fe ffeirid cenedl. Rhoddwyd peiriant gweinyddol ar waith yng nghanol Ewrop a gadarnhâi hyn, wrth i wladwriaethau ddiffinio ethnigrwydd ar sail iaith, a gramadegu o'r herwydd hunaniaeth eu trigolion. Dadleuodd yr ystadegydd Prwsiaidd Richard Böckh mai iaith oedd yr unig ffordd gymwys mewn cyfrifiad i ddynodi cenedligrwydd.[70] Cydiwyd yn y ddadl hon yn yr Ymerodraeth Awstro-Hwngaraidd, ac mewn cyfrifiadau yno, ni holid mewn gwlad hynod amlieithog ynghylch dwy, tair a phedairieithedd. Un iaith yn unig yr oedd gofyn am ei chofnodi, yr *Umgangssprache*, yr iaith bob dydd. Rhagdybid fod iaith a chenedl yn cyfateb i'w gilydd, ac na feddai neb ond ar un hunaniaeth genedligol. Yn wir, dehonglid y cwestiwn ieithyddol fel ffon fesur o gryfder demograffig y cenhedloedd, a cheid cryn ymrafael gwleid-yddol yn ei gylch.[71]

Tra bo gwlatgarwyr Cymreig am hybu dwyieithrwydd, ac yn galw yn 1885 am weld 'Tair Miliwn o Gymry Dwy-ieithawg' erbyn diwedd yr ugeinfed ganrif,[72] anelodd plaid wleidyddol y Tsieciaid Ifainc at greu bywyd uniaith Tsieceg. Y nod oedd caniatáu i Tsieciaid fyw heb yr Almaeneg – peth gwahanol iawn i'r weledigaeth Gymreig wlatgar o ddwyieithrwydd personol mewn cymdeithas lle y cyd-nabyddid goruchafiaeth y Saesneg. Pan geid ymdrechion i ddatrys y gwrthdaro ieithyddol dwys ym Morafia rhwng Almaenwyr a Tsieciaid gyda chytundebau cenedlaethol-ieithyddol (*Ausgleiche*), nid anelid at gydraddoldeb dwyieithog oddi mewn i un gymdeithas Almaeneg-Tsiecaidd. Hwylusid yn hytrach ddwy genedl uniaith i fyw bywydau cyfochrog mewn ardaloedd cymysg, gan warantu felly barhad cymunedau iaith trwy ei bod yn amhosibl i'r naill gymathu'r llall:

Roedd y cytundebau hyn, yn bennaf oll yr un ym Morafia, yn fesurau tuag at sicrhau heddwch trwy ymwahanu, heddwch trwy arwahanrwydd; nid arweiniasant at ymwybyddiaeth newydd o integreiddio, neu ymdeimlad o gydberthyn . . . Dyma gyflwyno dewis gorfodol o berthyn i un grŵp ethnig . . . Roedd penderfynu ar aelodaeth o grŵp ethnig . . . yn anorfod.

Ymdrechid i lunio cytundeb o'r fath ym Mohemia ond methwyd am na allai gwleidyddion Almaenig a Tsiecaidd gytuno ar amodau a oedd yn dderbyniol i'r ddwy ochr.[74] Ond yr un oedd y duedd i gyfystyru iaith â chenedligrwydd ymhob man yn *Mitteleuropa* bron. Yn Slofenia'r 1860au, dim ond am bum mlynedd y gallai papur newydd cenedlaetholgar Slofenaidd, Almaeneg ei iaith, oroesi.[75] Nid oedd galw amdano.

Gwahanol oedd y sefyllfa yng Nghymru lle ceid rhagdybiaeth nad oedd iaith mor ganolog i'r genedl. Pan holwyd yng nghyfrifiad 1891 gwestiwn ynghylch galluoedd ieithyddol y boblogaeth, caniateid i ymatebwyr dwyieithog nodi eu bod yn medru 'Y Ddwy'. Roedd yr ideoleg hon yn rhagdybio shifft iaith i'r Saesneg ond yn caniatáu dros dro y posibilrwydd o hunaniaethau ieithyddol cymysg (erbyn diwedd yr ugeinfed ganrif ailenwid 'Y Ddwy' yn opsiwn 'Cymraeg', ac wrth ddiffinio 'Cymraeg' fel dwyieithrwydd sicrheid mai Saesneg yn rhinwedd ei hunaniaeth normadol fyddai'n cario'r dydd).

Anogwyd gwerin Cymru felly gan Ceiriog i 'siarad y ddwy':

> Llewelyn bach tyr'd yma,
> Ac ar fy neulin dysga,
> Iaith dy fam yn gyntaf un!
> Ac wed'yn iaith Victoria.
> Ac na boed mam yn Nghymru mwy,
> O afon Gaer i afon Gŵy,
> Heb siarad y ddwy – siaradwch y ddwy.
>
> Ac os bydd neb yn gofyn
> P'r un well gen ti, fy mhlentyn,
> Pa un ai'r Saesneg ai'r Gymraeg –
> Dwe'd tithau'r *ddwy* Llewelyn.[76]

Nid y syniad fod dwyieithrwydd yn rhagori ar unieithrwydd sy'n bwysig yng nghân Ceiriog, ond yr awgrym y dylai'r Saesneg fod yn famiaith symbolaidd i'r Cymry ochr yn ochr â'r Gymraeg, i'w thrysori fel pe bai'n iaith yr aelwyd. Anodd meddwl am ddelfryd mwy trefedigaethol, ac ymosodiad sicr ydyw ar yr argyhoeddiad Herderaidd fod gan bob cenedl ei phriod iaith.

Roedd y modd y synnid am y Gymraeg yn wahanol mewn ffordd bwysig arall. Yng Nghymru, roedd dwyieithrwydd yn cynnwys elfen gref o *diglossia*, gyda'r Saesneg yn fynedfa i'r byd modern a'r Gymraeg yn warchodfa'r hen a'r hynafol. Canmolid unieithrwydd Cymraeg yn aml am fod ynddo foddion osgoi llygredigaeth syniadaeth gyfoes, megis Sosialaeth, seciwlariaeth a modernrwydd yn gyffredinol. I gymeriadau mwy gwerinol Daniel Owen, un o rinweddau bod yn Gymro neu Gymraes uniaith yw osgoi *'modern thought'*.[77]

Yng nghanolbarth Ewrop ar y llaw arall, un o amcanion cenedlaetholwyr wrth ymorol am unieithrwydd yn yr iaith frodorol oedd cael gwared â'r *diglossia* hwn. Roedd cenedlaetholwyr am brofi fod yr iaith genedlaethol yn fodern, yn medru mynegi diwylliant uchel ynghyd â syniadau cymhleth. Roeddynt am ddangos fod y cenhedloedd llai yn 'Kulturvölker', gystal bob tamaid â'r Almaenwyr. Cafwyd felly gymdeithasau dysgedig uniaith ar gyfer mathemategwyr a chemegwyr Tsiecaidd, a moderniaeth lenyddol mewn Croateg.[78]

Yn baradocsaidd felly, nid arweiniodd y symudiad o ddwyieithrwydd i unieithrwydd at unrhyw gyfyngu ar ystod trafodaethau syniadol yn yr ieithoedd llai. I'r gwrthwyneb, fe esgorodd ar don o fodernrwydd. Ni chafwyd hyn yn y byd Cymraeg yn y bedwaredd ganrif ar bymtheg, am y mynegid modernrwydd yng Nghymru yn Saesneg at ei gilydd. (Mae'n ddiddorol yn hyn o beth fod moderniaeth Gymraeg yn ei hanterth yn y 1920au, sef yn yr union gyfnod pan oedd pwyslais mawr gan Saunders Lewis ac eraill ar unieithrwydd Cymraeg, wrth iddynt adweithio i Ryddfrydiaeth y ganrif gynt.)[79] Roedd cenedlaetholdeb ethnoieithyddol yn cau allan yr anghyfiaith, ac eto yr oedd yn rhyngwladol iawn ei gwmpas i'r sawl a drigai oddi mewn i'r muriau.

Ffenomen ddiddorol yw'r duedd hon i genedlaetholdeb sy'n coleddu unieithrwydd yn yr iaith gysefin fod yn fwy agored i ddiwylliannau a syniadau estron na diwylliannau lleiafrifol mewn cyd-destunau dwyieithog. Yn wir, roedd cenedlaetholwyr Cymraeg 3cloca'r bedwaredd gaiuif ai byintheg ymhllth Cymry mwyaf eang eu golygon a helaeth eu profiadau tramor yr oes honno. Dysgodd Carnhuanawc y Llydaweg, ac ymgyrchodd yn ddygn dros gyfieithu'r Beibl iddi, gan deithio i Lydaw er mwyn hwyluso'r gwaith, a chwilio am lawysgrifau Cymraeg a Llydaweg yn llyfrgelloedd Llydaw a Pharis.[80] Oni bai am ei weinidogaeth yn Cincinnati, Ohio, rhwng 1848 a 1850, go brin y byddai Michael D. Jones wedi cychwyn ar fenter fawr Patagonia.[81] Bu'r cenedlaetholwr eirias Dr Evan Pan Jones yn yr Almaen am bum mlynedd, lle y graddiodd yn MA a PhD ym Mhrifysgol Marburg.[82] Yn wir, aeth fflyd o Gymry gwlatgar i'r Almaen ac ni ddaeth y llif i ben nes i'r Rhyfel Byd Cyntaf roi stop arni (tybed ai T. H. Parry-Williams oedd y pererin mawr olaf?).[83] Roedd profiadau Emrys ap Iwan ganol y 1870au wrth ddysgu Ffrangeg ac Almaeneg yn y Swistir yn ffurfiannol iddo.[84] Yn wir, mae Emrys ap Iwan, fel ei ddisgybl Saunders Lewis, yn ymgorfforiad o'r cenedlaetholdeb cosmopolitan di-Saesneg hwn na fyddai modd bob tro i lawer o Gymry mwy Prydeinig a sifig eu cenedlaetholdeb ei ddirnad.

'Aeth i'r Cyfandir am fis neu ddau bob blwyddyn tra bu fyw,' meddai T. Gwynn Jones yn ei gofiant enwog i Emrys ap Iwan yn 1912, 'ac un o'i amcanion pennaf yn myned oedd dyfod i gyffyrddiad agos â bywyd ac arferion a'i cadwai rhag culhau ac ymgrebychu yn y cylchoedd yr oedd yn rhaid iddo droi ynddynt beunydd. Ei ddiwylliant tramor, yn wir, a'i gwnai unwaith mor anealladwy i'w wrthwynebwyr oedd tan yr argraff anffodus mai Lloegr oedd y byd'.[85]

3

Rhyddfrydiaeth yn Gorthrymu'r Cymry

Mewn rhyddiaith loyw yn ei *Hanes Cymru yn y Bedwaredd Ganrif ar Bymtheg* mae gan yr hanesydd tra rhyddfrydol, tra Llafuraidd a thra anghydffurfiol hwnnw, R. T. Jenkins, rywbeth rhyfedd i'w ddweud ynglŷn â'r Hen Bersoniaid Llengar, yr enghraifft orau o'r traddodiad Anglicanaidd, ceidwadol Cymraeg y dylasai hanesydd o'i broffes yntau fod wedi tynnu'n groes iddo:

> Buasai bywyd Cymru heddiw'n dlotach ac yn fwy unllygeidiog heb waith y gwŷr a fynnodd le yn ein hymwybyddiaeth genedlaethol i bethau hŷn o lawer, dyfnach, a mwy hanfodol inni *fel cenedl*, na Methodistiaeth a Radicaliaeth.[1]

Beth gebyst oedd gan R. T. Jenkins mewn golwg wrth wneud y ffasiwn ddatganiad? Dyma sylw sy'n mynd yn gwbl groes i brif neges hanesyddiaeth Gymreig am y bedwaredd ganrif ar bymtheg, sef y ffordd yr aeth 'y werin dlawd, araf, geidwadol a di-ddysg a fodolai yng Nghymru yn nechrau'r 19eg ganrif . . . yn werin fywiog, radicalaidd a diwylliedig erbyn ei diwedd' a bod gan Anghydffurfiaeth ran bwysig yn y stori.[2] Ond o safbwynt ffyniant yr iaith Gymraeg, gorsyml, os nad cyfan gwbl anghywir, fyddai tybiaeth o'r fath.

Yn ein hanesyddiaeth gyfoes, cyff gwawd yw Ceidwadaeth Gymreig. Fel yn y llun enwog hwnnw o was Lucifer yn hel Toriaid â'i bicell gan lefain bloeddiadau o lawenydd wrth wneud y gwaith, portreadir Toriaeth Brydeinig ac Eglwysig fel gelyn digymrodedd y genedl, delwedd ohoni sy'n gwbl waelodol i'r hunanymwybod gwleidyddol Cymreig hyd heddiw.[3]

Ac yn wir, ceid amlygiadau o'r math hwn o Dorïaeth, a oedd ar brydiau'n barodi ohoni'i hun, yn niwylliant Cymraeg y bedwaredd ganrif ar bymtheg, megis ym marddoniaeth a rhyddiaith y Tori Prydeingar a chwerylgar, Talhaiarn.[4] 'Although I am a Welshman in heart and head, blood, marrow, passion, and feeling; still, from habit and association, I am an Englishman too. That is, no Englishman has a higher regard for the greatness, grandeur, and glory of England than I have', areithiodd gerbron y 'Madoc Eisteddvod', chwedl yntau, a gynhaliwyd yn Eifionydd yn 1851.[5]

Ni allasai neb fod wedi bod yn ffyrnicach ei lach ar ysbryd democrataidd newydd y Chwyldroadau a ysgubodd trwy Ewrop yn ystod y blynyddoedd 1848 ac 1849. Nod y rhain oedd sicrhau rhyddfreiniad y dosbarth canol bwrgais, ond cafwyd yn ogystal anesmwythyd gwaedlyd o du'r dosbarth gweithiol. Mewn gwledydd fel Hwngari, yr Almaen a'r Eidal, roedd yr awydd i godi cenedl yn rhan hefyd o gythrwfl yr oes. Ni welodd Talhaiarn yn hyn oll ond perygl enbyd i wareiddiad, ac anogodd y Cymry i ymwrthod â phroffwydi ffug y cyfandir, y 'Coeg-areithwyr cythryblus a hauant anufudd-dod i'r Llywodraeth, *red republicanism*, malais a bwriad drwg yng nghalonnau anwyl-blant Hen Gymru er afles a melltith iddynt.'[6]

Nodweddiadol o'i gefnogaeth i'r sefydliad Prydeinig yw cerdd a gyhoeddodd yn *Y Cymro* yn 1849 yn pwysleisio teyrngarwch Cymru i Goron Lloegr, gan gyferbynnu llonyddwch Prydeinig 'Cymru Lân' yn ffafriol odiaeth â demagogiaeth y cyfandir:

> Er fod Ewrob mewn anhwyliant,
> Blant Cymru Lân;
> Gwres teyrngarwch yw'n anwyliant,
> Blant Cymru Lân;
> Llaw a llaw a chariad cynnes,
> Tra cur calon yn ein mynwes,
> Amddiffynwn ein Brenhines,
> Blant Cymru Lân.

Os daw helynt a gwrthryfel,
    Blant Cymru Lân;
Byddwn gyntaf yn y fatel,
    Blant Cymru Lân;
Drwy ufudd-dod i'r Llywodraeth,
A Victoria ein Hunbennaeth
Chwim orchfygwn Ddemagogiaeth,
    Blant Cymru Lân.[7]

Dyma'r cywair a gondemnid gan haneswyr yr ugeinfed ganrif fel taeogrwydd cibddall, ac sy'n ymddangos mor estron heddiw. Mae gwahaniaeth pwysig, serch hynny, rhwng imperialaeth y gwledydd mawrion, y mae Torïaeth drefedigaethol yn amlygiad ohoni, a Cheidwadaeth gynhenid a fu'n nodwedd ar lawer o wledydd llai Ewrop. Ceid yng Nghymru hefyd geidwadwyr a oedd yn wlatgar, nid er gwaethaf eu Ceidwadaeth ond o'i phlegid. Ceidwadaeth wrthdrefedigaethol oedd hon a geisiai atal traha Seisnig rhag dinistrio traddodiadau Cymreig.

Un o nodweddion ideolegol pwysicaf *Landespatriotismus* hanner cyntaf y bedwaredd ganrif ar bymtheg yw iddo fod yn nes at Geidwadaeth wlatgar nag at Ryddfrydiaeth. Yr oedd, wrth reswm, eithriadau i hyn: amddiffynnwr hawliau'r gweithwyr oedd dyn fel Brychan, aelod o Orsedd Iolo a chyhoeddwr blodeugerddi, glöwr yn Nhredegar cyn hynny; dirmygai gylch Llanofer.[8] A beth tybed fuasai agwedd debygol Iolo Morganwg tuag at Lanofer pe bai'n fyw? Wedi'r cwbl, ceir awgrym i'w fab, Taliesin ab Iolo, gydymdeimlo ag arweinwyr gwrthryfel Merthyr Tudful yn 1831, a llofnododd ddeiseb i wrthwynebu'r ddedfryd o farwolaeth ar Dic Penderyn.[9]

Meddyliwr gwrthdrefedigaethol oedd Iolo ei hun. Cenedl iaith oedd Cymru iddo, '*Cymmru*. cyd-fru – the common womb or mother of the *nation* or *community* of *Cymmry*', meddai mewn llawysgrif yn clodfori'r Gymraeg.[10] 'Yn ei thrylen athrylith, y mae hi'n rhagori, ag yn blaenori ar bob Iaith arall dann Haul ag wybren' yw ei sylw amdani yn *Cyfrinach Beirdd Ynys Prydain*, a gyfansodd-wyd tua 1785–90, a'r ieithwedd yn debycach i un y cymdeithasau Cymreigyddol nag i radicaliaeth weriniaethol.[11] Ceir pwyslais ar y genedl hefyd: 'Hanesion Cenedyl y Cymry' sydd ar wyneb-ddalen Cymraeg ail gyfrol *The Myvyrian Archaiology of Wales* (1801).[12] 'Our bards', meddai, 'were not barbarians amongst barbarians; they were men of letters', a dyna'n ddigamsyniol ieithwedd mudiadau gwlatgar cenhedloedd bychain Ewrop.[13] Hyd yn oed o gael cip sydyn arno fel hyn, gwelir nad amhriodol yw gosod Iolo yn y traddodiad rhamantaidd Ewropeaidd.

Ond ai 'radical' ydoedd? Mae'n dibynnu beth a feddyliwn wrth y gair hwnnw. Daw peth o'r dryswch ynglŷn â gwaddol syniadol Iolo o broblem yn ymwneud â geirfa: nid yr un peth o gwbl yw ei 'radicaliaeth' brotogenedlaetholgar a'r 'radicaliaeth' ryddfrydol a gafwyd wedi 1847. O dan yr haen o weriniaetholdeb Prydeinig a goleddai, gorwedd trwch o neilltuolrwydd Cymraeg, hynafiaethol, sydd hefyd ar brydiau yn geidwadol er mai mewn dillad radical y'i gwisgid.[14] Nid anodd gweld yn hyn 'neilltuoldeb' Iolo, a'i ddirmyg o werthoedd Seisnig a hybid ar draul y grŵp y perthynai iddo, 'cenedl y Cymry'. Yn hyn o beth, mae ei feirniadaeth ar 'gyfanfydedd' (*universalism*) Seisnig yn debyg i eiddo ceidwadwyr Llanofer. A dyna fewnwelediad hanfodol, oherwydd awgryma nad yn nhermau *schema* ceidwadol/radical y dylid meddwl am hanes deallol Cymru, gyda'r ceidwadwyr yn ddrwg a'r radicaliaid yn dda. Yn hytrach, yr hollt hollbwysig yw honno rhwng neilltuoldeb a chyfanfydedd, a neilltuoldeb Cymraeg yn dod o'r Chwith ar brydiau er mwyn gwrthsefyll Torïaeth Brydeinig, ac yna, ar adegau eraill, o'r Dde er mwyn herio'r rhyddfrydwyr a sosialwyr Prydeinllyd hynny sy'n tybio fod y diwylliant Saesneg yn un 'cyffredinol'. Mae Iolo mewn olyniaeth o ffigyrau hanfodol yn hanes Cymru sy'n dwyn ynghyd yn eu personau, eu disgwrs a'u gwaddol strategaethau sy'n cynnwys radicaliaeth *a* Cheidwadaeth er mwyn cyflawni swyddogaeth wrthdrefedigaethol. Yn hyn, mae tebygrwydd Iolo Morganwg i Saunders Lewis hefyd yn amlwg.

Nid rhyfedd, felly, mai trwy gyfrwng Ceidwadaeth gynhenid y mynegid llawer o safbwyntiau gwrthdrefedigaethol Cymreig hyd at y 1850au, ac yn wir wedi hynny. Ceidwadol oedd disgwrs llywodraethol y gymdeithas, ac roedd yn rhaid i'r gwrthsafiad Cymreig i gyfanfydedd Seisnig ddigwydd oddi mewn i'r disgwrs hwnnw yn ogystal ag oddi allan iddo. Dim ond mewn perthynas â grym mae unrhyw wrthsafiad yn digwydd, a heb fod y grym hwnnw'n bodoli mae'r gwrthsafiad iddo'n ddiystyr.

Amlygiad gwiw o'r Geidwadaeth wlatgar hon yw gweithgarwch yr *Association of Welsh Clergy in the West Riding of Yorkshire*, criw o glerigwyr Cymraeg alltud, efengylaidd eu naws, yn byw yn Swydd Efrog (o bob man). Peth rhyfedd yw bod hanesyddiaeth Gymreig yn eu hanwybyddu, ac eto'n canmol rhyddfrydwyr llawer mwy gwrth-Gymraeg na hwy. Ceir yn adroddiadau blynyddol eu cymdeithas ddatganiadau rhyfeddol ac ymosodol o'r egwyddor wrthdrefedigaethol, yn gofyn am gydraddoldeb ieithyddol rhwng Cymru a Lloegr.[15] Eu prif gŵyn oedd bod Saeson yn cael eu penodi i ofalaethau Cymreig, ac offeiriaid o Gymru yn cael eu halltudio i Loegr o'u hanfodd.[16] Cafwyd yng Nghymru rywbeth tebyg i wladychiaeth, gyda'r Cymry yn cael eu trin fel 'a set of "cart horses" to do the work, whilst aliens received their revenues, and did nothing.'[17] Ni phregethid i'r Cymry yn eu hiaith eu hunain, ac yr oeddynt yn cefnu ar yr Eglwys. Cafodd y clerigwyr ddameg mewn adnodau yn Jeremeia 5: 15–17 i ddangos natur *ethnig* y wladychiaeth arnynt, a'r afles a ddygwyd gan hyn i Gymru: 'Wele, mi a ddygaf arnoch chwi, tŷ Israel, genedl o bell, medd yr ARGLWYDD, cenedl nerthol *ydyw*, cenedl *a fu* er ys talm, cenedl ni wyddost ei hiaith, ac ni ddyalli beth a ddywedant.'

Ceir yma felly fath o Geidwadaeth Gymreig sy'n deyrngar i sefydliadau Prydeinig fel yr Eglwys Wladol, Senedd San Steffan a'r Goron, ond nad yw'n cyfystyru Prydeindod â Seisnigrwydd, ac sy'n barod o'r herwydd i fod yn hynod filain yn ei beirniadaeth ar Saeson. Mae'n wahanol i Anghydffurfiaeth sifig sy'n gweld hefyd y gwahaniaeth rhwng Seisnigrwydd a Phrydeindod, ond sy'n cynnwys o'i mewn hadau distryw'r posibiliad rhyddfrydol y gallai'r Cymry, trwy fynd yn Brydeinwyr, fynd yn Saeson mewn iaith a gweithred, ac efallai hefyd mewn enw. Ceir gan offeiriaid alltud Swydd Efrog fynegiant clasurol o genedlaetholdeb ethnoieithyddol ar y patrwm Ewropeaidd: beirniadaeth ar gamddefnydd y mwyafrif ethnig o sefydliadau sifig y wladwriaeth, dicter yn erbyn yr hiliaeth sy'n deillio o hyn, dirnadaeth fod gorthrwm economaidd ac ieithyddol yn ddwy ochr i'r un geiniog. Nid amharodd y Llyfrau Gleision ar wlatgarwch tanbaid yr offeiriaid ychwaith – yn wir, dyma fynegiad prin o *Landespatriotismus* a oroesodd i'r 1850au. Ac eto, onid yw'n awgrymog i'r mudiad ddarfod wedyn?

Ceidwadol a gwrthdrefedigaethol oedd cylch Llanofer hefyd, a dyma brif Geidwadaeth wlatgar y bedwaredd ganrif ar bymtheg. Arswydai Arglwyddes Llanofer rhag drwgeffeithiau terfysg gwleidyddol, fel yr edliwiodd Carnhuanawc i Siartwyr Casnewydd eu hymgais yn 1839 i 'effeithio chwyldroad yn y lywodraeth, a hollol gyfnewid y cyfreithiau a'r defodau hanfodedig.'[18] O safbwynt dehongliad gwrthdrefedigaethol, roedd eu gwrthwynebiad yn eironig gan fod terfysg, fel un Merthyr yn 1831 a therfysgoedd Beca wedyn, yn fynegiant o hunanymwybyddiaeth ethnig y Cymry, ond yr oedd gan gylch Llanofer, yr un fath â phawb, ei fuddiannau dosbarth. Fodd bynnag, yn nhermau eu disgwrs eu hunain, roeddynt yn wrthdrefedigaethol. Pwysigrwydd y mudiad yw bod cylch Llanofer yn dadlau o blaid sefydlogrwydd cymdeithasol ar sail arbenigrwydd y bywyd Cymraeg, sef bod y Gymraeg yn foddion i gadw Cymru rhag helbul terfysg a chwyldro, yn wahanol felly i'r Llyfrau Gleision a gais ateb problem arwahanrwydd y bywyd Cymraeg trwy gymell ei ddileu.

Yn ei thraethawd arobryn *Y traethawd buddugol ar y buddioldeb a ddeillia oddiwrth gadwedigaeth y Iaith Gymraeg, a Dullwisgoedd Cymru* (1836), dywed Arglwyddes Llanofer:

> Ond yn mhlith yr amrywiol fuddredion y rhai a ddeilliasant i'r Dywysogaeth o gadwedigaeth y Iaith Gymraeg, ni ddylem anghofio y cadarn, a hyd yn hyn, yr annhrwyddedig wrthglawdd a ragosoda i rwysg terfysg ac anghrediniaeth, ac os bu, trwy gyfyngder ei thiriogaeth, yn achlysur o unrhyw anhawsderau mewn gorchwylion masnachol, yr hyn yr ydym yn ei fawr amheu, etto y mae yn rhaid caniatau fod mwy na chyflawn atdaliad yn cael ei wneuthur am hynny, trwy gau allan yr egwyddorion anghrediniol y sawl yn ddiweddar a daenwyd mor helaethlawn trwy offeryndod yr argraffwasg Saesonaeg, y rhai a hauwyd yn fwy angheuol etto yn Ffrainc, ac yn erbyn effeithiau pa rai y cafodd ein brodyr Llydawaeg, fel ninnau, eu diogelu trwy gyfrwng eu Hiaith.[19]

Mae'r cyfeiriad at y Llydawyr yn arwyddocaol, gan y dengys y ffordd y synia deallusion y *Landespatriotismus* am chwyldro fel bygythiad i hunaniaethau ac ieithoedd rhanbarthol. Ac yntau'n llym ei feirniadaeth ar egwyddorion egalitaraidd y Chwyldro Ffrengig a Chwyldroadau 1848–9 (disgrifiodd wrthryfelwyr Ffrainc fel 'savages'),[20] tybiodd Christian Bunsen mai Adwaith oedd y ffordd orau o warchod buddiannau cenhedloedd diwladwriaeth Ewrop. Hawdd dirnad penderfyniad Bunsen a'r Arglwyddes i droi at Lydaw er mwyn dadlau hyn, oherwydd yr oedd Gweriniaeth Ffrainc wedi gorthrymu ei lleiafrifoedd yn drwyadl. Ac felly yn yr argyhoeddiad mai gweriniaethau yw gwir elynion pobloedd fychain, lluniodd Bunsen yn 1832 eirda i ysgolhaig Llydewig.

A few lines, lately written, may perhaps be delivered in a year, to request a kind reception for – no common Frenchman! – M. Rio, of Vannes in Bretagne, whom we have often seen this last winter. He glories in being a Breton, and in having spoken throughout his childhood no other language than that of the country; but as that language has not been as well preserved in Bretagne as the Welsh has been in Wales, he makes it a principal object of his projected journey to Great Britain to study his native language at its source . . . I hope the nature of the object of his enthusiastic pursuit will incline all hearts to aid and abet and further his acquaintance with Welsh scholars, who will let him into the mysteries of all possible dialects: and that his being a man of distinguished talents, and heroic courage, and sincere self-devotedness to his opinions, will gild over to everybody the counterpart of the description, his being an ultra-royalist, an ultra-Catholic, and ready to shed the last drop of his blood in defence of the 'drapeau blanc' and the sovereignty of the Pope![21]

I Bunsen, ymlyniad wrth y diwylliant Llydaweg sydd wedi arwain yr ysgolhaig hwn, François Rio, i arddel brenhiniaeth ddi-ildio, a'i deyrngarwch i sofraniaeth drawswladol Eglwys Rufain yn wrthglawdd rhag cenedlaetholdeb Ffrainc. Perygl gweriniaetholdeb i'r Llydawyr oedd iddo leoli sofraniaeth yn y Bobl, a'r Bobl trwy ddiffiniad yn Ffrancwyr.[22] Mae tafod Bunsen yn ei foch, felly, wrth iddo ryw ffug-ymddiheuro am wleidyddiaeth frenhinol, adweithiol yr ymwelydd.

Wrth dafoli cyfraniad Arglwyddes Llanofer a'i chylch, dywed y sosialydd o genedlaetholwraig Jane Aaron fod cefnogaeth i'r

Goron Brydeinig yn rhan greiddiol, os 'annisgwyl', o agwedd yr Arglwyddes at y Gymraeg: 'yn hytrach na hyrwyddo rhaniadau oddi mewn i'r Deyrnas, mae hi'n ei gweld yn weithredol gefnogol o'r Frenhiniaeth Seisnig.'[23] Yn wir, trwy gysylltiad Christian Bunsen â'r Tywysog Albert, roedd y cylch yn derbyn nawdd brenhinol.[24] O'r braidd, fodd bynnag, fod dim annisgwyl ynglŷn â hyn, gan fod closio at y Goron mewn gwladwriaeth amlgenedl yn rhan annatod o genedlaetholdeb sawl cenedl fechan ar dir mawr Ewrop. Tybiwyd y gallai brenhinoedd coronog ddal y ddysgl yn wastad rhwng grwpiau ethnig oddi mewn i'r wladwriaeth, gan amddiffyn lleiafrifoedd yn erbyn hunanoldeb y grŵp mwyafrifol a fyddai, mewn trefn fwy democrataidd, yn cipio grym iddo'i hun yn llwyr am ei fod yn fwyafrif.

Roedd lleiafrifoedd am wrthsefyll pwysau cymathol mwyafrifoedd a gymerai arnynt mai hwy oedd 'y Bobl' ac a fynnai orthrymu lleiafrifoedd yn enw uchelgais weriniaethol. Nid oes raid mentro ymhell o Gymru i weld atynfa'r Goron i genedl ddiamddiffyn. Yn ystod Rhyfel Cartref Lloegr, deilliodd teyrngarwch unplyg Cernyw i'r Brenin Charles, yn enwedig yn ei pharthau gorllewinol a oedd o hyd yn Gernyweg eu hiaith, o'r union argyhoeddiad hwn, sef mai math o genedlaetholdeb Seisnig, gwrth-Gernywaidd yn ei hanfod, a gynrychiolid gan 'ddemocratiaeth' lluoedd y Senedd.[25] Yng Nghymru hefyd, siawns ei bod yn arwyddocaol mai ardaloedd mwy Saesneg a dwyieithog y wlad, fel de Penfro a Wrecsam, oedd fwyaf cefnogol i Cromwell.[26]

Ceid felly yng Nghymru ar ochr 'neilltuoldeb' Cymreig, sef ar ochr cenedlaetholdeb Cymraeg, geidwadwyr a hefyd rai radicaliaid, ond o blith y ddwy garfan hyn y ceidwadwyr oedd bwysicaf. Torïaid imperialaidd fel Talhaiarn oedd ar yr ochr arall ac roeddynt yn nes o ran anian at ryddfrydwyr 'radicalaidd' yr oes nag yr oeddynt i'r ceidwadwyr Cymreig. Nid gyda cheidwadwyr gwlatgar cylch Llanofer y rhannai imperialydd fel Talhaiarn ei ddihidrwydd am ddyfodol y Gymraeg, ond gyda'r union ryddfrydwyr radicalaidd yr honnir yn ein hanesyddiaeth eu bod am y pen eithaf iddo. Pan ddywedodd yn 1859, 'According to the laws of nature the weakest must go to the wall, and however unpleasant it may be to us to reflect on the extinction of our cherished language, we must console ourselves as best we may, and submit to our fate', yr oedd yn aralleirio barn lliaws o'i gyd-Gymry mwy rhyddfrydol.[27] Cytunai rhyddfrydwyr radicalaidd *laissez-faire* â Thorïaid ymerodraethol mai iaith israddol oedd y Gymraeg. 'Y mae'r bobl sy'n gweiddi "Trengi wnelo rhyfel",' meddai radical mwyaf egwyddorol y cyfnod, S.R., a oedd wedi hen gefnu ar Geidwadaeth Gymraeg ei ieuenctid gan arddel yn ei lle radicaliaeth, heddychiaeth a Rhyddfrydiaeth, 'yn llawn mor wresog â Thalhaiarn am weiddi "Byw fyddo Lloegr."'[28]

Radicaliaeth Gymreig a chenhedloedd bychain

Yn wahanol i geidwadwyr y *Landespatriotismus* Cymreig, mynnodd radicaliaid Cymraeg megis Ieuan Gwynedd, Gwilym Hiraethog ac R. J. Derfel ganu clodydd Chwyldroadau 1848–9, a Chwyldro Hwngari yn arbennig. Buont hefyd yn hyglyw eu cefnogaeth i'r Eidalwyr yn eu gwahanol frwydrau dros undod ac annibyniaeth, yn 1848, ac eto yn 1859–61. Ond tybed a wnâi hynny hwynt yn fwy cenedlaetholgar na'u cyfoeswyr mwy ceidwadol?

Nid oes ddwywaith na cheid yn y rhengoedd rhyddfrydol lawer o rincian dannedd a stampio traed ynglŷn â gorthrwm Brenhiniaeth Habsbwrg ar hawliau cenedlaethol Hwngari. Codasai 'y Jezebel hon, llywodraeth Awstria', chwedl Gwilym Hiraethog, wrychyn y Cymry radicalaidd.[29] Câi Louis Kossuth, arweinydd y Magyariaid, swcwr y wasg Gymraeg – gan *Yr Amserau* yn bennaf oll, ond hefyd yn *Seren Gomer*, *Y Traethodydd* a'r *Cronicl*.[30] Cyhoeddwyd llyfryn Cymraeg yn y Bala yn 1852 yn clodfori bywyd, gwleidyddiaeth ac areithiau Kossuth, a bu ymdrechion aflwyddiannus i'w ddenu i Gymru pan aeth ar daith areithio i Loegr.[31] Ceir digon o dystiolaeth hefyd fod rhai radicaliaid yn edrych ar frwydr Hwngari trwy lygaid cenedlgarol. Roedd y frwydr o blaid yr Hwngareg yn brawf, yn nhyb Ieuan Gwynedd, na ddylid bychanu'r Gymraeg. Mae'n ddiddorol hefyd mai Eglwyswr gwlatgar, y Barnwr A. J. Johnes, oedd un o gefnogwyr selocaf y Magyariaid, ac iddo gydweithio'n agos â Gwilym Hiraethog wrth drefnu cyfarfodydd ac apeliadau cyhoeddus.[32] Awgryma cydweithio o'r fath rhwng Anglicanwr ac

57

Annibynnwr y ceid o hyd yn y 1850au botensial ar gyfer clymblaid wlatgar yn croesi'r ffin rhwng Eglwys a chapel na fyddai'n bosibl yn ddiweddarach yn y ganrif pan wisgai Cymru fantell y Genedl Anghydffurfiol amdani'n gaethiwus o dynn.

Er gwaethaf hyn, bu llawer o'r eiriol radicalaidd dros Chwyldroadau 1848–9, a rhyfeloedd annibyniaeth yr Eidal yn ystod 1859–60, yn wedd ar Ryddfrydiaeth Brydeinig yn hytrach nag yn amlygiad o hunanymwybyddiaeth genedlaethol Gymreig. Ni ellir amau ei apêl boblogaidd: ceir Ffordd Cavour yn Nhalysarn, Dyffryn Nantlle. Ond gallai hefyd fod yn ffuantus. Sut mewn difrif calon mae ymateb i gerddi gan Brydeiniwr rhonc fel Ceiriog yn hwrjio'r achos cenedlaethol Eidalaidd ar blant ffyddlon Fictoria? Yn 'Garibaldi a Charcharor Naples', mae Ceiriog yn canu clodydd y Cadfridog Garibaldi wrth iddo gyrraedd Naples yn ystod ei goncwest o dde'r Eidal yn 1860, ac yn 'Cavour', canmolir Prif Weinidog cynta'r wladwriaeth newydd.

Go brin, fodd bynnag, fod llinellau fel 'Caneuon Itali, O! canwn, – canwn! / A diolch i'r nefoedd daeth y dydd, / Garibaldi gyrhaeddodd, mae'r Eidal yn rhydd!' yn dynodi awydd i ryddhau Cymru oddi wrth ei gormes hithau.[33] Nid oedd cefnogaeth i'r Eidalwyr, meddai Syr Reginald Coupland yn ei astudiaeth arloesol, *Welsh and Scottish Nationalism*, yn arwydd o genedlaetholdeb: 'Roedd y cydymdeimlad ag ymdrechion gwledydd bychain y cyfandir i ennill eu rhyddid yn etifeddiaeth Brydeinig o Oes Napoleon: daethai'n rhan o'r traddodiad Prydeinig; ac nid oedd unrhyw dôn neu gynhesrwydd neilltuol yn perthyn i gyfraniad y Cymro a'r Albanwr iddo. Apeliodd achos yr Eidalwyr, Pwyliaid, Hwngariaid atynt fel y gwnaeth i'r Saeson, ddim mwy a dim llai.'[34]

Diau mai gorddweud yw hynny. Perthyna 'cynhesrwydd' helaethach nac eiddo'r Saeson i ymateb y Cymry i helbulon lleiafrifoedd, gan fod adwaith emosiynol y Cymry, a hwythau'n lleiafrif, yn rhwym o fod yn wahanol, yn seicolegol. Ceid yng Nghymru gydymdeimlad emosiynol dwys â phobloedd fychain yr Ymerodraeth Brydeinig. Dyna hanes ymweliad U Larsing, brodor o'r rhan honno o'r India a drefedigaethwyd gan genhadon Cymraeg, Bryniau Casia, â threfi Cymraeg uniaith fel Pwllheli, Caergybi a'r Bala yn ystod *heyday* y Gymru Fethodistaidd, rhwng 1861 ac 1863.[35] Canai benillion yn 'iaith y Cassiaid' yn llawer o'r cyfarfodydd cyhoeddus a gynhaliai, fel y gwnaeth yn Llandderfel a Machynlleth, ac aeth hynny at galon hunaniaeth ieithyddol y Cymy.[36] Roedd y 'bachgen melynddu, serchog,' meddai un tyst, 'yn canu emynau yn iaith ei fam ar hen donau Cymreig, nes yr oedd y miloedd yn wylo dagrau melus o gariad a diolchgarwch.'[37] Ni allai'r fath ymateb teimladol ond arwyddo perthynas gymhleth a fodolai rhwng dau ddiwylliant lleiafrifedig a Phrydeiniedig, sy'n deillio o'r ffaith eu bod ill dau'n drefedigaethedig ac eto, yn eu tyb eu hunain, wedi'u hachub gan Brydeindod.

Roedd cyswllt amlwg rhwng y sylw a roed yn y diwylliant Cymraeg i hunaniaethau ethnig pobloedd ddarostyngedig eraill ac ymwybyddiaeth y Cymry o'u cyflwr eu hunain. Ac eto, yn wleidyddol, roedd cenhadaeth y Cymry i'r India yn rhan o'r gorthrwm trefedigaethol ar 'y Cassiaid', gan ei bod yn cyfnerthu'n ddiwylliannol ymdrechion Prydain i'w gwastrodi. Roedd ymatebion y Cymry i Brydeindod yn emosiynol, os nad yn wleidyddol, yn wrthddywediadol iawn, ac ar wastad disgwrs swyddogol, ymddengys fod llawer o'r greddfau anghydnabyddedig hyn wedi eu gwthio o'r neilltu. Disgwrs swyddogol oedd gwleidyddiaeth, wrth gwrs.

Roedd y gefnogaeth Gymraeg i genedlaetholdebau Ewropeaidd, megis yn Hwngari a'r Eidal, yn arddangos cymhlethdodau cyffelyb, ac ar un wedd yn hynod Gymreigaidd. Ond bu hefyd yn orthrwm ar y Cymry eu hunain trwy ei bod, wrth bwysleisio hawl gwledydd eraill i ryddid, ac wrth nacáu hynny i Gymru, yn normaleiddio'r syniad fod Cymru eisoes yn wlad rydd gan ei bod yn aelod mor dawedog o'r genedl Brydeinig gyfansawdd.

Gwelir radicaliaeth Gymraeg o'r union fath deublyg hwn ym mhryddest R. J. Derfel, '*Rhosyn Meirion: sef, Pryddest wobrwyedig ar "Kossuth"* . . .' (1853), sy'n ymdrech i lunio amddiffyniad prydyddol o achos cenedlaethol y Magyariaid. R. J. Derfel oedd un o wlatgarwyr mwyaf pybyr y 1850au, ac ar un wedd, cerdd genedlatholgar iawn yw '''*Kossuth'''* sy'n ceryddu 'tŷ Hapsburg' am beri 'darostyngiad / Y genedl Hungaraidd, a'i bythol ddifodiad'.[38] Yn sicr hefyd, ceir tinc hunanymwybodol Gymreig yn y molawd i 'Hungary fechan yn buddugoliaethu' yn erbyn y grymoedd mawrion.[39] Ond yn ofer y chwilir yn y gerdd am gyfeiriadau at yr Hwngareg ac at hawliau ieithoedd bychain, a hynny er mai cenedlaetholdeb ethnoieithyddol oedd eiddo'r Magyariaid. Yn hytrach, pwysleisir fod Kossuth yn cyfieithu ei areithiau 'i iaith yr Allmaenwyr' er mwyn gwneud ei neges yn fwy dealladwy.[40]

Yn ail hanner y bryddest, dethlir y 'croesaw Prydeinig' a dderbyniodd Kossuth oddi wrth y cyhoedd ym Mhrydain, sy'n wlad ryddfrydol: 'Ym mhorthladd Southampton ein gwron a laniodd, / A chroesaw Prydeinig yn helaeth a brofodd'.[41] Hanes taith Kossuth trwy Loegr a geir wedyn, a chan na chroesodd Kossuth Glawdd Offa, ni lunnir unrhyw gymhariaeth rhwng sefyllfa cenedlaethol y Magyariaid a'r Cymry. Gwir y briga i'r wyneb bob hyn a hyn arwyddion o genedlgarwch Cymreig, ond nid alegori am orthrwm gwleidyddol ar Gymru yw'r holl sôn am orthrwm ar Hwngari. Cydblethir disgyrsiau Cymreig a Phrydeinig, a gosodir yr elfen Gymreig mewn cyd-destun Prydeinig rhyddfrydol cadarn.

Roedd cefnogaeth y Cymry i'r Magyariaid, ys dywed Marian Henry Jones, yn 'ffordd o ddangos nad anwariaid hanner-pan oedd y Cymry heb wybod ond ychydig am y byd tu allan. Roeddynt yn dangos hyn i'r Hwngariaid, yn ei brofi iddynt hwy eu hunain, ond yn bennaf oll yn ei amlygu i'r Saeson. Nid aethant ymhellach na hynny.'[42] Nid oedd y Cymry, er cefnogi hawl y Magyariaid i ymreolaeth, am eu dilyn. Gwylltiwyd Henry Richard fod Siôn Bwl (John Bull) am bleidio achos 'nationalities oppressed, or compressed, or suppressed by any foreign Power', a'i fod ar yr un pryd yn bwrw sen ar y diwylliant Cymraeg ac yn difrïo'r Eisteddfod. Ond er cydnabod eironi ac annhegwch hyn, ni throes yn genedlaetholwr ac ymfalchïodd nad oedd neb – 'from the Hebrides to the Punjaub' – yn fwy ffyddlon i Brydain na'r Cymry.[43]

Tynnu sylw at ffyddlondeb y Cymry a wna Gwilym Hiraethog hefyd. Ceir ganddo, mae'n wir, o leiaf un gymhariaeth uniongyrchol rhwng tynged ieithoedd diwladwriaeth canolbarth Ewrop a'r Gymraeg, a dywed am y syniad o genedl:

> Nid all fod un ffordd fwy effeithiol i'w ddarostwng a'i warthruddo na thrafod ei weinyddiadau mewn iaith anneallus i'r brodorion. Achwyna yr Hungariaid yn chwerw yn erbyn trawsder llys Awstria,

yn ei waith yn trefnu gweinyddiad y gyfraith yno mewn iaith ddyeithr i'r bobl. Nid oes gan yr Hungariaid ddim mwy o achos i gwyno yn y peth hwn nag sydd genym ninnau y Cymry.[44]

Cydnebydd hefyd mai ymgais i 'ladd ysbryd annibynol y genedl' yw diraddio ei hiaith.[45] Ond ni ellir bwrw ar sail hyn fod Hiraethog o blaid 'rhyddid' i Gymru. Rhydd dro yng nghynffon ei ddadl sy'n tanseilio achos cenedlaetholdeb Cymraeg yn llwyr. Am fod y Cymry wedi cadw eu hunan-barch wrth brofi i'r Saeson mai Cymru yw'r 'dalaeth dawelaf a ffyddlonaf i'r goron o un sydd yn perthyn iddi', ni all yr anwybyddu ar hawliau'r Gymraeg fod yn sarhad arnynt.[46] Mae ymateb diachwyn y Cymry i orthrwm yn arddangos rhagoriaeth eu hysbryd moesol, a'u gallu i godi uwchben helbulon a thrybini'r byd hwn.

Crynhoir bydolwg y Cymry rhyddfrydol hyn yn ardderchog yn newyddiaduraeth Gwilym Hiraethog. Mewn erthygl bwysig, 'Chwyldroadau y Flwyddyn 1848', a gyhoeddodd yn *Y Traethodydd* fis Gorffennaf 1849, dadleua o blaid ymddiwygio cymdeithasol a llywodraethol ar sail rhyddfreiniad unigolyddol. Dywed, wrth drafod Kossuth, mai:

Gormeslywodraeth, trawsarglwyddiaeth, gwasgiad ar iawnderau priodol dynoliaeth, cyfyngiad ar derfynau y rhyddid gwladol a chrefyddol hwnw a berthyn yn ddïeithriad i bob dyn fel trefdadaeth ei fodolaeth, ydyw y brif elfen achosol o chwyldroad gwladwriaethol bob amser.[47]

Ni chafwyd chwyldro ym Mhrydain yn 1848 am fod Prydain yn wlad ryddfrydol, ac felly eisoes yn rhydd (ac os oedd Prydain yn rhydd, oddi wrth ba gaethiwed y byddai Cymru annibynnol yn cael ei rhyddid?): 'Ein ffurflywodraeth ni oedd yr un ëangaf ei seiliau a'i hegwyddorion o yr un yn Ewrop cyn hyny; a safodd gorsedd a llywodraeth Prydain Fawr yn gadarn a diysgog pan oedd gorseddau Ewrop o'i deutu yn syrthio ac yn ymddryllio.'[48]

Cynrychiolwyr etholedig pobl Prydain sy'n eistedd yn Nhŷ'r Cyffredin, a'r Bobl sy'n sofran.[49] Gweinyddir y gyfraith yn deg ac yn onest, a sicrha'r wasg ryddid barn. O dan lywodraeth o'r fath, gall 'cenedl', sef Prydain, dyfu mewn 'masnach' a hefyd 'tangnefedd tumewnol'.[50] Sylfeini trwyadl Brydeinig sydd i ddadansoddiad Hiraethog o Chwyldroadau 1848–9, ac mae unrhyw gywair gwlatgar Cymreig a all fod yn perthyn iddo'n ddarostyngedig i'r dyb fod rhagorfreintiau dinesig Prydeinig yn ddigon i wneud iawn am unrhyw gam a wneir â'r Gymraeg.

Mae arddeliad Gwilym Hiraethog o'r safbwyntiau rhyddfrydol hyn yn hynod awgrymog am mai ef, yn anad neb, a gyfrifid yn brif lais y gefnogaeth Gymreig i Chwyldroadau 1848–9. Nid yw Rhyddfrydiaeth radicalaidd Hiraethog, wrth iddo daranu yn erbyn yr anghyfiawnderau beunyddiol a wyneba'r werin Gymraeg (a hyn toc wedi'r Llyfrau Gleision), yn peri iddo gwestiynu ymgorfforiad Cymru yn Lloegr. Yn ei lyfr yn sylwadu ar y chwyldroadau, *Providence and Prophecy* (1851), geilw Hiraethog ei genedl wrth yr enw 'Lloegr', a dal na allai odid ddim 'call out the peaceful energies of Great Britain into open rebellion.'[51] Tra gwahanol yw ei ymateb i gyfyng-gyngor cenhedloedd eraill, ac wedi iddo ddatgan 'the groans of oppressed Italy made the ears of humanity . . . tingle', mae'n dathlu na fu i'w hysbryd fethu.[52] Ymgyrchydd dygn dros ryddid yr Eidal oedd Hiraethog, ac yn wir cyfarfu â Giuseppe Mazzini, arweinydd y mudiad cenedlaethol Eidalaidd, fwy nag unwaith; ar un achlysur, os oes coel ar dystiolaeth lafar, ar aelwyd Hiraethog ei hun.[53] Ond er iddynt lythyru â'i gilydd, nid oes yn eu gohebiaeth unrhyw arwydd fod Mazzini wedi sôn am ymreolaeth i Gymru, nac ychwaith bod Hiraethog yn disgwyl hynny.[54]

Nid gwrthwynebu Prydeindod oedd nod Hiraethog, ond hyrwyddo dyneiddiaeth ryddfrydol. Roedd ei radicaliaeth ynghlwm wrth achosion cydwladol megis gwrthwynebu caethwasiaeth a oedd yn boblogaidd yn Lloegr yn ogystal ag yng Nghymru, ac yn rhan o hunanddelwedd y Cymry eu bod yn bobl heddychlon, dduwiolfrydig a thra moesol.[55] Ceir tinc bob hyn a hyn o wleidyddiaeth iaith, megis wrth iddo geryddu meistri tir na fynnant ddysgu'r Gymraeg – fel y gwnâi yn 'Llythurau 'Rhen Ffarmwr', ei golofn enwog yn *Yr Amserau* rhwng 1846 ac 1851. Ceir dychan yno ar Gymry uniaith am roi Saesneg ar dalcen eu capeli, eu troliau a'u cerrig beddi, a gwneir hwyl am ben y syniad fod tranc y Gymraeg yn anorfod.[56] Ceir gogan ddeifiol hefyd ar y dybiaeth fod y Sais uniaith yn rhagorach greadur na'r Cymro uniaith, ac yma mae hadau cenedlaetholdeb iaith ynghlwm wrth y potensial ar gyfer brwydr dosbarth:

Pw gawn ni i redig, a hau, a medi, ys derfydd am y Cumro uniaith? Neiff run Sais, na'r un Cymro fo'n dallt Sasneg, buth mostwng mor isel a gneyd pethe fellu mau'n rhaid i bob un o honun nhw gaul bod yn gadben llong, ne'n siopwr, ne'n rhwbeth spectabl.[57]

Ond ni ddatblyga deifioldeb Hiraethog i fod yn fwy na grwgnach a dychan, ac ni wêl fod cyswllt, yn echblyg o leiaf, rhwng Prydain Fawr a'r gorthrwm ar y Cymry. I'r gwrthwyneb, mae Prydeindod rhyddfreiniol, rhyddfrydol yn foddion yn nhyb Hiraethog i oresgyn culni ethnig y Saeson ac mae felly i'w chwennych. Ac roedd yn argyhoeddedig o fodolaeth y culni hwnnw: 'You Cymro dog' yw 'Rhen Ffarmwr gan Siôn Bwl.[58]

Ceir dolen gyswllt bob tro yn ysgrifeniadau'r rhyddfrydwyr Cymraeg hyn rhwng eu gwrth-Seisnigrwydd rhethregol a'u cefnogaeth i Brydeindod. Mantais Prydain yw nad Lloegr mohoni, a gallai radicaliaid Cymreig afael yn y canfyddiad lled dwyllodrus hwn i ddadlau, iddynt hwy eu hunain efallai gymaint ag i neb arall, fod gan y Cymry yr un hawl yn union â'r Saeson ar ragorfreintiau'r genedl Brydeinig gyfansawdd.

Gan hynny mae tegwch cymdeithasol (pwnc y tir yn benodol), a brwydrau Rhyddfrydiaeth yn gyffredinol, yn fwy o flaenoriaeth na rhyddid cenedlaethol i Hiraethog. Pan ddywed 'Rhen Ffarmwr wrth ei feistr, 'Mi gawsoch chi'ch geni a'ch magu yn Nghymru wel fine, a mau'ch tynantied chi i gid yn Gymru, a mi ddylsech ddysgud Cymraeg beth bynnag, tasech chi heb run iaith arall', mae'r camwri ieithyddol yn symptom o'r annhegwch cymdeithasol.[59] Nid yw'n greiddiol iddo.

Hanfod Rhyddfrydiaeth

Yn 'Llythurau 'Rhen Ffarmwr' glynir at brif broffes athronyddol y Gymru Gymraeg ganol y bedwaredd ganrif ar bymtheg, sef yr awydd i ryddhau'r unigolyn ond nid o reidrwydd ei genedl. Mae synio am yr unigolyn fel bod awtonomaidd yn ganolog i radicaliaeth ryddfrydol y cyfnod, ac wedi'i fenthyg oddi wrth bleidwyr masnach rydd fel y gwleidydd o Sais, Richard Cobden. Ym marn Hiraethog, Cobden oedd yr unig ŵr yn Senedd Prydain a safai gyfysgwydd â Kossuth; sylw sy'n dweud llawer am natur anghymreig y gefnogaeth i Chwyldroadau 1848–9.[60] Mae teyrnged faith *Y Traethodydd* i Cobden wedi ei farwolaeth yn 1865 yn nodweddiadol o'r parch a ddangosid gan ryddfrydwyr Cymreig iddo ac i Ryddfrydiaeth Seisnig yn fwy cyffredinol. Cenir clodydd 'palas masnach rydd', a Cobden yn cael clod eto fyth am fod 'yn ddigon gwrol i gofleidio egwyddorion rhyddfrydig pan nad oeddynt mor *fashionable* ag ydynt yn awr.'[61] Buasai'r cysylltiad rhwng y Cymry a rhyddfrydwyr Manceinion, fel y gelwir y blaid hon o bleidwyr masnach rydd a ddaeth i fri wrth wrthwynebu deddfau ŷd y 1840au, yn ddigon nerthol i Richard Cobden gellwair ei fod yn Aelod Seneddol dros Gymru.[62]

Y gwir amdani yw y bu Rhyddfrydiaeth gyda'i holl sôn am fasnach rydd, heb ystyried effaith hynny ar economi Gymreig a oedd mewn perthynas ddibynnol a threfedigaethol â'r wlad drws nesaf, yn bur orthrymus. Rhaid gochel rhag rhoi enw ar wrthrych ('Rhyddfrydiaeth', 'Cymru', 'cenedl') a thybio, am i'r enw gael ei arddel dros gyfnod maith, fod popeth a ddynodir gan yr enw wedi aros yn ddigyfnewid o ran ei ystyr. Roedd Rhyddfrydiaeth *laissez-faire* canol y bedwaredd ganrif ar bymtheg yn radical yn yr un ffordd ag y bu Thatcheriaeth ddiwedd yr ugeinfed ganrif yn radical. Gwadai fod y fath beth yn bod â chymdeithas. Yr oedd yn sobr o wrthgymunedol, ac mewn cyd-destun lle yr oedd y wladwriaeth Brydeinig yn nacáu bodolaeth cenedl y Cymry, y peth tebycaf mewn gwirionedd i neo-Ryddfrydiaeth Americanaidd. Mewn gair, yr oedd yn drwyadl adweithiol. Gwrthwynebai gweinidog dylanwadol fel J.R. undebau llafur am fod bargeinio ar y cyd yn torri un o ddeddfau aur masnach rydd.[63] Gwell fyddai i chwarelwr ymfudo i'r Unol Daleithiau na bod yn aelod o undeb, ac ni hidiodd am effaith hyn nac ar y gymuned, na Chymru na'r Gymraeg.[64] Dadl J.R. oedd 'freedom of contract', meddid yn ei gofiant, 'ond nid oedd efe yn gallu gweled fod "freedom of contract *all round,"* yn anichonadwy, tra fyddai yr awdurdod i gyd yr un ochr.'[65]

Yn naturiol ddigon, pan gymhwyswyd y safbwynt rhyddfrydol hwn at iaith, ni ellid dod i unrhyw gasgliad ond mai di-fudd fyddai arddel iaith anfasnachol fel y Gymraeg. Un o brif hyrjwrs y farn hon oedd gweinidog Annibynnol arall, Kilsby Jones, a cheir yr un rhesymeg gan ddegau o rai tebyg iddo:

> Y gwahaniaeth yn sefyllfa dau ddyn – un yn deall Saesoneg a'r llall heb wybod dim yn ei chylch ydyw, bod y blaenaf yn alluog i gyfeillachu a masnachu yn ddigyfrwng â thriugain miliwn a deg o'r bobl fwyaf anturiaethus a chyfoethog yn yr holl fyd, tra y cyfyngir yr olaf i ryw saith can' mil a haner o Gymry yn Nghymru, lle yr ydys, er mwyn rhesymu, yn cymeryd yn ganiatol ei fod yn byw; a gwaeth na bod rhif y Cymry uniaith yn anarferol o fychan, maent y tylotaf a mwyaf isel eu hamgylchiadau o bawb, ac o ganlyniad anfanteisiol, ar bob golwg, ydyw fod dyn yn gorfod cyfyngu ei ddylanwad a'i weithrediadau i ryw ddyrnaid dibwys a disylw mewn ystyr *farchnataol* a *bydol* – o bobl feirwon diwerth – *ond* fel gweision i eraill.[66]

Meirwon byw oedd y Cymry yn *fydol*, yn ganlyniad i'r anghydbwysedd rhifyddol a gyfrifai yn eu herbyn. Nwydd y gellid ei bwyso yn y glorian ariannol oedd y gymdeithas Gymraeg. Roedd modd ei mesur yn feintonol a'i chael yn brin. 'Fy anwyl gydwladwyr,' meddai Kilsby Jones ar lwyfan eisteddfod, 'glynwch ar y Sul wrth yr iaith Gymraeg . . .; ond pan ddel boreu dydd Llun, cynghoraf chwi i ddysgu Saesneg, canys hi yw iaith masnach'.[67] 'Marw y mae y Gymraeg . . . Y mae wedi marw yn marchnad yr arian, a bron yn marchnad pob peth arall', meddid yn *Y Cronicl*, papur J.R.[68] 'Goreu i fasnach, addysg a chrefydd pa leiaf o ieithoedd fydd yn y byd', meddid eto yn yr un papur.[69] Nid oedd pall ar y defnydd o'r allweddair hwn, 'masnach', yng ngeirfa boliticaidd, ddiwinyddol ac ieithyddol y chwarter canrif wedi'r Llyfrau Gleision.

Gwelir yr un ymagweddu at gymdeithas, ac felly at y Gymraeg, gan S.R., brawd enwocach J.R. Fel y nodwyd, buasai tro ar fyd ers dyddiau ei Geidwadaeth wlatgar gynnar, ac yr oedd erbyn y 1840au wedi prifio'n feddyliwr rhyddfrydol o bwys, a'r newid yn ei feddwl yn ddrych o newid cyfnod. Cyfunir yn ei athroniaeth Ryddfrydiaeth *laissez-faire* ac ymrwymiad wrth hawliau dynol. Ym marn S.R. roedd masnach rydd a hawliau dynol yn delifro'r un peth, sef cyfle i unigolyn weithredu er ei les ei hun. Heddychwr oedd S.R. hefyd (yn wir, fel Henry Richard, yn un o dadau heddychiaeth Gymreig), ac *un* rheswm am hynny oedd y safai rhyfel ar ffordd masnach rydd. O'i chychwyn, bu heddychiaeth Gymraeg yn ddadl o blaid gwerthoedd 'cyffredinol' yn erbyn neilltuoldeb ethnig, a chan ei bod yn greiddiol i'r meddwl cenedlgarol Cymraeg hyd heddiw, nid yw hynny heb ei oblygiadau. At hyn, bu S.R., fel Gwilym Hiraethog, yn gadarn ei wrthwynebiad i gaethwasiaeth, ac mae cerddi fel 'Cwynion Yamba, y Gaethes Ddu' ac 'Y creulondeb o fflangellu benywod' yn ddatganiad croyw o'i gred ddi-syfl na ddylid gorthrymu neb.[70] Ystyr gorthrwm i S.R. yw gosod llyffeth-eiriau o flaen rhywun fel na all gystadlu'n agored mewn marchnad rydd, megis y gwaherddir caethwas rhag gwerthu ei lafur. Nid amherthnasol y ddadl yng Nghymru lle yr oedd anwybodaeth o'r Saesneg yn rhwystro'r Cymro rhag gwerthu ei lafur.

Ai gwleidyddiaeth flaengar yw hon yn rhoi i bobl eu rhyddid? Dim ond os deellir rhyddid mewn ystyr gul iawn, gan anwybyddu'r cyd-destun hanesyddol a materol sydd bob tro yn ei amodi. Ni fyddai'r Rhyddfrydiaeth hon yn arwain S.R. at unrhyw fyfyrdod gwerth chweil ynglŷn â'r cwestiwn cenedlaethol, nac ychwaith at unrhyw ddirnadaeth ystyrlon o natur y berthynas drefedigaethol rhwng Lloegr a'i chyrion Celtaidd, nac yn wir rhwng Cymru fel rhan o 'Loegr' a gweddill y byd. Mae ei anogaeth ar Gymry i wlad-ychu parthau pellennig y byd – anogodd hwynt i fynd i'r Amerig, deheudir Affrica, yr Amason – yn rhan o'r un fframwaith syniadol â'i wrthwynebiad i gaethwasiaeth.[71] Yr un yw'r nod, sef rhoi i unigolyn y rhyddid angenrheidiol er mwyn cystadlu'n economaidd.

Mater o sicrhau ei hawliau iddo fel *unigolyn* yw i gaethwas gael ei ryddhau. Ni ellir bwrw ar sail hynny fod S.R. yn cydymdeimlo â grwpiau darostyngedig fel *grwpiau*. Roedd yn gwbl fodlon i ddiriogaethau pobloedd frodorol gael eu trefedigaethu. Ymgyrchodd o blaid rhyddhau'r dyn du o'i gyffion, er aros yn gwbl ddisymud o ran yr angen i leihau effeithiau'r Newyn Mawr a fyddai'n lladd iuiliwn yn Iwerddon yn ystod ail hanner y 1840au. Pe câi dyn ei ryddid, ac yna fethu yn ei genadwri, nid oedd ganddo hawl i achwyn ynghylch ei brofedigaethau, ni waeth pa mor erchyll y bônt. Dyna pam yr aeth S.R. yn feddyliwr mor sâl o safbwynt datblygiad cenedlaetholdeb Cymreig, oherwydd os oedd y Cymro yn rhydd yn economaidd yr oedd yn rhydd ymhob ffordd bosibl. Prif gŵyn S.R. ynglŷn â'r newyn yn Iwerddon yw esgeulustod y Gwyddelod a'u methiant i ysgwyddo cyfrifoldeb personol. Cymhara yn 1847, blwyddyn y Llyfrau Gleision, y cynnydd a gafwyd mewn 'masnach a golud a chysuron' yn Belfast â'r tlodi yn nhrefi deau'r ynys, a barnu fod 'preswylwyr Belfast wedi dysgu diwydrwydd, a chynnildeb, a chywreinrwydd, a threfn, tra y mae gormod o breswylwyr y trefydd eraill a enwyd yn caru segurdod, a gwastraff, ac aflonyddwch.'[72] Roedd yn rhaid i'r Gwyddelod wynebu dyletswydd, ac roedd angen dysgu'r wers yng Nghymru hefyd, gan y dangosai'r gwahanol raddfeydd o dlodi a brofid gan deuluoedd gwastrafflyd, diog, o'i gymharu â safon byw teuluoedd diwyd ac ymroddgar, mai bod yn gyfrifol oedd y ffordd i benteulu wella amgylchiadau ei ddylwyth:

> Y mae ambell dad a mam yn medru magu chwech neu *wyth* o blant yn lân ac yn gryno ac yn gryfion, heb gael dim o gynnorthwy elusen, pan y mae tad a mam eraill, mor iachus a hwythau, ac yn byw yn eu hymyl, yn methu magu *dau*, ac yn cwyno o hyd o hyd mewn angen a charpiau, er cael llawer o gynnorthwy braidd bob wythnos.[73]

Ymresymwyd yn y traddodiad rhyddfrydol, radicalaidd Cymreig mai bai'r trueniaid hyn oedd eu hanffawd, a bai Gwyddelod ar eu cythlwng oedd y newyn. Ac ymresymwyd ymhellach, fel y gwnaeth llawer yn Lloegr yr un fath, na ddylid gwneud fawr ddim yn ei gylch gan y byddai hynny'n torri egwyddorion *laissez-faire* masnach rydd. Byddai lleddfu dioddefaint yn gwobrwyo methiant, a byddai 'traul a thrafferth y llywodraeth i geisio ysgoi neu ysgafnhau gwasgfeuon yr adeg bresenol yn debyg o drymhau a helaethu gwasgfeuon yr amserau a ddaw.'[74]

Nid oedd y radicaliaid hyn am liniaru effeithiau andwyol gwleidyddiaeth *laissez-faire* ar grwpiau cymdeithasol darostyngedig.

Roedd yn anorfod, felly, y byddent yn elyniaethus i genedlaetholdeb Cymraeg hefyd.

Rhyddfrydiaeth, iaith a'r 'cyffredinol'

Ddeng mlynedd wedi'r Llyfrau Gleision, yn 1857, ymfudodd y pererin unigolyddol, rhyddfrydol, radicalaidd hwn, S.R., i Tennessee, a phrofi yno yn y tir neb rhwng gogledd a de holl helbul a chwerwder, a hefyd gynnwrf deallusol, Rhyfel Cartref America. Cyhoeddodd ar ei derfyn ddarn o athroniaeth wleidyddol gyda'r disgleiriaf i weld golau dydd yn y Gymraeg yn ystod y bedwaredd ganrif ar bymtheg, a gwthiodd ddamcaniaethau *laissez-faire* radicaliaeth Gymraeg i'r pen eithaf.[75] Man cychwyn yr erthygl 'Cymysgiad Achau' yw myfyrdod ar hilgymysgedd (*miscegenation*) yng nghyddestun y rhyfel cartref. Dadansoddwyd y trin ar hilgymysgedd yn fedrus iawn gan Daniel G. Williams, a chanolbwyntir yma gan hynny ar y berthynas rhwng Rhyddfrydiaeth 'gyffredinol' S.R. a'r agwedd at iaith.[76] I S.R., nid oes gwahaniaeth ystyrlon rhwng hil ac ethnigrwydd, a thry ei ddadl yn erbyn hiliaeth fiolegol yn grwsâd iwtopaidd o blaid dymchwel 'canolfuriau gwahaniaeth' o bob math, a gwahaniaethau iaith yn flaenllaw iawn yn eu mysg.[77]

Ymesyd ar amrywiaeth ieithyddol, yn bennaf oll, mae'n siŵr, am fod y Gymraeg yn elfen mor amlwg ar hunaniaeth 'wahaniaethol' y Cymry:

Pa un ai bendith ai melldith fyddai cael y byd i gyd oll i fod o'r un iaith? Un iaith oedd ar y cyntaf yn Eden. Un iaith fu yn y byd am bron ddeunaw cant o flynyddoedd . . .; ac y mae lle i feddwl mai un o gynlluniau Rhagluniaeth er cael y byd eto i'w le, ydyw cael y byd i gyd oll i fod o'r *un iaith* . . . Y mae yr iaith *Saesneg*, yn enwedig, yn trymhâu ei dylanwad, ac yn helaethu ei chylch yn feunyddiol . . . Y mae eisioes yn mhell yn mlaen ar y ffordd i ddyfod yn '*iaith gyffredinol*.' Ac y mae yr wrthddadl yn nghylch yr 'un iaith,' yn lle milwrio yn *erbyn* pwnc cymysgiad y cenedloedd, yn ddadl gref iawn *drosto*; o blegyd byddai cael y byd i gyd oll i fod o'r un iaith yn fendith iddo o'r fath werthfawrocaf.[78]

Dyma ddadl sy'n wrthwynebus hollol i'w safbwynt yn 'Ardderch-awgrwydd yr Iaith Gymraeg' ddeugain mlynedd ynghynt. A'r llyn sy'n nodweddu'r newid yn fwy na dim yw'r symud oddi wrth bwysigrwydd yr 'iaith ei *hun*', ei bwyslais yn 1824, at '*iaith gyff-redinol*', ei safbwynt erbyn 1865. Cysyniad athronyddol yw'r 'cyffredinol' sy'n greiddiol i Ryddfrydiaeth a'i hagwedd at hunan-iaethau ethnig, crefyddol ac ieithyddol. Iaith 'gyffredinol' yw'r Saesneg, ond mae'r Gymraeg yn 'wahaniaethol'. Ar sail hyn, dadleua S.R. dros adael i'r Gymraeg drengi, a thros gael un iaith yn y byd er mwyn medru troi'r ddynoliaeth oll yn un Bobl.[79]

Ac eto, deil nad safbwynt gwrth-Gymraeg mo hyn. Yn hytrach, cydnabyddiaeth ydyw o'r caswir nad oes dyfodol i hunaniaethau lleiafrifol. Pe bai'r Gymraeg yn 'iaith gyffredinol', byddai'n barod i'w harddel yn daer, fel y gwnaeth yn ystod ei ieuenctid.

a phe buasai rhyw obaith am ei chael i'r *blaen*, yn iaith gyffredinol, buaswn yn gweithio fy ngoreu dros hyny hyd fy medd. Gwnaethum fy rhan, gyda brodyr anwyl eraill, drwy holl ddyddiau fy mebyd; ond yr wyf yn gorfod ofni y bydd ein llafur yn ofer.[80]

I rai o ryddfrydwyr Cymraeg y bedwaredd ganrif ar bymtheg, dyletswydd foesol yw cefnu ar y Gymraeg. Roedd yn rhaid mynegi cariad at genhedloedd eraill, ac at genedl y Saeson yn benodol. I S.R., pe cedwid gwahaniaethau diwylliannol, byddai hynny'n amlygiad o 'hunan-gariad yn groes i gyfraith Crist' a fyddai 'yn ei luddias i garu ei gymydog'.[81] Roedd cyfathrebu â'r cymydog hwnnw yn gofyn am ymgymathiad diwylliannol llwyr, a'r cyfrif-oldeb dros hwyluso hyn yn pwyso ar ochr y lleiafrif yn unig. Roedd dyletswydd foesol ar leiafrifoedd i ymgadw rhag gwneud dim a amharai ar 'lesâd llaweroedd'.[82] Dadl Fenthamaidd yw hon, ond mae hefyd yn ddadl ddemocrataidd, a sefydlir yng Nghymru y disgwrs sy'n gorthrymu diwylliant lleiafrifol *yn enw'r Bobl*.

Culni yw cenedlgarwch o'i gyferbynnu â rhyngwladoldeb sy'n ddaionus, ac odid na cheir yma wreiddiau'r ddadl mai'r Gymraeg yw iaith y cyrion ethnig a'r Saesneg yn iaith cynhwysedd sifig. Dadleuir o blaid dileu diwylliannau lleiafrifol gan y byddai hyn yn gwneud cymdeithas yn fwy gwastad a theg, wrth ddisodli ysbryd 'cul' cenedlgarol gan ysbryd brawdol sy'n mynegi cariad at bawb, yn Gymro ac yn Sais, yn ddiwahân.

> Yr wyf *am* iddo gael ei lyncu i fyny gan deimlad gwell, – gan deimlad uwch a phurach, cynhesach ac ëangach, mwy efengylaidd a mwy nefol. Y mae yr hen ysbryd cul 'cenedlgarol' wedi cael gormod o borthiant, ac wedi cael llawer gormod o'i ffordd ac o'i rwysg . . . Ysbryd cul, cenfigenllyd, ymffrostgar, cynhengar, rhyfelgar, a llofruddiog ydyw wedi bod; a goreu pa gyntaf iddo drengu o'r ffordd, a gadael i ysbryd gwell ddyfod i orsedd y galon i lywodraethu yn ei le.[83]

Nid y Gymraeg yn unig sydd am ddiflannu. Mae S.R. yn chwennych diflaniad Iddewiaeth wrth i Iddewon 'gofleidio Cristionogaeth',[84] ac yn dymuno i ddiwylliannau brodorol America a De'r Pasiffig gael eu trawsnewid trwy briodasau rhyng-ethnig gan ymdoddi i'r diwylliant cyffredinol.[85] Rhaid i aelodau o leiafrifoedd roi'r gorau i unrhyw ymwybyddiaeth o berthyn i grŵp neilltuol os ydynt am ennill yr hawl i ymgyfranogi o'r diwylliant cyffredinol. Dadleua S.R., felly, yn erbyn pob math o neilltuoldeb Cymraeg a allai, yn ei dyb ef, rwystro hyn, gan gynnwys y syniad o Wladfa Gymreig.[86] Dadleua yn ogystal y dylai ffiniau pob gwlad fod yn agored er mwyn i rymoedd cyfalafol gael rhwydd hynt i gyrraedd lle bynnag y mynnont, 'a phob dyn byw . . . i gael cartref diogel yn mha wlad bynag y gallo enill ynddi gartrefle trwy bryniad'.[87]

Ni thrafoda S.R. a yw'r gystadleuaeth hon am eiddo a thir 'trwy bryniad' yn deg i'r sawl, yn bennaf oll o gefndir lleiafrifol, sydd heb y moddion i'w pwrcasu. Er cymaint ei frwdfrydedd dros 'gymysgiad achau', nid ymddengys ei fod o blaid cymysgu cyfoeth. Nid yw'n barod i fynd â'i ddadl gyffredinol i'w phen eithaf comiwnyddol a dileu breintiau eiddo preifat. Nid yw am i'r 'byd i fod yn eiddo "cyffredin" i'w holl breswylwyr' am fod angen 'i'r diwyd a'r ymdrechgar . . . fwynhau o ffrwyth ei ddiwydrwydd, a'i lafur' a'r 'diog a'r afradlon gael ei adael i brofi o ffrwyth ei fusgrellni, a'i segurdod, a'i wastraff.'[88] Nid yw felly o blaid dymchwel 'gwahaniaethau' yn y maes economaidd. Er bod cenhedloedd goruchafol am ddileu gwahaniaethau iaith a chenedl er mwyn cael mynediad i farchnadoedd newydd, maent am gadw gwahaniaethau cyfoeth er mwyn osgoi rhannu golud â'r darostyngedig yn ddi-raid. Profiadau tymhestlog a gafodd S.R. yn America. Fo'i cyhuddwyd ar gam o gefnogi caethwasiaeth, dygyforwyd y gymuned Gymraeg i droi yn ei erbyn, a phenderfynodd ddychwelyd i Gymru.[89] Yn 1865, blwyddyn ola'r rhyfel cartref, buasai'r cof am y driniaeth a ddioddefasai yn fyw o hyd. Efallai mai hyn a'i cymhellodd i lunio ysgrif a alwai am dranc Cymreictod. Ac eto, nid yw'n anghyson ag athrawiaethau rhyddfrydol y dydd. Roedd deallusion rhai o grwpiau lleiafrifol eraill y Taleithiau yn bur feirniadol o'r awgrym hynod fod y diwylliant Saesneg yn meddu, rywsut, ar ryw gyffredinolrwydd cyfrin. Gwyddent nad oedd hyn ond yn adlewyrchu hanes sefydlu'r wlad yn drefedigaeth Seisnig, ac nad oedd y *melting pot* ond yn 'Anglo-conformity in disguise.'[90] 'Byddwn ni Norwyiaid ... yn hapus i ymdoddi mewn diwylliant Americanaidd,' meddai'r nofelydd Norwyaidd-Americanaidd Waldemar Ager, awdur *Paa Veien til Smeltepotten* ('Ar y ffordd i'r crochan tawdd') (1917), 'ond rydym yn ymwrthod â hyn o ganfod nad yw mewn gwirionedd yn Americanaidd ond yn Seisnig.'[91]

Cam gwag yw tybio y bu safbwyntiau 'cyffredinol' a 'blaengar' Rhyddfrydiaeth o fudd i'r gymdeithas leiafrifedig Gymraeg. Roedd gwleidydda rhyddfrydol y Cymry ynghylch materion cymdeithasol ac economaidd megis datgysylltiad yr Eglwys a phwnc y tir yn llawer llai bygythiol i'r sefydliad Prydeinig na'r gwleidydda ethnoieithyddol, Herderaidd, mwy ceidwadol a gaed yn gynharach yn y ganrif. Er i'r rhyddfrydwyr fynd i'r afael â gorthrwm iaith ar brydiau, nid oedd hyn ond yn amlygiad iddynt o anghyfiawnder cymdeithasol mwy cyffredinol. Nid oedd y frwydr iaith yn bwysig iddynt fel brwydr iaith. Cywir, a theg iawn ei annel, oedd Gwenallt pan alwodd y dynion hyn yn 'radicaliaid anghenedlaethol'.[92]

Meddai Saunders Lewis, yntau, am ymateb radicaliaid a rhyddfrydwyr i Chwyldroadau 1848–9, a chan weld yn hyn y rheswm am fethiant Cymru Fydd hanner canrif yn ddiweddarach:

Gallai'r Cymry gofleidio radicaliaeth chwyldro 1848. 'Roedd hynny'n dygymod ag anianawd 'cenedl o anghydffurfwyr' Thomas Gee. Ond y mae cenedlaetholdeb politicaidd yn rhagdybio cenedl sy'n cofio, sy'n ei chofio ei hunan yn genedl, a'i chof hi'n rym cymdeithasol a pholiticaidd. Yn ail ran y bedwaredd ganrif ar bymtheg nid oedd gan Gymru gof o'r math hwnnw. A siarad yn fras, a chan eithrio ysgolheigion Rhydychen ac ychydig eraill, nid oedd rhyddfrydwyr Cymru Fydd nac yn gwybod nac yn deall hanes Cymru Fu.[93]

Mae cenedlaetholdeb llwyddiannus yn gofyn, ni waeth beth arall a wna, am arddel ei neilltuoldeb 'ei *hun*'.

Rhyddfrydiaeth gymathol yn llyncu 'cenedl y Cymry'

Mudiad trwyadl wrthgenedlaethol, o leiaf yn yr hinsawdd syniadol oedd ohoni yng Nghymru, oedd Rhyddfrydiaeth y bedwaredd ganrif ar bymtheg. Yn yr ymerodraethau awtocrataidd, megis yn Ymerodraeth Awstria yn ystod cyfnod Metternich rhwng y *Wiener Kongress* yn 1815 a Chwyldroadau 1848–9, gallai Rhyddfrydiaeth gyflawni swyddogaeth wahanol a meginid dadleuon rhyddfrydol o blaid rhyddfreiniad democrataidd gan syniadau Herder am y *Volk*. Roedd disgyrsiau ethnoieithyddol cryfion eisoes wedi'u ffurfio ymhlith yr Almaenwyr, y Magyariaid a'r Tsieciaid cyn Chwyldroadau 1848–9, a golygai hynny mai mater cymharol syml i ddeallusion cenhedloedd llai 'datblygedig' y frenhiniaeth oedd troi dŵr cenedlaetholdeb iaith i'w melinau eu hunain. Dadleuai rhai o'r cenedlaetholwyr hyn y trigai'r *Zeitgeist* (ysbryd yr oes) yn y Bobl. Ond yr oedd y Deyrnas Gyfunol, hyd yn oed cyn Deddfau Diwygio 1832 ac 1867, yn wladwriaeth fwy rhyddfrydol o dipyn na gwladwriaethau tir mawr Ewrop, ac ni chyflawnai Herderiaeth yr un swyddogaeth wleidyddol ym Mhrydain ag ar y cyfandir. Nid oedd rhaid i Ryddfrydiaeth gynghreirio â Herderiaeth er mwyn cynysgaeddu'r Bobl â'r cyfrinedd a roddai iddynt eu hawl i lywodraethu, gan eu bod yn llywodraethu eisoes. O ganlyniad, nid fel amlygiad o amrywiaeth Ynys Prydain y synid am ddiwylliannau'r cyrion Celtaidd ond fel gweddillion ceidwadol, tra amherthnasol, o wareiddiad a fu. Felly y cyfyngid y Gymraeg i fyd y neilltuol a'r hynafol. Nid yn ddifeddwl y cyfeiriodd y *Westminster Review* rhyddfrydol at gefnogwyr y Gymraeg fel 'linguistic Tories'.[94]

Nid oedd rhyddfrydwyr Lloegr yn wrthwynebus i annibyniaeth gwledydd diwladwriaeth ymhob achos, ond ni chredent fod yr amgylchiadau hyn yn berthnasol i Brydain. 'Where the sentiment of nationality exists in any force', meddai John Stuart Mill, y pwysicaf o feddylwyr rhyddfrydol Lloegr, yn *Considerations on Representative Government* (1861), 'there is a *prima facie* case for uniting all the members of the nationality under the same government, and a government to themselves apart.'[95] Ym marn Mill, a meddylwyr rhyddfrydol tebyg iddo, os yw cymdeithas sifig a democratiaeth gynrychioladol i ffynnu mae'n rhaid i ddinasyddion gydymdeimlo â'u cyd-ddinasyddion.[96] Hwylusir hyn pan fo poblogaeth yr uned wleidyddol yn gyfiaith ac yn hanu o'r un genedl.[97]

Coleddwr 'cenedlaetholdeb rhyddfrydol' oedd Mill, ac yn gefnogwr brwd sawl mudiad cenedlaethol.[98] Ond nid oedd yn bleidiol nac i ymreolaeth i Gymru na pharhad y gymdeithas Gymraeg ei hiaith. Yn wir, yn *Considerations on Representative Government*, ceir ffiloreg wrthleiafrifol sy'n gwbl nodweddiadol o Ryddfrydiaeth y bedwaredd ganrif ar bymtheg yn ei hagwedd at y Cymry:

> Experience proves, that it is possible for one nationality to merge and be absorbed in another: and when it was originally an inferior and more backward portion of the human race, the absorption is greatly to its advantage. Nobody can suppose that it is not more beneficial to a Breton, or a Basque of French Navarre, to be brought into the current of the ideas and feelings of a highly civilized and cultivated people – to be a member of the French nationality, admitted on equal terms to all the privileges of French citizenship, sharing the advantages of French protection, and the dignity and *prestige* of French power – than to sulk on his own rocks, the half-savage relic of past times, revolving in his own little mental orbit, without participation or interest in the general movement of the world. The same remark applies to the Welshman or the Scottish Highlander, as members of the British nation.[99]

Rhagoriaeth diwylliant 'cyffredinol' sy'n egluro pam fod Mill yn credu bod modd cysoni'r siofinistiaeth haerllug hon â ffydd mewn Rhyddfrydiaeth. Ni ystyria fod ymreolaeth yn nod realistig ar gyfer pob grŵp iaith. Nid oedd ymreolaeth yn bwysig fel egwyddor ar ei phen ei hun, ac nid oedd i'w chefnogi ond i'r graddau ei bod yn gydnaws â gwerthoedd rhyddfrydol. Cefnogid mudiadau cenedlaethol os oeddynt yn fodd i danseilio llywodraethau awtocrataidd, megis yn ystod Chwyldroadau 1848–9. Ond, yn bennaf oll, fe'u cefnogid os oedd y bobloedd o dan sylw yn niferus, a'u gwledydd, yn nhyb rhyddfrydwyr y gwledydd mawrion, yn ddigon nerthol i gynnal gwladwriaeth fwrgais aeddfed, masnach ddatblygedig a gwareiddiad cyflawn.[100] Digon hawdd oedd i Mill argyhoeddi ei gyd-Brydeinwyr na feddai Cymru ar y rhinweddau hyn, nad oedd y Cymry yn genedl, a bod y syniad y gallai'r fath gilcyn tir fod yn genedl-wladwriaeth y tu hwnt i bob synnwyr cyffredin.

Roedd y farn hon yn dra chyffredin. Yn ei waith yntau, gwahaniaetha'r Sais rhyddfrydol Matthew Arnold rhwng 'Great nationalities' a 'petty nationalities' ac ni welodd fod ei gefnogaeth i annibyniaeth yr Eidal yn gwrthddweud mewn unrhyw ffordd ei awydd i genedligrwydd y gwledydd Celtaidd gael ei draflyncu.[101] Nid rhyddfrydwyr yn unig a ddadleuai fel hyn. Gwnâi llawer iawn ar y Chwith yr un fath: cyfeiriodd cydweithiwr Karl Marx, Friedrich Engels, at ddelfryd annibyniaeth Gymreig fel 'an absurdity, got up in a popular dress in order to throw dust in shallow people's eyes'.[102] Engels, mewn erthygl am y mudiad Pan-Slafaidd yn 1849, a wnaethai'r term 'cenedl anhanesiol' yn enwog.[103] I ryddfrydwyr a sosialwyr y gwledydd mawrion, ill dau'n blant yr Oleuedigaeth, gellid cefnogi gwladwriaethau ymreolus i'r Almaenwyr, yr Eidalwyr, y Pwyliaid a'r Magyariaid, ond gwirion fyddai gwneud yn debyg yn achos y Slofaciaid, y Basgiaid a'r Cymry.

Pe llyncai cenedl 'hanesiol' bobloedd y cyrion anhanesiol, annatblygedig, byddai hynny'n fodd i ryddhau unigolion o'r genedl lai o'u caethiwed arnynt hwy eu hunain, ac nid oedd eu traflyncu yn anghyfiawn. Dywed Mill:

When the nationality which succeeds in overpowering the other, is both the most numerous and the most improved; and especially if the subdued nationality is small, and has no hope of reasserting its independence; then, if it is governed with any tolerable justice, and if the members of the more powerful nationality are not made odious by being invested with exclusive privileges, the smaller nationality is gradually reconciled to its position, and becomes amalgamated with the larger.[104]

Mae rhagdybiaethau rhyddfrydol ynglŷn â rhagorfreintiau'r unigolyn yn ganolog i'r datganiad hwn sydd, er ei fod yn chwennych diflaniad cymunedau cenedlaethol bychain, yn dangos peth consýrn ynglŷn â ffawd yr unigolion sy'n perthyn iddynt. Mae'r rhesymeg hon yn wahanol i'r un fwy amrwd a dybia y gallai difa neu symud pobloedd, efallai trwy hil-laddiad neu lanhau ethnig, fod yn ateb dichonol i broblem y lleiafrifoedd. Felly pwysleisir drachefn gaswir Rhyddfrydiaeth o safbwynt y Gymru Gymraeg: nid yn enw Adwaith y gorthrymwyd y Cymry, ond yn enw blaengarwch, ac wrth iddynt gofleidio'r wleidyddiaeth flaengar hon y gorthrymodd y Cymry eu hunain.

O ollwng gafael ar eu priod iaith, a dod yn 'Saeson', ni ildiasai'r Cymry eu hawliau fel *unigolion*, ond roeddynt yn derbyn mai rhannu breintiau 'sifig' Seisnig â'r Saeson fyddai hyd a lled yr hawliau unigolyddol hyn. I Mill, mae rhesymau iwtilitaraidd da pam y dylai mwyafrifoedd ganiatáu i *unigolion* o gefndir lleiafrifol fwynhau'r un hawliau dinesig â hwy eu hunain. Heb hynny, mae'r gwaith o gymathu'r genedl lai yn fwy o dalcen caled nag sydd raid. Mae Rhyddfrydiaeth yn hwyluso cymathu ar leiafrifoedd, ac mae'n fwy effeithiol yn y gwaith hwnnw na rhagfarn ethnig amrwd. Yn wir, dyma gyfrinach llwyddiant y cymathu Prydeinig ar y Cymry, a'r gwir reswm am ddirywiad y gymuned Gymraeg. Mae hawliau unigol aelod o leiafrif yn bod ar wahân i'w hawliau cymunedol ac mewn gwrthwynebiad iddynt; ac iddo ef mae ennill mantais y naill (hawliau unigol) yn dra dibynnol ar dderbyn diddymiad y llall (hawliau cymunedol). Daw'r dyn lleiafrifol yn ddyn cyffredinol: ni fydd yn aelod mwyach o grŵp cymdeithasol â'i hanes a'i iaith ei hun.

Llyfrau Gleision: Rhyddfrydiaeth yn bolisi cyhoeddus yng Nghymru

Cyhoeddasid y Llyfrau Gleision bedair blynedd ar ddeg ynghynt, ac o graffu arnynt gwelir mai rhyddfrydol hollol oedd prif ymyrraeth ideolegol y wladwriaeth Brydeinig yng Nghymru Gymraeg y bedwaredd ganrif ar bymtheg. Er gwaetha'r rhefru syrffedus am fywydau rhywiol gweision a morwynion nad oeddynt, chwarae teg, â dim byd arall i'w wneud gyda'r nos, dogfen flaengar yw'r Llyfrau Gleision. Ei nod yw gwareiddio'r Cymry drwy ddysgu Saesneg iddynt, ac mae'n deisyfu cymdeithas unedig, gydlynol, unol (hynny yw, 'sifig') Seisnig yn hytrach na'r gymdeithas Gymraeg 'ethnig' arwahanol a gondemnir gan un o'r tri dirprwywr, Ralph Lingen, yn y rhaglith i'w adroddiad ar siroedd Morgannwg, Caerfyrddin a Phenfro.

Felly mae'r Llyfrau Gleision yn hynod debyg eu cywair i Ryddfrydiaeth Glasurol Mill, ac yn casglu nad yw'n iawn, yn foesol, gadael i'r bobl druenus hyn ddioddef er mai Cymry ydynt, a hwythau'n byw ym Mhrydain. Gwae'r Cymro y mae ei fywyd yn

> one of complete isolation from all influences, save such as arise within his own order. He jealously shrinks from holding any communion with classes either superior to, or different from, himself. His superiors are content, for the most part, simply to ignore his existence in all its moral relations. He is left to live in an under-world of his own, and the march of society goes so completely over his head, that he is never heard of, excepting when the strange and abnormal features of a Revival, or a Rebecca or Chartist outbreak, call attention to a phase of society which could produce anything so contrary to all that we elsewhere experience.[105]

Yn lle trosiadau daearyddol ac anthropolegol Mill am leiafrifoedd ethnig ('to sulk on his own rocks, the half-savage relic of past times, revolving in his own little mental orbit') ceir metaffor daearegol, 'under-world', ond yr un gennad sydd yma, sef priodoli diffygion y Cymry i'w harwahanrwydd, a brithir y paragraff ag allweddeiriau arwahanol yn condemnio hyn: 'complete isolation', 'his own order', 'jealously shrinks from holding any communion', 'different from himself', 'completely over his head', 'strange and abnormal', 'so contrary', 'that we experience elsewhere'.

Yi arwahanrwydd hwn sy'n rhwystr i'r Cymro ac eisoes mae'n amlwg pa atebion rhyddfrydol a fydd yn yr arfaeth: 'In the works, the Welsh workman never finds his way into the office. He never becomes either clerk or agent. He may become an overseer or sub-contractor, but this does not take him out of the labouring and put him into the administering class.'[106] Dyma'r brawddegau yn union cyn y dyfyniad enwog o'r Llyfrau Gleision a geir gan Saunders Lewis yn *Tynged yr Iaith*: 'Equally in his new, as in his old, home, his language keeps him under the hatches, being one in which he can neither acquire nor communicate the necessary information.'[107] Dehonglir hyn gan Saunders Lewis fel prawf o orthrwm Prydeindod ar y Cymry; ac yn wir, dyna'n union ydoedd. Ac eto, o dderbyn y cyfyngderau syniadol ar y pryd, a chan gofio hefyd mai gwas y wladwriaeth Brydeinig oedd Lingen, anodd peidio â gweld yma gydymdeimlad diffuant â'r Cymro, ac awydd ryddfrydol i roi iddo drwy'r gyfundrefn addysg sgiliau ac *iaith* a fyddai'n caniatáu iddo godi o fyd y labrwr i fyd y clerc.

Yr un cywair sydd i weddill yr adroddiad. 'Separating language' yw'r Gymraeg, a phwysleisia Lingen yr angen am iaith gyffredin yn ei lle:

Through no other medium than a common language can ideas become common. It is impossible to open formal sluice-gates for them from one language into another. Their circulation requires a network of pores too minute for analysis, too numerous for special provision. Without this network, the ideas come into an alien atmos-phere in which they are lifeless. Direct education finds no place, when indirect education is excluded by the popular language, as it were by a wall of brass.[108]

Delfryd y 'common language' sy'n amlygu'n well na dim natur ryddfrydol y Llyfrau Gleision. Mae'r Cymro uniaith yn 'born a citizen' o'r Ymerodraeth Brydeinig, ac mae ei drwytho yn iaith yr ymerodraeth yn ffordd o ymestyn iddo ei gydraddoldeb â'r Sais; er hynny, er mwyn ennill ei hawliau, mae'n rhaid iddo ollwng ei hunaniaeth ei hun, yn unol ag athrawiaeth Rhyddfrydiaeth.[109]

77

Cynhwysa'r Llyfrau Gleision dair thema ryddfrydol fawr arall: fod y Cymry yn deisyfu dysgu Saesneg ac felly'n haeddu'r cyfle hwnnw, gan eu bod yn gydradd o ran potensial â'r Sais (pe dysgent Saesneg); fod y Gymraeg yn rhwystr i ledaeniad gwybodaeth seciwlar, a'r pwyslais Cymreig gormodol ar grefydd a diwinyddiaeth yn enghraifft o grŵp ethnig arwahanol yn troi mewn arno'i hun ac yn mynd i'w gragen (cyhuddiad nad yw, efallai, mor bell â hynny ohoni); a bod tranc y Gymraeg yn anorfod am nad oes iddi le mewn byd modern.[110]

Felly, er bod y Llyfrau Gleision yn rhyfygus drefedigaethol, nid ydynt yn trin y Cymry fel isfodau hiliol. Arwahanrwydd diwylliannol y Cymry, nid eu gwaedoliaeth, sy'n eu dal yn eu gefynnau. Cenadwri ddemocrataidd, ryddfreiniol sydd gan y Llyfrau yn ymestyn pob math o fanteision i'r Cymry pe bodlonent ar fod yn Saeson. 'If the Welsh people were well educated,' meddai Jelinger Symons, y dirprwywr â chyfrifoldeb am y canolbarth, ym mrawddeg olaf ei adroddiad, 'and received the same attention and care which have been bestowed on others, they would in all probability assume a high rank among civilized communities.'[111]

Dywed Saunders Lewis yn *Tynged yr Iaith* i'r Cymry dderbyn *raison d'être* y Llyfrau Gleision yn ddirwgnach, sef y rheidrwydd i ddysgu Saesneg.[112] Nid oes neb yn yr holl ymateb iddynt yn tynnu'n groes i hyn. 'Yr ydym fel Ymneillduwyr wedi cael y cam mwyaf oddiar law y rhai sydd yn ein dyled fwyaf' yw ymateb *Y Dysgedydd* yn 1848, a'r pwyslais eisoes ar y Cymry fel grŵp crefydd yn hytrach na grŵp iaith.[113] Er y ceir peth amddiffyn ar yr iaith gan Lewis Edwards yn rhifyn Ebrill *Y Traethodydd*, mae yntau hefyd am ledaenu'r ffordd ar gyfer dyfodiad cenedl anghydffurfiol Henry Richard. Gelwir am ffurfio 'cymdeithas' boliticaidd ymhlith y Cymry er mwyn anfon o Gymru 'Ymneillduwyr egwyddorol i'r senedd'.[114] Nid oes sôn am anfon ymgyrchwyr iaith.

Dri mis cyn hynny ymosodasai Lewis Edwards ar yr enllib fod y Cymry yn bobl anniwair, gan ganmol dull empeiraidd, modern, gwyddonol Ieuan Gwynedd o hel tystiolaeth er mwyn profi fel arall. Mewn astudiaeth ystadegol, roedd Ieuan Gwynedd wedi dangos i'r gyfradd eni y tu allan i briodas fod yn uwch yn y rhan fwyaf o ranbarthau Lloegr, ac mewn swrn o wledydd cyfandirol, nag yng Nghymru.[115] Dyma enghraifft gynnar a blaengar yn y Gymraeg o astudiaeth gymharol, ond diau y byddai'r sinig yn ychwanegu ei bod yn fwy trawiadol fyth o feddwl na wolwyd yn dda i lunio astudiaeth gymharol o'r defnydd o'r Gymraeg ac ieithoedd diwladwriaeth eraill Ewrop yn yr ysgoldy – rhywbeth a fuasai'n fwy dadlennol o lawer.

Yr hyn sydd fwyaf trawiadol am yr ymateb cyfoes i'r Llyfrau Gleision yw bod agweddau 'Gwlad y Menig Gwynion' eisoes yn amlwg yn 1847 ac 1848, ac yn wir wedi'u ffurfio'n gyflawn. Ceir tystiolaeth o hyn yn yr adroddiad ei hun: 'Any day-school master in my district', meddai Symons, 'would starve, if he sought to live on his own independent efforts to maintain a school for exclusively teaching the Welsh language.'[116] Mae hyn yn bwynt pwysig: mae'r Llyfrau Gleision yn amlygiad o safbwynt cyfredol yng Nghymru, ond nid ydynt yn ffurfiannol iddo a dyna sy'n esbonio pam mai cymharol ychydig o adwaith a gafwyd iddynt o safbwynt iaith. Roedd y farn ryddfrydol o blaid y Saesneg yn bodoli cyn 1847, ac nid yw'r Llyfrau Gleision yn bwysig ond fel cerbyd addas i'w dwyn allan. Os felly, ymdrech yw'r Llyfrau yn hanesyddiaeth y Cymry i roi'r bai ar y Saeson am fod y Cymry wedi dewis cefnu ar y Gymraeg, honiad cyfleus o safbwynt naratif radicaliaeth Gymreig. Y gwir amdani yw y buasai'r Cymry wedi arddel Rhyddfrydiaeth wrthleiafrifol hyd yn oed pe na bai'r Llyfrau Gleision erioed wedi gweld golau dydd.

Y casgliad amlwg yw bod llawer o'r Cymry, hwythau'n rhyddfrydwyr Ysgol Manceinion, yn cydsynio â'r Saeson. Er hynny, nid 'natives' oedd y Cymry i'w dal yn gyff gwawd gan ryddfrydwyr Lloegr; ni fynnent gael eu gweld felly. Pechodd y Llyfrau Gleision, ond nid ar sail nac iaith na chenedlaetholdeb. Yn 1847, roedd arweinwyr y Cymry eisoes yn bobl ryddfrydol, ac roeddynt yn chwannog eithriadol i godi Saesneg a chymathu'n ieithyddol. Daw'r gynddaredd yn erbyn y Llyfrau Gleision o ddicter cyfiawn, ac o gywilydd hefyd, nad oedd y Saeson wedi deall hyn.

Gorthrwm y sifig

Nodweddir y degawd neu ddau diwethaf gan drafodaeth fywiog eithriadol ymhlith theorïwyr gwleidyddol ynghylch natur Rhyddfrydiaeth, a'i pherthynas â'r hyn a elwir yn 'hawliau grŵp'. Trafodaeth annisgwyl fu hon ar sawl golwg oherwydd ni chysylltir Rhyddfrydiaeth â hawliau grŵp yn aml iawn. Gorwedd gwreiddiau deallusol Rhyddfrydiaeth yn yr Oleuedigaeth, pan ddadleuid y dylai unigolion fod yn rhydd oddi wrth orthrwm gwleidyddol a mympwy cyfreithiol, ac nad oedd gan na'r Eglwys na'r frenhiniaeth hawliau absoliwt ar eu deiliaid. Damcaniaeth yw Rhyddfrydiaeth ynglŷn â rhagorfreintiau'r unigolyn. Dylai dynion (a, maes o law, ychwanegwyd at hyn ferched) fod yn rhydd i feddwl a gweithredu'n annibynnol, a dim ond o dan rai amgylchiadau penodol (er enghraifft, ped effeithiai eu gweithredoedd ar eraill mewn dull y bernid ei bod yn annheg neu'n afresymol) y gellid gosod dyletswyddau neilltuol arnynt. Yn y maes cymdeithasol ac economaidd, disgwylid i bobl gystadlu yn erbyn ei gilydd. Ar y math hwn o 'Ryddfrydiaeth Glasurol' y bu'r pwyslais yng Nghymru, a'i gwaddol yw llawer iawn o wleidyddiaeth radicalaidd y cyfnod a brofai mor hynod o niweidiol i'r Gymraeg. Yn anorfod, mae hyn yn ein gorfodi i ailystyried rhai o'n rhagdybiaethau am dreftadaeth 'radicalaidd' y gymdeithas Gymraeg o'r newydd.

O'r ymlyniad hwn wrth ryddid yr unigolyn y tardd gwrthwynebiad traddodiadol Rhyddfrydiaeth i genedlaetholdeb. Gan y llefara cenedlaetholdeb ar ran 'grŵp' (y genedl), tybia rhyddfrydwyr y gallai fod yn gyfyngiad ar ryddid unigolion i dynnu'n groes i fuddiannau cyffredinol y grŵp. Ofna rhyddfrydwyr hefyd y gallai buddiannau'r grŵp gyfrif mwy na budd yr unigolyn, a bod hyn yn ddinistriol.

Hawdd iawn felly oedd collfarnu grwpiau ieithyddol lleiafrifol a fodolai y tu hwnt i'r sifig, ac a oedd yn gorfod bod yn ymwthgar ynglŷn â'u hawliau grŵp am eu bod hebddynt. Pe bai'r grŵp iaith o dan sylw yn ddarostyngedig yn gymdeithasol hefyd, ac felly'n israddol yn nhyb gweddill cymdeithas, neu pe tybid yn ôl safonau normadol y gymdeithas ehangach fod aelodaeth o'r grŵp yn gloffrwym i'r unigolyn uchelgeisiol, roedd rhyddfrydwyr am adael

i'r grŵp edwino. Ar sail y ddadl hon, cadwyd y Gymraeg oddi
allan i'r sffêr cyhoeddus ym Mhrydain yn y bedwaredd ganrif ar
bymtheg. Pe bai'r grŵp lleiafrifol ym marn y mwyafrif yn 'gaeedig'
hefyd, gallai rhyddfrydwyr ddeisyf ei ddiflaniad hyd yn oed.
Dyma oedd agwedd Rhyddfrydiaeth Brydeinig at y Cymry, ac
wrth arddel y safbwynt hwn roedd deallusion Cymraeg yn con-
demnio eu Pobl eu hunain, y Cymry, fel grŵp ieithyddol cydlynol,
i drai graddol, anorfod. O ganlyniad, byddai hanes y gymdeithas
Gymraeg yn y bedwaredd ganrif ar bymtheg, yr ugeinfed a'r unfed
ar hugain yn dra gwahanol i un y rhan fwyaf o genhedloedd iaith
lleiafrifol, anhanesiol canolbarth a dwyrain Ewrop. Yn y didoliad
clasurol mewn theori wleidyddol ryddfrydol rhwng y sifig (yr
honnir ei fod yn 'gynhwysol', 'niwtral', 'democrataidd' ac 'agored')
a'r ethnig (y dywedir ei fod yn 'anghynhwysol', 'hanfodaidd',
'elitaidd' a 'chaeedig'), perthyna'r Cymry yn bendant iawn yn
nhyb Rhyddfrydiaeth Glasurol Lloegr i gylch yr ethnig. Tybiwyd
felly y byddai diflaniad y gymdeithas Gymraeg yn beth ardderchog.
   Ni chymhwysa Rhyddfrydwyr Clasurol eu dadleuon yn erbyn
yr 'ethnig' at grwpiau goruchafol fel y Saeson gan na allai aelodaeth
o grŵp felly fod yn rhwystr i obaith unrhyw unigolyn am lwydd-
iant. Gwerthoedd y grŵp goruchafol yw gwerthoedd y gymdeithas
yn ei chyfanrwydd. Ni fygythid felly y cytgord rhwng anian ethnig
(honedig) y Saeson a'r Cynnydd Prydeinig a hyrwyddid gan
Ryddfrydiaeth. Caniatâi Rhyddfrydiaeth Glasurol i unigolion a
berthynai i fwyafrifoedd fel y Saeson sicrhau eu hawliau unigol-
yddol a hawliau grŵp heb fod neb yn gweld unrhyw wrthdaro
rhwng y ddau.
   Nid siofinistiaeth ethnig oedd wrth wraidd Rhyddfrydiaeth y
bedwaredd ganrif ar bymtheg, er bod siofinistiaeth wedi ei gwneud
hi'n haws i ddeallusion y cenhedloedd mawrion dderbyn rhesymeg
a oedd mor wyrthiol o fendithiol iddynt. Daw'r cymhelliant o'r
awydd, a dardd yn uniongyrchol o theori wleidyddol ryddfrydol,
i hyrwyddo cynwysoldeb a chyfartaledd oddi mewn i gymdeithas
sifil unedig. Ysbryd dyneiddiol, a chariad at gyd-ddyn, a gymhellai
Sais fel yr Aelod Seneddol Rhyddfrydol John Bright, Crynwr a
radical, i annog cymathu ar y Cymry oblegid y 'comparative
helplessness to which their ignorance of English has reduced

them'.[117] Mae hyn yn bwynt hanfodol: nid pobl *ddrwg* oedd rhydd-frydwyr Lloegr. Yn eu golwg eu hunain, roedd y cymathu a anogid ganddynt yn fanteisiol i bawb, ac roedd yn sylfaenol ddaionus. Esbonnir felly seicoleg Cymry'r cyfnod, a'u hamharodrwydd i amddiffyn y Gymraeg, gan y gwnâi hynny 'Ddrwg' yn wyneb 'Da'. Hyd yn oed pe bernid fod urddas yn perthyn i rai lleiafrifoedd am eu bod yn Bobl Ramantaidd, fel yn achos rhai o'r bobloedd frodorol y gwladychwyd eu tiroedd gan ymerodraethau Ewrop-eaidd, nid oedd rhaid i'r rhyddfrydwr achub cam yr ethnigrwydd lleiafrifol. Yn ei synfyfyrion am ethnigrwydd, awgryma Matthew Arnold fod rhai lleiafrifoedd yn meddu ar fywyd 'ysbrydol' amgen, yn benodol felly'r *Geist* gwrthfaterol a briodola i'r Celtiaid ac yr eiriolodd drosto yn 1867 yn ei *On the Study of Celtic Literature*.[118] Ond nid oedd hyn yn ddadl o blaid parhad y Cymry fel grŵp cenedligol. Gan fod gwareiddiad y genedl ddominyddol yn ei hanfod yn fwy cynhwysfawr na'r un lleiafrifedig, roedd yn rheitiach i hynny o'r *sublime* rhamantaidd yr oedd y lleiafrifoedd yn meddu arno gael ei dreulio yng nghrombil y mwyafrif. Wrth dynnu'r 'ysbryd' Celtaidd i mewn i'r genedl Brydeinig, bywioceid profiad y boblogaeth gyfan. O ganlyniad, 'ni fernir fod y Celtiaid yn bobl sy'n bod go-iawn', meddai'r theorïwr diwylliannol Daniel G. Williams, 'gymaint ag yn bobl hanesyddol y mae eu delfrydau'n parhau'n rym diwylliannol oddi mewn i'r hunan cyfansawdd Seisnig.'[119] Perthyna'r hunaniaeth Gymraeg i'r gorffennol a haerodd Arnold yn dalog yn ei chylch: 'What it *has* been, what it *has* done, let it ask us to attend to that, as a matter of science and history; not to what it will be or will do, as a matter of modern politics.'[120]

Ymatebodd y Cymry i'r gwarthnod a osodwyd arnynt gan y Rhyddfrydiaeth wrthnysig hon trwy gefnu ar hawliau grŵp fel cysyniad, yn y maes iaith o leiaf, er mwyn dangos eu bod yn bobl agored, ryddfrydol eu hanian, nad oeddynt nac yn adweithiol na chul, ac a groesawai â brwdfrydedd eirias eu cyfle i gyfrannogi o fywyd Saesneg y 'genedl' sifig Brydeinig. Aethant ati i gynghreirio â rhyddfrydwyr Seisnig, i bwyso am ledaeniad effeithiol a buan o'r iaith fain, i garthu unieithrwydd Cymraeg o'r wlad (credent mewn dwyieithrwydd ond ymhlith y Cymry yn unig), ac i wahanu'r iaith oddi wrth ei siaradwyr ('jwgarseldiaeth'), gan ei chlodfori fel diriaeth digymdeithas, megis wrth lafarganu 'Oes y Byd i'r Iaith Gymraeg!'

Er na ellir pennu gwerth ccnedl ond yn oddrychol, penderfyniad gwrthrychol ydoedd i Saeson Oes Aur Fictoria ac i lawer o rydd-frydwyr Cymraeg hefyd. Roedd Lloegr a'r Saesneg yn rhagori ar Gymru a'r Gymraeg. I Lewis Edwards, iaith gyffredinol, gyn-hwysfawr, gyfuwch â Groeg glasurol oedd y Saesneg. Canmolodd yn 1867 'yr apostolion, y rhai, yn lle cyfyngu eu hunain i'r Hebraeg, a gymerasant feddiant o'r Groeg, yr hon oedd iaith masnach a dyneiddiaeth y byd', consêt amlwg er mwyn dweud y dylai'r Cymry arddel Saesneg.[121] Yn wir, yr oedd y gwirionedd hwn mor amlwg fel y gellid portreadu'r sawl a dynnai'n groes iddo fel coleddwyr casineb ethnig at y Saeson.[122] 'The instinct of race is, after all,' meddai'r hanesydd Seisnig B. B. Woodward yn ei *The History of Wales from the Earliest Times* (1853), 'one of the lowest that can be suffered to dwell in human breasts; and when it induces men to quarrel with their manifest destiny, and to attempt to traverse the general course of events, no feeling that can be indulged is more pernicious.'[123] Mynegwyd safbwynt tebyg gan y *Spectator* yn 1863, ddwy flynedd wedi ymddangosiad *Considerations on Representative Government*:

> by the time they next issue from their native wilds, we hope intelligent Welshmen will have found out that antipathies of race would not help them, even if they were oppressed, and discover further that they are not oppressed at all, but have the same laws and enjoy the same privileges as Englishmen.[124]

Dyma effaith ymarferol athroniaeth Mill a'i gyd-ryddfrydwyr ar y drafodaeth wleidyddol ynglŷn â hawliau cenedl ac iaith yng Nghymru. Diffiniad sifig o genedligrwydd a arddelid ganddynt, ond fel llawer i fynegiant o genedlaetholdeb sifig, roedd arno sawr ethnig go gryf. Modd oedd cenedligrwydd sifig Prydeinig o gyf-reithloni rhagfarnau ethnig y grŵp goruchafol, sef y Saeson.

Câi hyn oll effaith ar drywydd datblygiad cenedlaetholdeb Cymreig. Oddi mewn i gylch dylanwad cenedligrwydd sifig anglo-ffon y bathwyd hynny o genedlaetholdeb a gafwyd erbyn diwedd y bedwaredd ganrif ar bymtheg. Cyflwynid gofynion crefyddol y Cymry fel pe baent yn ofynion sifig. Nid oeddynt yn wrthun gan genedlaetholdeb Prydeinig, rhyddfrydol am eu bod yn amlygiad rhanbarthol ohono.[125] Pan achwynid yn y Senedd yn 1872 ynghylch penodi Saeson uniaith yn farnwyr i Gylchdeithiau Sirol Cymru nid cynnal cymuned ieithyddol oedd y nod ond sicrhau cydraddoldeb i'r Cymry gerbron y gyfraith – hawl sifig, ddigon dirodres. Pan gyflwynasid ddwy flynedd ynghynt yn 1870 Fesur Addysg i'r Senedd, mesur a allasai fod wedi bod yn gyfle perffaith i droi'r drol ieithyddol yng Nghymru, prin oedd y sôn am addysg Gymraeg.[126] Prif nod strategol Rhyddfrydiaeth Gymraeg yn 1870 oedd sicrhau addysg anenwadol, a chadw ysgolion y wlad hyd braich oddi wrth reolaeth Anglicanaidd. Ond yr oedd hefyd yn ymdrech i sicrhau bod y gyfundrefn addysg yn ofod sifig Prydeinig 'diduedd' y gellid cymathu'r genedl ryddfrydol Gymreig yn effeithiol o'i mewn.

Caed ymchwydd mewn cenedlaetholdeb sifig Cymreig yn ystod traean ola'r bedwaredd ganrif ar bymtheg, ac eto nid oedd ar ei gyfyl unrhyw awgrym y byddai'n cymryd hawliau iaith (onid hawliau sifig yw'r rheini hefyd?) o ddifrif. Ymhlith ei gyflawniadau mae'r coleg prifysgol a sefydlwyd yn Aberystwyth yn 1872 a'r colegau a gaed yng Nghaerdydd a Bangor ychydig flynyddoedd wedyn, yr ysgolion canolradd y deddfwyd o'u plaid yn 1889, yr ymgyrch o blaid llyfrgell genedlaethol a gychwynasid yn 1873 ac a oedd wedi dwyn ffrwyth erbyn 1907, yr un flwyddyn ag yr agorwyd yr Amgueddfa Genedlaethol hefyd. Ar lefel fwy poblyddol, y cymdeithasau rygbi a phêl-droed cenedlaethol a sefydlwyd yn 1876 ac 1881. Yn goron ar y cwbl, y gydnabyddiaeth frenhinol o genedligrwydd y Cymry a gaed pan arwisgwyd mab y Brenin yn 'Dywysog Cymru' yng Nghaernarfon yn 1911. Tystia'r sefydliadau a'r defodau hyn i'r cenedlaetholdeb sifig, ffyniannus, di-iaith, hynod Brydeinig a oedd yn ei flodau rhwng y 1880au a'r Rhyfel Mawr. Roedd y cwbl yn hwb aruthrol i'r Saesneg. Hyrwyddwyd y Saesneg gymaint yn fwy effeithiol nag a wnaed erioed o'r blaen trwy fod y Cymry eu hunain yn gwneud hynny.

O blith y sefydliadau hyn i gyd, y corff sydd fwyaf cynrychioliadol o uchelgais y Cymry yw Prifysgol Cymru. Ni addysgid trwy'r Gymraeg yn y brifysgol am y byddai hynny'n llestair i ymgymathiad diwylliannol brodorion. Rhoddwyd sêl bendith ar ysfa unigolion i godi yn y byd, gan roi iddynt y bri a'u galluogai i gystadlu yn erbyn Saeson. Ei nod, fel y dywedodd D. Tecwyn Lloyd mor gofiadwy, oedd helpu bechgyn o Gymry i ddod ymlaen yn Threadneedle Street.[127] Rhyddheid y Cymry fel unigolion yn yr union weithred o orthrymu'r grŵp iaith yr oeddynt yn aelodau ohono. Cadarnhaodd cenedlaetholdeb sifig Cymreig statws ddarostyngedig y gymdeithas Gymraeg. Felly y byddai cenedlaetholdeb sifig yn awr ei lwyddiant yn ergyd arall, onid farwol, i genedl y Cymry.

4

Dadadeiladu Rhyddfrydiaeth

Gwrthwyneb Rhyddfrydiaeth mewn theori wleidyddol yw Cymunedolaeth (*communitarianism*). Tra bo Rhyddfrydiaeth yn rhoi pwyslais mawr ar ryddid yr unigolyn, a'i hawl i weithredu er ei les ei hun, ymdrecha Cymunedolaeth i ddiffinio buddiannau unigolion yn nhermau eu haelodaeth o'r grwpiau cymdeithasol y perthynant iddynt. Yn wir, dadleua rhai fod y grwpiau hyn yn meddu ar fodolaeth (y genedl, er enghraifft, ym meddwl rhai cenedlaetholwyr traddodiadol) yn annibynnol ar eu haelodau.[1] Hyd yn oed os na dderbynnir hynny (nid yw safbwynt o'r fath yn boblogaidd heddiw, ond yr oedd felly yn y bedwaredd ganrif ar bymtheg), ni ellir gwadu mai ffenomen yw iaith nad yw'n bod ond yng nghyswllt y grwpiau cymdeithasol (neu 'gymunedau') sy'n ei harfer, ac ni ellir ei mwynhau ond ar y cyd ag eraill. Go brin y byddai Rhyddfrydwyr Clasurol y bedwaredd ganrif ar bymtheg hyd yn oed yn anghytuno â hynny, ac eto nid oeddynt yn hidio dim am ddiflaniad diwylliannau darostyngedig, gan yr ymddangosai manteision ymuno â'r grwp mwyafrifol mor amlwg iddynt.

I genedlaetholwyr cenhedloedd bychain tir mawr Ewrop, nid oedd dadleuon o'r fath yn tycio gan y credent fod eu cenedligrwydd o werth, ac y byddai cael eu troi'n Almaenwyr, yn Fagyariaid neu'n Rwsiaid yn aflesol iddynt fel unigolion, a hefyd fel cymuned. Yn hynny o beth fe'u cefnogir gan lawer o theorïwyr gwleidyddol cyfoes. Yn ôl y cymdeithasegydd Pierre Bourdieu, mae arferion hunaniaethol (iaith, acen, osgo, ymddygiad diwylliannol) ynghlwm wrth amodau cymdeithasol cynhyrchu'r gweithredydd. Mae'r 'cymeriad' a ddatblygwn, a'r 'ffordd o fyw' a ddysgir gennym, yn ystod cyfnod ieuenctid yn gynnyrch amgylchfyd diwylliannol neilltuol.² Ni all neb gefnu ar ei gefndir yn rhwydd, sy'n aml yn ail natur iddo, hyd yn oed os yw'n dymuno hynny.³

I'r theorïwr gwleidyddol rhyddfrydol cyfoes Will Kymlicka, mae'r anawsterau a wyneba aelodau o leiafrifoedd o orfod cefnu o'u hanfod ar eu diwylliant eu hunain yn gyfiawnhad dros gefnogi rhai mathau o genedlaetholdeb cymedrol. Noda Kymlicka i athronydd pwysicaf Rhyddfrydiaeth gyfoes, John Rawls, ragdybio wrth drafod rhyddfreiniad yr unigolyn, 'y "genir pobl ac y disgwylir iddynt fyw bywyd cyflawn" oddi mewn i'r un "gymdeithas a diwylliant", a hyn sy'n diffinio'r cwmpas y mae'n rhaid i bobl fod yn rhydd a chydradd oddi mewn iddo.'⁴ Diau fod hynny'n wir am unigolion sy'n perthyn i fwyafrifoedd goruchafol, a'u hunaniaeth yn cael ei gwarchod a'i dilysu gan y wladwriaeth, ond go brin mai dyna sy'n wir am aelodau o leiafrifoedd, a methu dirnad hyn yw man gwan Rhyddfrydiaeth. Cymryd sefydlogrwydd diwylliannol o'r fath yn ganiataol a wna Rawls, ac nid yw'n ystyried profiad pobloedd a wladychwyd, ac sy'n byw mewn amgylchfyd cymdeithasol a diwylliannol dieithr i'r un y'u magwyd ynddo, a hynny heb iddynt symud o'u gwlad. Nid alltudion yw'r rhain ond unigolion o'r math a gyferchir gan J. R. Jones fel rhai sydd â'r 'profiad o wybod, nid eich bod chwi yn gadael eich gwlad, ond *fod eich gwlad yn eich gadael chwi,* – yn darfod allan o fod o dan eich traed chwi, yn cael ei sugno i ffwrdd oddiwrthych, megis gan lyncwynt gwancus, i ddwylo ac i feddiant gwlad a gwareiddiad arall.'⁵ Mewn achosion o'r fath, sy'n sylfaenol anghyfiawn, oni ddylai rhyddfrydwyr ymholi a fedrant lunio dadleuon rhyddfrydol o blaid goroesiad grwpiau lleiafrifol, a hynny fel *grwpiau?*

Ym marn Kymlicka, gellir amddiffyn grwpiau heb gefnu ar werthoedd rhyddfrydol, na gorfodi'r unigolyn i aberthu ei hawliau. Er i gymunedolwyr bwysleisio fod hawliau yn perthyn i grwpiau yn ogystal ag i unigolion, ac nad yw hawliau iaith yn ystyrlon ond yng nghyd-destun gweithgarwch grŵp, deil rhyddfrydwyr mai dim ond unigolion sy'n medru caffael yn yr hawliau hyn. Fodd bynnag, cred rhai athronwyr mai effaith *ymarferol* rhoi i unigolion o gefndir lleiafrifol hawliau diwylliannol neilltuedig yw amddiffyn y grŵp: 'y statws moesol sy'n gwarantu hawl grŵp yw statws moesol

yr amryw unigolion sy'n dal yr hawl yn gyffredin.'⁶ Gwahaniaetha
Kymlicka, felly, rhwng 'hawliau grŵp' sy'n cael eu dal gan grwpiau,
o bosibl yn annibynnol ar eu haelodau (sy'n safbwynt cymunedol-
aidd na all ei dderbyn), a 'hawliau a ddelir gan unigolion yn
rhinwedd eu haelodaeth o grŵp' ('group-differentiated rights').⁷
Yn nhyb Kymlicka, dicotomi ffug yw'r gwahaniad honedig rhwng
hawliau unigol a'r hawliau a ddehonglir gan lawer fel hawliau
grŵp, ond sydd mewn gwirionedd yn hawliau a ddelir gan unig-
olion yn rhinwedd eu haelodaeth o grŵp. Cyn belled â bod gan
unigolion yr hawl i ymadael â'r grŵp y maent yn aelodau ohono,
neu ymwrthod â'i arferion, mae modd i ryddfrydwyr gyfiawnhau
hawliau megis hawliau iaith a neilltuir ar gyfer aelodau o grwpiau
darostyngedig.⁸

Yn y bedwaredd ganrif ar bymtheg, bu rhai rhyddfrydwyr
Almaenig yn arddel dadleuon am 'hawliau a ddelir yn rhinwedd
aelodaeth o grŵp' nad oeddynt, ar yr wyneb, yn annhebyg i rai o
safbwyntiau Kymlicka heddiw. Gwnaeth rhai ohonynt hynny wrth
edrych ar wlad, Cymru, nad oedd yn bwysig o safbwynt budd-
iannau Almaenig, a gellid o'r herwydd fod yn fwy 'teg' yn ei chylch
nag y byddent efallai o drin lleiafrif yn eu libart eu hunain. Ond
a bwrw fod eu sylwadau yn rhai diffuant ('os' mawr, rhaid cyf-
addef), ymddengys fod agwedd Rhyddfrydiaeth Almaenig at
lciafrifoedd yn llai difaol nac agwedd Rhyddfrydiaeth Seisnig at
y Cymry. Mae'n wir na chydnabyddid ar dir mawr Ewrop hawl
gwledydd bychain i annibyniaeth. Ar adegau hefyd gwrthodid
iddynt yr hawl i ymreolaeth ddiwylliannol. Ond derbynnid, i
raddau helaeth iawn, hawliau iaith fel amlygiad priodol o hawliau
dinesig. Hyd yn oed pan na wneid hynny, roedd y drafodaeth a
arweiniodd at eu gwrthod yn gydnabyddiaeth anfoddog fod eu
bodolaeth damcaniaethol yn bosibl.

Yn y cyfansoddiad a fabwysiadwyd yn 1867 yng Nghisleithania
– y rhan graidd o diriogaeth Brenhiniaeth Habsbwrg a gynhwysai
Awstria, Bohemia, Morafia, Slofenia, Galicia a Dalmatia (ac a oedd
yn eithrio Hwngari, Croatia, Herzegofina a Bosnia) – datganodd
y gyfraith sylfaenol fod gan 'bob grŵp ethnig hawl annhoradwy
i gadwraeth a chynhaliaeth ei genedligrwydd a'i iaith', ynghyd â
chydnabyddiaeth gan y wladwriaeth o 'gydraddoldeb pob iaith

arferedig mewn ysgolion, gweinyddiaeth a bywyd cyhoeddus'.[9] Gwir y byddai rhyddfrydwyr Almaeneg yn cicio yn erbyn y tresi cyfansoddiadol hyn, gan fynnu bod yr Almaeneg yn *Staatssprache* a chan geisio cadw i'r Almaeneg mewn bywyd cyhoeddus y lle amlycaf.[10] Gwir hefyd iddynt fod yn llwyddiannus yn rhai o'u hamcanion, megis wrth sicrhau i'r Almaeneg y llaw uchaf fel iaith fewnol gweinyddiaeth gyhoeddus y wladwriaeth.[11] Ond ni fedrent rwystro'r cenhedloedd eraill, megis y Tsieciaid a'r Slofeniaid, rhag defnyddio'r gyfraith i sicrhau o leiaf rhai hawliau dinesig.[12] Mewn nifer o achosion llys arwyddocaol, cadarnhawyd hawl yr unigolyn i arfer ei iaith ei hunan mewn cyswllt ag awdurdodau lleol, hyd yn oed os oedd y grŵp ethnig y perthynai iddo'n lleiafrif, ac yn wir, weithiau, yn lleiafrif digon distadl. Felly, ym Mohemia yn 1883, yn achos ffrae iaith enwog Budweis (České Budějovice heddiw), tref fwyafrifol Almaeneg hyd at y 1880au a chartre'r lager di-flas enwog, barnodd y llys cyfansoddiadol na allai'r mwyafrif Almaeneg rwystro cynrychiolwyr y lleiafrif Tsiecaidd rhag defnyddio'u hiaith yng nghyngor y dref.[13] Roedd cydnabyddiaeth gyffredinol fod hawliau iaith yn 'verbürgtes Recht' ('hawl sefydledig').[14]

Nid dyna'r sefyllfa yng Nghymru lle nad oedd gan y Cymry hawliau iaith o fath yn y byd. Mae'n ddadlennol, ac yn wir yn eironig, mai mewn Almaeneg y ceir y ddadl gliriaf ganol y bedwaredd ganrif ar bymtheg o blaid ymestyn llawllau laith i'r gym uned Gymraeg. Yn *Deutsche Versuche* (1861), llyfr a gyhoeddwyd yn yr un flwyddyn â *Considerations on Representative Government* J. S. Mill, ceir ymdriniaeth olau â hawliau ieithyddol a chenhedlig lleiafrifoedd cenedlaethol gan yr ieithydd Almaenig Rudolf von Raumer. Ni ellir dychmygu trafodaeth o'r fath yn *Y Traethodydd*, yn sicr nid yn y 1860au. Am fod ystyriaethau megis maint, daearyddiaeth, hanes a buddiannau cyffredin yn clymu rhai cenhedloedd wrth ei gilydd, derbynia Raumer nad oes gan Gymru yr hawl i adael y wladwriaeth Brydeinig.[15] Ond nid yw'n dilyn o hyn na ddylai fod gan y Cymry hawliau iaith. Ni ddylent fod o dan anfantais am eu bod yn trigo mewn gwladwriaeth lle mae'r Saeson yn fwyafrif. Dylai ieithoedd feddu ar ddilysrwydd cyfartal gan fod hyn yn fodd i gadarnhau cydraddoldeb y bobloedd sy'n eu siarad:

Sut i ymdrin â'r iaith yn y fath wladwriaeth, sy'n cynnwys pobloedd sy'n siarad ieithoedd gwahanol? Heb amheuaeth, dylai'r berthynas rhwng ieithoedd fod yn seiliedig ar gydraddoldeb gwleidyddol. Mae gan bob dyn yr un hawl i ddefnyddio ei famiaith ag unrhyw ddyn arall. Yn eu cylchoedd eu hunain, ni ddylai unrhyw un o'r ieithoedd a siaredir yn y wladwriaeth gael ei gormesu trwy rym.[16]

Ymhellach, synia Raumer am y cyfle i ddefnyddio iaith leiafrifol fel 'hawl' ('Anspruch auf den Gebrauch'). Dylai fod gan siaradwyr Cymraeg yr un hawliau iaith mewn ardaloedd Cymraeg ag sydd gan siaradwyr Saesneg mewn parthau Saesneg. Nid yw'r ffaith fod y Saesneg, yn nhyb y Saeson, yn rhagorach iaith na'r Gymraeg yn newid dim ar yr egwyddor sylfaenol hon.

Cymerwn ni yr enghraifft a gyflwynwyd . . . sef Tywysogaeth Cymru. Lle mae'r Gymraeg-Gelteg yn iaith y trigolion lleol, bydd dyletswydd i ddarparu ysgolion a gwasanaethau crefyddol Celtaidd, yn union fel y ceir yn y rhannau o'r deyrnas lle y siaredir Saesneg ddyletswydd i ddarparu ysgolion a gwasanaethau crefyddol Saesneg. Mae cydraddoldeb y Celtiaid a'r Saeson ynghlwm wrth hyn, sef y cefnogir ac yr hyrwyddir y ddau yn eu tiriogaeth eu hunain.[17]

Byddai'n ffôl pe bai gan y Gymraeg a'r Saesneg statws cyfartal ymhob twll a chornel o'r Deyrnas Gyfunol, neu ym musnes y Senedd yn Llundain. Ni ellid disgwyl ychwaith i'r Sais addysgedig ddysgu Cymraeg, fel y mynnid y dylai'r Cymry feistroli'r iaith fain.[18] Iaith gyffredinol oedd y Saesneg. Cydnebydd Raumer hefyd fod perthynas rym yn bodoli rhwng y ddwy iaith, a bod y Saesneg yn haeddu mwy o barch mewn bywyd cyfoes na'r Gymraeg. Er hynny, dylai fod gan iaith leiafrifol sofraniaeth ddiwylliannol mewn bywyd beunyddiol yn ei bro ei hun. Ceir pwyslais felly ar bwysigrwydd y cysyniad o gymuned. Y pwyslais *cymunedol* hwn mewn perthynas ag iaith yw un o brif nodweddion y meddwl Almaeneg. I Raumer, sail hawliau'r Cymro yw ei fod, yn ogystal â bod yn unigolyn, yn perthyn i gymuned ddiwylliannol neilltuol. Pe bai Cymru oddi mewn i gylch dylanwad y byd Almaeneg ei iaith, a bodolaeth cymunedau Cymraeg eu hiaith wedi'u cydnabod, diau y byddai hanes y Gymraeg yn wahanol iawn. Ond ni chydnabuwyd cymunedau Cymraeg ar y pryd, ac yn wir nid ydynt wedi eu cydnabod hyd heddiw.

Rhyddfrydiaeth gymathol ar dir mawr Ewrop

Nid oedd popeth ar gyfandir Ewrop yn fêl i gyd. Hyd yn oed yng nghanolbarth Ewrop, yr oedd yn rhaid i leiafrifoedd wynebu her ryddfrydol a fynnai gymathu yn enw gwerthoedd cyffredinol a hollgynhwysol. Roedd rhyddfrydwyr Almaeneg yn barod i danseilio hawliau iaith pe dôi cyfle iddynt wneud hynny yn y llysoedd. Yn Hwngari, wedi *Ausgleich* 1867, pasiwyd deddfwriaeth yn rhoi i'r cenhedloedd llai 'hawliau cyfartal' yn eu tiriogaethau eu hunain.[19] Roedd gosod deddf o'r fath ar lyfr statud yn gyflawniad na allasai'r Cymry fod wedi breuddwydio amdano. Ond hel llwch fu tynged llawer o'r cymalau ieithyddol hyn, ac ni chawsant eu gweithredu'n llawn.[20] Nid oedd hawliau papur yn golygu na chwenychai'r grŵp ethnig mwyafrifol, boed Fagyaraidd neu Almaeneg, undod cenedlaethol ar sail cymathu lleiafrifoedd. 'Yr hyn a ddisgwyliwn oddi wrthynt,' meddai un rhyddfrydwr Magyaraidd, 'yw nid yn unig eu bod yn siarad iaith y Magyar, ond eu bod yn dechrau teimlo fel Magyariaid eu hunain.'[21]

Coleddid agweddau cyffelyb gan ryddfrydwyr mwyafrifol mewn sawl rhan o Ewrop. Yn y gwrthdaro yng ngwladwriaeth Sbaen rhwng ceidwadwyr a rhyddfrydwyr, cadwai'r Basgwyr ochr y ceidwadwyr am eu bod yn ofni y byddai gwladwriaeth ryddfrydol yn bygwth eu hawl i ymreolaeth. Ac yn wir, fesul cam, cyfyngai llywodraethau rhyddfrydol ar yr hawliau hynny, cyn eu dileu. 'Wrth wraidd y broblem Fasgaidd,' meddai un hanesydd, 'ceir elfen gref o draddodiadaeth, ac ymwrthod â'r wladwriaeth ryddfrydol a chanoledig.'[22] Yng Nghatalwnia, buasai Rhyddfrydiaeth fwyafrifol yn hybu mythau Jacobinaidd am undod y 'genedl' Sbaenaidd (gweler gwaddol hyn yng nghyfansoddiad Sbaen heddiw sy'n nacáu i'r Catalwniaid yr hawl i gynnal refferendwm ar annibyniaeth ar y sail fod Sbaen yn anwahanadwy).[23] O ganlyniad, roedd yr adain dde wrthryddfrydol yn ganolog yn natblygiad cenedlaetholdeb Catalan, a Herder yn ddylanwad o bwys.[24]

Nid yn Sbaen yn unig y bu greddf gymathol Rhyddfrydiaeth ar waith. Yr unig dro i'r Sami gael eu tratod ar lawr senedd-dy Norwy rhwng 1850 ac 1940 oedd yn 1863. Cynigiasai'r llywodraeth y dylid sefydlu darlithyddiaeth mewn Sami ym Mhrifysgol Oslo ond gwrthwynebwyd y mesur gan ryddfrydwyr Norwyaidd ar y sail mai cymathu'r brodorion oedd y ffordd orau i hwyluso datblygiad dinasyddiaeth Norwyaidd gyffredin.[25] Nid oedd agwedd rhyddfrydwyr yn y wladwriaeth Eidalaidd newydd a sefydlwyd yn 1861 yn annhebyg. Cyn y *Risorgimento* buasai gan Albaniaid, Slofeniaid a Ffriuliaid elfen o awtonomi weinyddol. Ond mabwysiadwyd yn awr bolisi iaith gyda'r nod o droi'r lleiafrifoedd yn 'Eidalwyr'. Anelid at greu Eidal gyfiaith ar batrwm rhyddfrydol, a llunio cymdeithas sifig unedig a ffyniannus.[26]

Yr elfen beryclaf i leiafrifoedd mewn Rhyddfrydiaeth oedd ei thuedd gymathol. Credai rhyddfrydwyr Almaeneg canolbarth a dwyrain Ewrop y byddai eu Rhyddfrydiaeth yn arwain at ddileu tyndra ethnig rhwng pobloedd, ac mai'r ffordd orau o gyflawni hyn oedd trwy Almaeneiddio lleiafrifoedd yn enw Cynnydd rhyngwladol. 'Pe ymdoddai'r Latfiaid â'r Almaenwyr,' meddid yn y *Provinzialblatt für Kur-, Liv- und Esthland* yng ngwledydd y Baltig yn 1829, 'yna diflannai drwgdybiaeth a chasineb o'n taleithiau.'[27] Tybiai Almaenwyr Slofenia fod cyswllt naturiol rhwng llewyrch economaidd, gwerthoedd democrataidd, a'r *Weltsprache*, sef yr Almaeneg. Yn y gwledydd Tsiec, cynrychiolid y diwydianwyr a'r dosbarthiadau bwrgais Almaeneg gan bleidiau rhyddfrydol. Gwrthwynebwyd 'ffederaliaeth ieithyddol' ganddynt fel bygythiad i undod *Kaisertum*.[28] Nid oedd rhyddfrydwyr am i weision sifil fod yn ddwyieithog gan eu bod o'r farn fod yr Almaeneg yn iaith gyffredinol, ac nid oedd yn briodol gorfodi aelod o fwyafrif i feistroli iaith 'neilltuol' fel y Tsieceg. Dyletswydd y Tsieciaid oedd bod yn ddwyieithog, nid cyfrifoldeb yr Almaenwyr. Yn hyn o beth, roedd agwedd yr Almaenwyr at y Tsieciaid yn debyg i un y Saeson at y Cymry. Pan fygythid hegemoni Almaeneg gan dwf y mudiad cenedlaethol Tsiecaidd, ymatebodd y rhyddfrydwyr Almaeneg yn llawn syfrdandod y gallai culni cenedlaethol fod mor hy â'u herio.[29]

Fel yng Nghymru, honnai rhyddfrydwyr cymathol mai eu pryder oedd lles pawb. Pe na cheid culni cenedlaetholgar o du'r cenhedloedd lleiafrifol, byddai modd gwarantu hawliau i ddinasyddion o bob gradd yn ddiwahân. Nid am fod y grŵp ethnig goruchafol am roi ei fuddiannau ei hun yn flaenaf y defnyddid yr iaith oruchafol yn gyfrwng cyfathrebu rhwng grwpiau ethnig, ond am mai dyna'r unig iaith a ddeellid, neu y bernid y dylid ei deall, gan bawb. Nid siaradwyr Almaeneg oedd yr unig grŵp yng nghanolbarth Ewrop i hawlio hyn, a gallai rhesymeg gymathol weithredu yn eu herbyn pan oeddynt hwythau yn eu tro yn lleiafrif. Pan ddiddymwyd sefydliadau ethnoieithyddol y *Siebenbürger Sachsen* yn yr Hwngari Fagyaraidd, ni chaed gwared â hwy'n llwyr, ond yn hytrach eu gwneud yn fwy 'cynhwysol', gan sicrhau eu bod yn agored i bob grŵp ethnig, 'er budd yr holl drigolion â hawl i eiddo heb wahaniaethu ar sail crefydd neu iaith.'[30] Ystyr hyn o safbwynt y *Siebenbürger Sachsen* oedd agor y drws led y pen i bolisi ieithyddol *laissez-faire* a oedd mewn gwirionedd yn enw arall ar hegemoni Magyaraidd mwyafrifol.

Cenhedloedd bychain Ewrop yn ymwrthod â Rhyddfrydiaeth y mwyafrifoedd

Mewn un mater hollbwysig, fodd bynnag, roedd y lleiafrifoedd hyn yn wahanol i'r Cymry. Er bod rhai yn eu plith yn rhyddfrydwyr, nid oeddynt odid fyth yn arddel Rhyddfrydiaeth fwyafrifol – hynny yw, ni arddelai rhyddfrydwyr y genedl lai safbwyntiau rhyddfrydol y grŵp ethnig goruchafol. Mae sylweddoli hyn yn troi honiadau'r Cymry am ragoriaethau honedig eu traddodiad radicalaidd ben i waered a thu chwith allan, ac yn cymell darlleniad newydd o hanes Cymru. Dywed Robin Okey:

Daeth y Cymry yn Rhyddfrydwyr, tra ymladdai bron pob cenedl fach yn erbyn Rhyddfrydiaeth, neu, yn hytrach, yn erbyn pleidiau Rhyddfrydol y cenhedloedd llywodraethol – Tsieciaid a Slofeniaid Awstria, Pwyliaid Prwsia, y Fflemingiaid, y Basgiaid, y Ffenomaniaid (Rhyddfrydwyr oedd y Svecomaniaid) ac yn y blaen . . . gorfu i'r

94

cenhedloedd bach ochri yn dactegol dros dro gyda chefnogwyr
Ceidwadol ffederaliaeth neu gyda'r Eglwys er mwyn eu hamddiffyn
eu hunain rhag ymosodiadau'r rheini yn y cenhedloedd mawr a
hawliai mai ganddynt hwy oedd y monopoli ar werthoedd cyff-
redinol (*universal*) ac ar etifeddiaeth yr Oleuedigaeth.[31]

Felly, tacteg oedd hyn mewn llawer achos. Buasai Rhyddfrydiaeth
frodorol ynghlwm wrth genedlaetholdebau ifainc y cwbl ond odid
o wledydd diwladwriaeth Brenhiniaeth Habsbwrg, gan na ellid
rhyddhau'r genedl yn gyflawn heb dynnu iau gorthrwm oddi ar
ei phobl. Yn ystod 'gwanwyn y cenhedloedd' yn 1848, buasai'r
cenhedloedd am y gorau yn deisebu Fienna ynglŷn â'u hawliau
ieithyddol a chenedlaethol gan herio absoliwtiaeth y frenhiniaeth.
Ond am fod gan y cenhedloedd ofynion gwahanol, ynghyd â
hawliadau ar diriogaethau ei gilydd, a'u hieithoedd yn aml mewn
cystadleuaeth, daeth elfen o *Realpolitik* i'r fei, ac ochrodd nifer o'r
cenhedloedd llai gyda grymoedd Adwaith gan fod y chwyldro yn
hyrwyddo achosion cenedlaethol y Magyariaid a'r Almaenwyr.

Gan hynny, aeth 50,000 o filwyr o dan y cenedlatholwr Croataidd
Ban Jelačić i faes y gad yn erbyn Kossuth. Ym Mohemia, gwrthod-
odd yr arweinydd cenedlaethol Tsiecaidd František Palacký
fynychu'r Cynulliad Almaenig yn Frankfurt a siarsiwyd â'r dasg
o lunio cyfansoddiad i'r Almaen unedig arfaethedig ar y sail
nad talaith Almaenig oedd y tiriogaethau Tsiec.[32] Roedd yn well
gan y Tsieciaid, hyd yn oed Tsieciaid o anian ryddfrydol, Frenhin-
iaeth Awstria na democratiaeth Almaenig. Roedd aros mewn
brenhiniaeth amlgenedl yn fwy synhwyrol iddynt na threngi fel
lleiafrif Slafaidd dibwys mewn Almaen Unedig yn disgwyl cym-
athiad. 'Parhad sofraniaeth a hygrededd y wladwriaeth Awstriaidd
Imperialaidd', meddai Palacký, 'yn unig a fedr wasanaethu ein
hannibyniaeth ac undod cenedlaethol.'[33] Dyma'r cynghreirio tact-
egol rhwng pobloedd lai yr ymerodraeth a Brenhiniaeth Habsbwrg
a gymhellodd Engels i ymosod ar y Slafiaid fel 'llwythau' dihanes
wedi ymrestru ar ochr y 'gwrthchwyldro'.[34]

Ac eto, ni ellid amau nad oedd seiliau ideolegol yn ogystal i'r
safiadau gwrthchwyldroadol hyn. Cyfystyron gwleidyddol oedd
Rhyddfrydiaeth ac Almaenrwydd (neu Fagyarïaeth) i lawer o

arweinwyr y mudiad Slaf. O'r herwydd, roedd yn well gan y Slofeniaid 'y ffydd Gatholig sanctaidd a'r famiaith' na Rhyddfrydiaeth fwrgais.[35] Yn Hwngari, cynigiasid i'r Serbiaid holl hawlfreintiau dinesig eu gwlad newydd, ond gomeddwyd iddynt unrhyw hawliau cyfunol neu genedlaethol.[36] Nid syn i'r lleiafrifoedd ymwrthod â hyn oll. At ba ddiben y cefnogai cenhedloedd llai canoldir Ewrop Ryddfrydiaeth Almaenig a Magyaraidd a'u triniai fel y trinnid y Cymry gan Ryddfrydiaeth Seisnig? Nid oedd y Tsieciaid yn barod i oddef traha Almaenwyr a syniai amdanynt fel *Stockböhmen*,[37] term y mae'r ymadrodd 'über Stock und Stein' ('dros bant a bryn') yn rhoi blas o'r agwedd ddilornus sydd ynddo at frodorion uniaith.

Yn wahanol i'r Cymry, roedd lleiafrifoedd anhanesiol Ewrop yn barod i droi at Geidwadaeth, yn ogystal ag at fathau eraill o wleidyddiaeth wrthryddfrydol, er mwyn gwrthsefyll Rhyddfrydiaeth gymathol. Nid oedd ganddynt ofn dianc o'r cawell rhyddfrydol a chwilio am seiliau athronyddol amgen i'w gwrthsafiad pe bai'r sefyllfa wleidyddol yn gofyn am hynny. Ond yr un mor bwysig yw eu bod yn barod i arddel Rhyddfrydiaeth hefyd, cyn belled â'i bod yn Rhyddfrydiaeth o'u heiddo eu hunain, a bod peiriant ei greddf gymathol yn gweithredu o blaid eu diwylliannau lleiafrifedig, ac nid yn eu herbyn.

Adlewyrchai'r Rhyddfrydiaeth genedligol, leiafrifol hon iawd cenhedloedd llai a oedd yn ddigon cryf bellach i geisio herio'r mwyafrifoedd. O'r 1860au ymlaen, a phleidiau'r Tsieciaid a'r Slofeniaid Ifainc ar eu prifiant, cafwyd gwleidyddiaeth genedlaetholgar ryddfrydol ymosodol. Gwir fod Ceidwadaeth yn nodwedd ar rai mathau o genedlaetholdeb Slafaidd o hyd: apeliwyd at neilltuedd ethnig, ym Mohemia at y tirfeddianwyr, ac yn Slofenia at yr offeiriadaeth.[38] Yn Slofenia, roedd gan yr Hen Slofeniaid, sef y Ceidwadwyr Slofenaidd, y llaw uchaf, a pharhaodd clerigiaeth yn nodwedd rymus ar y mudiad cenedlaethol.[39] Ond ym Mohemia, yr oedd y Tsieciaid Ifainc yn cynyddu mewn grym: *splinter* o Blaid Genedlaethol Palacký oeddynt, a byddent yn dod yn brif blaid y Tsieciaid.[40] Nid rhyddfrydwyr ar y patrwm Cymreig oeddynt (roeddynt am i'r gwledydd Tsiec fod yn Tsieceg!), ac eto ceir themâu yn eu maniffesto cyntaf yn 1874 na fyddent yn ddieithr i ryddfrydwyr

Cymreig: democratiaeth, addysg uwch a chyflwr materol y genedl.[41]
Felly, nid oedd gwrth-Ryddfrydiaeth yn elfen barhaol, ddigyfnewid
yng nghyfansoddiad mudiadau cenedlaethol y gwledydd llai.
Roedd gwrthwynebu Rhyddfrydiaeth fwyafrifol y grwpiau ethnig
dominyddol, fodd bynnag, yn egwyddor gyson.
Gwneud cam â sefyllfa gymhleth yw haeru mai Ceidwadaeth
gibddall a lywiai gamre'r cenhedloedd llai. Er hynny mae disgrifiad
Eric Hobsbawm o gyfyng-gyngor lleiafrifoedd cenedlaethol y
cyfnod yn cynnwys rhyw hanner gwirionedd, er yn bur ddirmygus
yr un fath:

os mai'r unig genedlaetholdeb cyfiawnadwy yn hanesyddol oedd
un a oedd yn addas ar gyfer cynnydd, h.y. a ehangodd yn hytrach
na chyfyngu ar faint cylch gweithrediad diwylliant, cymdeithasau
ac economïau dynol, sut ellid amddiffyn pobloedd fychain, ieithoedd
bychain, traddodiadau bychain, yn y rhan fwyaf o ddigon o achosion,
ond wrth fynegi gwrthsafiad ceidwadol i daith anorfod hanes?[42]

Bwriad Hobsbawm yn hyn o beth yw collfarnu mudiadau cened-
laethol gwledydd anhanesiol. Hawdd, fodd bynnag, fyddai troi'r
ddadl ar ei phen a dangos sut mae Hobsbawm yn condemnio o'i
enau ei hun y gwerthoedd cyffredinol cymathol hynny sy'n gyn-
nyrch llawer o wleidyddiaeth flaengar.[43] Buasai perygl i leiafrifoedd
bob tro mewn cydweithio diamod â rhyddfrydwyr a sosialwyr y
mwyafrif goruchafol. Ni ddysgwyd y wers hon yng Nghymru.

Gwrthsafiad Cymraeg

Diniweidrwydd syniadol yn wyneb bygythiad Rhyddfrydiaeth
fwyafrifol, o leiaf ymhlith carfannau mwyaf dylanwadol y gym-
deithas, yw prif nodwedd y meddwl Cymraeg mewn cymhariaeth
â'r meddwl gwleidyddol yng ngweddill Ewrop. Cymerasai meddyl-
wyr Rhyddfrydiaeth Gymreig Ryddfrydiaeth Seisnig yn batrwm
iddynt hwy eu hunain. Ond nid dyna'r stori i gyd. Nid oedd Cymru
heb ei gwrthsafiad hithau. Cafwyd gan Gymry fel Michael D. Jones
ac Emrys ap Iwan olwg tra gwahanol a mwy beirniadol o lawer ar

ffaeleddau Rhyddfrydiaeth. Roedd 'caru hawliau cyffredinol, i
Emrys ap Iwan,' meddai Dafydd Glyn Jones, 'yn uwch dawn – bron
na ddywedem yn sancteiddiach dawn – na charu hawliau personol,
er bod y rheini yn hawliau.'[44] Hyrwyddai Emrys ap Iwan hawliau
cyffredinol y Cymry er mwyn gwrthbwyso'r haeriad mai Saesneg
oedd 'iaith gyffredinol' gwledydd Prydain. Mynnodd Emrys ap
Iwan a Michael D. Jones ddadadeiladu'r Rhyddfrydiaeth wrthnysig
a danseiliai fodolaeth y Gymru Gymraeg.

Ffigwr mwyaf diddorol y cyfnod yw Michael D. Jones. Ei arwydd-
ocâd yw mai ef yw'r prif eithriad i ddisgwrs rhyddfrydol Prydein-
iedig ail hanner y bedwaredd ganrif ar bymtheg. Er hynny fe'i
cyfrifai ei hun yn rhyddfrydwr politicaidd, o leiaf ar gychwyn ei
yrfa. Gwrthwynebodd ddylanwad yr Eglwys Anglicanaidd a'r
degwm: cefnogasai'r ymgeisydd Rhyddfrydol ym Meirionnydd
yn etholiad cyffredinol 1859 yn frwd, a dialodd y Tori gan droi ei
fam o'i thyddyn.[45] Cyfunai yn ei berson ymwybod anghydffurfiol
y cyfnod (ef oedd Prifathro Coleg Annibynnol y Bala) ag am-
gyffrediad anghyffredin o natur drefedigaethol y berthynas rhwng
Cymru a Lloegr.

Er gwaetha'i safbwyntiau cymunedolaidd, parhaodd Michael D.
Jones yn driw i'r math o wleidyddiaeth radical a allasai fod wedi
ei yrru ar hyd trywydd *laissez-faire* rhyddfrydwyr Prydeiniedig
ei genhedlaeth. Hwyrach fod ei gefndir diwylliannol yn esbonio
pam na wnaeth hynny.[46] Yn y 1820au, buasai ei dad yn aelod o
Gymdeithas Gymreigyddol yn Llanuwchllyn, ac ymglywodd y
mab â'r math o syniadau Herderaidd a gylchredid yn y cym-
deithasau hynny: yn wir, byddai'n arddel ei gysylltiadau â ffigyrau
pwysicaf cylch Llanofer ar hyd ei oes. Hyfforddwyd ei feibion ar
y delyn deires gan delynor Llanofer, Thomas Gruffydd, ac yn 1877
cyflwynodd groen llwynog o'r Wladfa yn rhodd i'r Arglwyddes
ei hun. Wedi ymwisgo mewn brethyn cartref, dillad gwlân a chlos
pen-glin, edrychai Michael D. Jones fel y gwerinwr Herderaidd
delfrydedig. Roedd Herderiaeth yn dra anachronistaidd yn y
diwylliant Cymraeg erbyn y 1850au a'r 1860au. Ond gadawsai
ei hôl ar y 'rhyddfrydwr' hwn yr oedd ei ddiwinyddiaeth yn
efengylaidd, ei wleidyddiaeth yn radicalaidd, a'i newyddiaduraeth
yn filwriaethus wrthdrefedigaethol.

Gellid synio am y wladfa ym Mhatagonia yr oedd Michael D. Jones yn un o'i phrif ysgogwyr, a'r fenter sydd wedi sicrhau fod ei enw ar lafar gwlad hyd heddiw, fel arbrawf mewn Cymunedolaeth. Deallodd Jones nad oes a wnelo ffawd cymuned ieithyddol â thynged a rhagluniaeth fel yr honnai rhyddfrydwyr Cymreig, ond yn hytrach â grym cymdeithasol. Deallodd hefyd mai seiliau diwylliannol rhagor na hiliol sydd i gymunedau lleiafrifol, a rhoes bwyslais arbennig ar barhad y Gymraeg yn hytrach na chogio y gallai ymwybod â Chymreictod oroesi yn y Byd Newydd am fod trigolion yno o dras Gymreig.[47]

Ceisiodd ddangos hefyd nad yw theori wleidyddol ryddfrydol ynglŷn ag awtonomi'r unigolyn yn ddigonol i sicrhau cyfiawnder ar ei gyfer. Ceir 'dwy elfen' ymhob gwladfa, esboniodd yn ei bamffledyn, *Gwladychfa Gymreig* (1860), yn braenaru'r tir ar gyfer menter Patagonia, 'elfen ffurfiol ac elfen ymdoddol'.[48] Pennir ethos unrhyw gymdeithas gan yr 'elfen ffurfiol', sef y grŵp ethnig dominyddol, tra bo disgwyl i'r 'elfen ymdoddol', y lleiafrif fel arfer, fabwysiadu hunaniaeth y mwyafrif. Problem y Cymry yn America oedd mai hwy oedd yr elfen ymdoddol. Fe'u hanogodd felly i sefydlu gwladfa ac ymgronni ar gilcyn o dir yn hytrach nag 'ymwasgaru' a'u 'gwanychu eu hunain' gan fynd yn 'aelodau aneffeithiol mewn cymdeithas'.[49] Ni ellid sicrhau chwarae teg i unigolyn mewn gwlad sy'n anghydnaws â'i hunaniaeth ethnig ac ieithyddol ei hun. Nac olyniaeth iddo ychwaith, gan na fydd coffa am ddynion sy'n trigo ymhlith estroniaid, 'na dim i ddangos eu bod wedi bod, mwy na dynion wedi eu claddu yn y mor.'[50]

Roedd Michael D. Jones o'r farn fod profiadau pobloedd ddarostyngedig yr Ymerodraeth Brydeinig yn adleisio profiad y Cymry o fyw dan fawd y Saeson. 'Parhad ydyw o'r gwaith a ddechreuodd Hengist a Horsa yn Mhrydain', meddai am yr Ymerodraeth Brydeinig, ac ychwanegodd yn ddeifiol yn 1878 y gallai Affganistan wedi rhyfela Prydain yno fod yn 'faes newydd i wyr y Capeli Seisnig i godi addoldai Seisnig'.[51] Felly, gan Michael D. Jones y ceir y syniad hynod ddylanwadol mai Cymru yw trefedigaeth gyntaf Lloegr, ac nad oes modd gwrthweithio effeithiau hynny ond mewn un ffordd, sef i'r Cymry ymddiffinio'n genedl politicaidd.

Wrth glosio at ddadleuon cymunedolaidd, aeth Michael D. Jones ati i ymbellhau oddi wrth effeithiau difaol Rhyddfrydiaeth Seisnig. Gwyddai y rhoddid i'r Cymry hawliau dinesig unigolyddol, ond gwyddai hefyd fod hyn yn gofyn am aberthu'r hawliau cenedligol a ddaliwyd ganddynt ar y cyd â Chymry eraill. 'Wedi goresgyn unrhyw genedl, dull y Seison yw gosod pobl oresgynedig o dan anfanteision,' meddai, 'ond drwy ymdoddi i'r genelaeth fawr Seisnig; ac ni cheir dyrchafiad yn un ffordd arall.'[52] O ganlyniad daeth yn fwyfwy beirniadol o'r Blaid Ryddfrydol. Daeth i'r casgliad wedi ethol Llywodraeth Ryddfrydol 1880 fod llawer o'i chyflawn-iadau, megis y Ddeddf Gladdu yn 1880 a'r Ddeddf Gau Tafarndai yng Nghymru ar y Sul, 1881 yn ddiddannedd hollol o safbwynt newid y berthynas rym rhwng Cymru a Lloegr mewn ffordd ddifrif.[53] Dechreuodd amau hefyd nad bai pennaf y Torïaid oedd eu bod yn Geidwadwyr, ond yn hytrach eu bod yn Saeson.[54] Erbyn yr argyfwng yn 1890–1 a welodd gyhuddo arweinydd y Blaid Seneddol Wyddelig, Charles Stewart Parnell, o odineb, roedd yn bwysicach ganddo fod y Gwyddel wedi bod yn barod i dorri crib y ddwy blaid Seisnig, ac roedd yn barod i'w ganmol i'r cymylau am wastrodi Gladstone. Crynhodd ei safbwynt yn *Y Celt*, y newydd-iadur a oedd yn gorn siarad iddo:

'O'r goreu,' meddai Parnell, a rhuthrai yn erbyn Gladstone a'i blaid, drwy iddo ef a'i ganlynwyr bleidleisio gyda'r Toriaid, nes troi y Rhyddfrydwyr allan o awdurdod. Yn lle bod Parnell a'r Gwyddelod at drugaredd Gladstone, yr oedd Gladstone a'i ganlynwyr at drugar-edd Parnell a'i blaid. Daeth Gladstone wedy'n yn ddyn rhesymol iawn, ac addawodd Ymreolaeth i'r Gwyddelod, a dyma'r bwch Gwyddelig yn taro o'i du wedi hyny, a rhuthrodd i'r Toriaid, ac wrth ymgodi ar ei bedion ol, dyna'r tarw Toriaidd a'i gyrn yn ei ochr nes oedd ei ergydion yn diaspedain drwy'r holl wlad.[55]

Nid Michael D. Jones oedd yr unig edmygydd Cymraeg o fudiad cenedlaethol y Gwyddelod. Pan rannodd lwyfan â'r cenedlaetholwr Gwyddelig Michael Davitt, ym Mlaenau Ffestiniog yn 1886, yr oedd y David Lloyd George ifanc, nad oedd eto yn Aelod Seneddol, yno hefyd.[56] Am y tro cyntaf, gwelwyd yng Nghymru genedlaetholdeb rhyddfrydol Cymreig ag iddo ddimensiwn cenedlatholgar ar y patrwm Ewropeaidd. Roedd T. E. (Tom) Ellis – 'Parnell y Cymry' – yntau yn bleidiol i genedlaetholdeb o'r fath hefyd, ac yn 1886 te'i hetholwyd i'r Senedd yn Aelod dros Feirionnydd. Anodd credu nad oedd dylanwad Michael D. Jones arno.[57] Ceir hanes diddorol am Ellis, brodor o Benllyn ei hun, yn gofyn i Michael D. Jones annerch cyfarfod cyhoeddus Rhyddfrydol yng Nghefnddwysarn yn 1880, a'r gŵr o Lanuwchllyn yn dadlau o blaid senedd Gymreig a fyddai'n cynnal ei thrafodaethau yn Gymraeg.[58] Ceir gan Tom Ellis ieithwedd athronyddol, gymunedolaidd Michael D. Jones, megis yn yr ysgrif o faniffesto, 'Gwleidyddiaeth Genedlaethol', a gyhoeddodd yn Y Traethodydd ychydig fisoedd wedi ei ethol i'r Senedd. Diffiniodd yno 'wleidyddiaeth y dyfodol' a fyddai'n gwrthsefyll cyffredinolrwydd Prydeinig y genhedlaeth gynt: 'gobeithiwn y llefara yn eglur am Hunanlywodraeth . . . ac i fyw ei bywyd fel cenedl wahaniaethol'.[59]

Wrth dalu'r gymwynas yn ôl, hyrwyddodd Michael D. Jones yrfaoedd cynnar Tom Ellis a Lloyd George, gan fynegi ei obaith yr arweiniai 'gwyr ieuainc a gwyryfon tanllyd' Cymru ryw fath o fudiad 'Cymry Ifainc' ar batrwm mudiadau fel y Tsieciaid Ifainc a oedd, er gwaethaf eu Rhyddfrydiaeth gysefin, yn selog yn eu gwrthwynebiad gwiw i Ryddfrydiaeth y wladwriaeth.[60] Ys dywedasai yn Y Cell:

Y mae Parnell yn awr yn brwydro dros anibyniaeth y blaid Wyddelig, ac yn hyn y mae efe yn hollol yn ei le. Os ymostynga y Gwyddelod, fel yr aelodau Cymreig i fod yn gynffon plaid y Rhyddfrydwyr Seisnig, ni chant Ymreolaeth byth. Cardota Datgysylltiad yn ostyngedig iawn gan Ryddfrydwyr Lloegr y mae mwyafrif yr aelodau Cymreig, ac nid ymffurfio yn blaid i ddyrnu eu hawliau allan o honynt. Pe troai yr aelodau Cymreig Gladstone a'i Weinyddiaeth allan o swydd unwaith, fel y gwnaeth y Gwyddelod, byddai Rhyddfrydwyr Lloegr yn haws i'w trin, a chaem ninau ein gofynion cenedlaethol yn llawer rhwyddach.[61]

Roedd cyfle i'r 'Blaid Gymreig' yn Nhŷ'r Cyffredin wneud yn union hyn yn ystod gweinyddiaeth Gladstone rhwng 1892 ac 1896 pan nad oedd gan y llywodraeth ond mwyafrif bychan o ddeugain. Gallasai Rhyddfrydwyr Cymru fod wedi dymchwel y llywodraeth.[62]

Ond arhosodd y Cymry yn driw i Gladstone, er iddo lusgo traed yn ddifrifol ar faterion Cymreig, a Tom Ellis erbyn hyn yn dal swydd yn y llywodraeth. 'Ellis grasped the Saxon gold' oedd sylw brathog John Arthur Price, ceidwadwr o genedlaetholwr sydd wedi'i anghofio i raddau helaeth ac sy'n haeddu ei gofio.[63]

A oedd Rhyddfrydiaeth Brydeinig, gymathol wedi bwrw ei chysgod dros genedlaetholwr fel Ellis hyd yn oed? Ynteu ai dyma argoel ei fod yn bleidiol, fel ei olynydd ym Meirion, Dafydd Elis-Thomas, i orymdaith hir, dactegol yn y bôn, trwy sefydliadau grym? Dengys arwyr cymysgryw Tom Ellis, a oedd yn cynnwys Matthew Arnold a Mazzini, ynghyd â chenedlatholwyr mwy digyfaddawd Iwerddon, y dryswch meddwl a oedd wrth galon Rhyddfrydiaeth Gymreig.[64] Yn 1894 ymwrthododd Lloyd George ynghyd â thri o'i gyd-Aelodau Seneddol Cymreig â'r Chwip Ryddfrydol mewn protest yn erbyn methiant Gladstone i roi blaenoriaeth i ddat-gysylltiad yr Eglwys ar amserlen ddeddfwriaethol y llywodraeth. Ond ni chawsant eu dilyn gan eraill, creodd y mater gryn chwerw-edd oddi mewn i rengoedd y Blaid Ryddfrydol, a diwedd y gân oedd chwalfa Cymru Fydd wedi cynhadledd enwog Casnewydd y flwyddyn wedyn, pan gafodd Lloyd George ei sarhau gan aelodau *South Wales Federation* ei blaid ei hun yng ngŵydd y byd. Profwyd yn gywir brofiwydollaeth Emrys ap Iwan na fyddai gobaith i genedlatholdeb Cymreig (na Chymraeg) tra parhâi'r Cymry i 'ymlynu wrth un o'r ddwyblaid fawr Seisnig-Ysgottig'.[65]

Er mai methiant fu'r cwbl, mae i'r pwl hwn o genedlatholdeb rhyddfrydol a arweiniwyd o berfeddwlad y Gymru Gymraeg wledig, uniaith ei wersi amlwg. Dengys fod y Cymry yn dra chysurus â Rhyddfrydiaeth gymathol a'i delfryd o ddinasyddiaeth Brydeinig gydradd; cefnogent gynhwysiad y Cymry oddi mewn i'r sifig Prydeinig. Roedd uchelgeisiau'r Cymry a'r Gwyddelod yn sylfaenol wahanol: y Cymry yn chwennych cydraddoldeb oddi mewn i Brydain, y Gwyddyl am ennill eu cydraddoldeb wrth ddatgan annibyniaeth oddi wrthi. Roedd Rhyddfrydiaeth yn addo cydraddoldeb gan ei bod yn sicrhau cymathiad. Roedd Tom Ellis a David Lloyd George yn rhyddfrydwyr o anian wlatgar, a lled genedlatholgar, bid siŵr. Nid oeddynt ymhlith yr 'A. S.-iaid' hynny a ystyriai Emrys ap Iwan yn 'A. S.-ynod'.[66] Ac eto, yr oedd

eu cenedlaetholdeb yn rhan o fydolwg rhyddfrydol Prydeinig, a
chan fod y Rhyddfrydiaeth honno ynghlwm wrth beiriant grym
y mwyafrif ethnig Seisnig, profai'n farwol iddo.
Yng nghysgod y methiant, erys sylwadaeth Emrys ap Iwan
a Michael D. Jones yn gofeb i'r Gymru amgen, y Gymru Rydd
Gymraeg, na ddaeth i fodolaeth. A hwythau wedi blino ar hunan-
dyb Rhyddfrydiaeth Brydeinig yng Nghymru, cenadwri chwyldro-
adol, os anfoddog weithiau, sydd i'w geiriau. Dywed Michael D.
Jones am yr Aelodau Seneddol Rhyddfrydol Cymreig a bleidleis-
iodd yn erbyn ymreolaeth i'r Alban yn 1890: 'Pe'r elai Tori i fewn
. . . pa wahaniaeth a fyddai.'[67] Yr oedd yn llwyr amheus erbyn hyn
o Ryddfrydiaeth fwyafrifol ac yn barod i ddatgan hynny, fel y
gwnaeth yn 1892 wrth feirniadu'r wasg ryddfrydol Seisnig am
watwar y Gymraeg: 'Y mae llawer Rhyddfrydwr Seisnig mewn
gwirionedd yn orthrymwr trwyadl mewn rhyw gyfeiriadau'. Ni
haeddai rhyddfrydwyr o'r fath ond sen y Cymry, ac meddai ym-
hellach: 'Dirmygaf finau Ryddfrydiaeth pob dyn sydd yn credu
mewn goresgyniad.'[68]
Mynega ei gyd-gymunedolwr, Emrys ap Iwan, yr un peth mewn
ffordd wahanol wrth haeru y gallai Ceidwadaeth a Rhyddfrydiaeth
ill dwy wasanaethu'r genedl Gymreig. Mewn gwlad a oedd wedi
meddwi ar Ryddfrydiaeth, yr oedd cyfosod Ceidwadaeth a Rhydd-
frydiaeth fel hyn yn neges rymus, heriol, annisgwyl:

Cadw'r Gymraeg yn fyw ac yn iach yw'r unig Geidwadaeth y mae'n
weddus i'r Cymry ymegnïo i'w hamddiffyn, a rhyddhau'r Dywys-
ogaeth oddi wrth yr ormes Seisnig sy'n ei gwneud hi'n gadlas
chwarae ac yn grochan golchi i bobl anghyfiaith ac anghyweithas
ydyw'r unig Ryddfrydiaeth y mae'n wiw i'r Cymry ymladd drosti;
canys y mae a wnelo'r Geidwadaeth a'r Rhyddfrydiaeth yma, nid
yn unig â llwyddiant, ond hefyd â bywyd y genedl yr ydym yn
perthyn iddi.[69]

Dro arall, meddai'n blaen: 'Y mae arnom ni, bleidwyr Ymreolaeth,
eisiau Rhyddfrydwyr, ac y mae arnom eisiau Ceidwadwyr hefyd.'[70]
Felly i Emrys ap Iwan, nid oedd gwahaniaeth ystyrlon rhwng
y Blaid Dorïaidd a'r Blaid Ryddfrydol, serch bod y Blaid Dorïaidd

yn fwy gonest. 'Torïaid Radicalaidd' oedd y Rhyddfrydwyr, '(yr hyn o'i gyfieithu yw: *Torïaid hyd at y gwraidd*)', a hwynt-hwy yw:

y dosparth mwyaf rhagrithiol; o herwydd fe glywir y rhai hyn yn beiddio baldordd ynghylch Rhyddfrydiaeth, pan y byddo hynny yn rhyw fantais iddyn nhw'u hunain. Fel nad oes dim gwahaniaeth yn y pen draw rhwng yr hyn a elwir yn Dorïaeth ac yn Radicaliaeth, felly nid oes na gwahaniaeth nac anghyssondeb chwaith rhwng Ceidwadaeth a Rhyddfrydiaeth . . . Chwychwi sy'n ofni'r gwleidyddion cegog ag y mae eu rhyddfrydigrwydd yn gynnwysedig mewn bod yn rhydd ar eiddo pobl eraill, heb oddef i neb gyffwrdd â phen bys â'r eiddynt hwy eu hunain, deuwch gyd â ni, a da fydd i chwi; canys y mae ein holl lywod-ddysg ni, yr Ymreolwyr Cymreig, yn gynnwysedig yn y rheol Gristionogol hon: 'Gwnewch i eraill yr hyn a fynech i eraill ei wneuthur i chwi, ac na wnewch i eraill yr hyn na fynech iddynt hwythau ei wneuthur i chwithau.'[71]

Deallodd Michael D. Jones ac Emrys ap Iwan mai hoced Rhyddfrydiaeth yw'r honiad iddi fod yn seiliedig ar werthoedd cyffredinol, diduedd er nad yw'r gwerthoedd hynny ond yn amlygiad gan mwyaf o safbwyntiau a hegemoni diwylliannau goruchafol. Mae'n wir y gallai cenedlaetholdeb Emrys yn enwedig swnio'n ethnoganolog iawn ar adegau, ond ei wir amcan bob tro yw dinoethi gorthrwm y mwyafrif gan fod hwnnw'n celu'n llechwraidd oddi mewn i honiadau'r diwylliant goruchafol ei fod yn ddiwylliant cyffredinol. Felly, pan ddywed Emrys ap Iwan, '*Young Wales*, y mae hi'n bryd ini fynnu 'sgubo ymaith y beilchion uniaith hyn oddi ar ddaear Cymru, a llenwi eu lle â meibion y tir',[72] mae'n hawdd sylwi ar y gennad wrthdrefedigaethol amlwg, a'r cyfeiriad at y werin ('meibion y tir') sy'n caniatáu i Emrys fanteisio'n rhethregol ar y tyndra dosbarth rhwng tirfeddiannwr a'i denant. Ond gwir ergyd y dychan yw rhagrith y mwyafrif, sy'n uniaith Saesneg ond yn honni er hyn eu bod yn fwy eangfrydig na'r Cymry dwyieithog, ac amlieithog yn achos Emrys ei hun. Mae sylw crafog Emrys ap Iwan yn atgoffa rhywun o'r hen jôc o'r Undeb Sofietaidd am ryngwladoldeb, sef fod y Seionydd yn dairieithog, y cenedlaetholwr bwrgais yn ddwyieithog a'r Sofiet, y dyn rhyngwladol, yn uniaith Rwsieg.[73]

Un o ragdybiaethau mwyaf di-feth diwylliant goruchafol yw'r dyb anwireddus ei fod yn gynhwysol o amrywiaeth ethnig, gan ei fod wrthi'n cymathu pobloedd o gefndiroedd ethnig eraïll. Mae felly, yn ei dyb ei hun, yn rhagori'n foesol ar ddiwylliannau lleiafrifol y tybir yn anghywir eu bod yn fono-ethnig. Gan hynny, yn nhyb y grŵp ethnig goruchafol, nid yw cenedlaetholdeb lleiafrifol, wrth wrthsefyll 'cynwysoldeb' diwylliant mwyafrifol yn tramgwyddo yn ei erbyn ei hun yn unig. Mae hefyd yn gosod o dan anfantais grwpiau ethnig llai, *eraill* sy'n bodoli (yn nhyb y mwyafrif!) oddi mewn i gwmpawd amlddiwylliannol y grŵp mwyafrifol. Daw'r lleiafrif sydd am warchod ei hunaniaeth yn euog gan hynny o gymell casineb diofyn yn erbyn yr Arall: hiliaeth yw'r ymadrodd a ddefnyddir heddiw, er ei fod yn derm anachronistaidd o'i gymhwyso at y bedwaredd ganrif ar bymtheg.

Hynod yw ymosodiad craff a phellgyrhaeddol Michael D. Jones ar yr ystryw hon. Yn debyg i feddylwyr gwrthryddfrydol cyfoes fel Slavoj Žižek mae'n gweld llawer o'r taeru mwyafrifol o blaid y 'cosmopolitan', yr 'amlddiwylliannol' a'r 'rhyngwladol' fel dyfais rethregol sy'n cymell cymathu ar leiafrifoedd er mwyn dileu gwahaniaeth 'go-iawn'.[74]

Amcan goresgynwyr yn wastadol yw difodi pob neillduolrwydd cenelawl, a darbwyllo cenedloedd goresgynedig i fod yn fydgarol (*cosmopolitan*) drwy ymdoddi i arferion ac iaith y goresgynwyr!!! Dyna y mae Seison yn ei bregethu o hyd i Gymry a chenhedloedd eraill y maent wedi lledrata eu gwledydd oddiarnynt, a haerant mai culeneidiol yw pawb sydd yn ceisio dal i fyny unrhyw arbenigrwydd cenelaidd ond yr eiddynt hwy. Mae pob ymdrech i ledaenu iaith ac arferion Seisnig yn eu golwg yn eangu maes Cristionogaeth a gwareiddiad. Ond os bydd Cymry yn aiddgar dros eu hiaith a'u harferion, crebachrwydd meddyliau cyfyng yw hyny yn eu golwg, ac y mae e yn nod gan y Seison i oresgyn ieithoedd cenedloedd goresgynedig yn gystal a'u gwledydd.[75]

Yr un mor graff ac o flaen ei oes yw sylweddoliad Michael D. Jones y gallai rhagdybiaethau rhyddfrydol y gorthrymwr dreiddio i berfedd y genedl leiafrifedig, fel bo hyd yn oed ei henillion yn ailadrodd hen batrymweithiau grym gorthrymol. Wrth resymu fel hyn mae Michael D. Jones yn mynd ati i golbio Cymdeithas yr Iaith Gymraeg Dan Isaac Davies am ddadlau mai rhinwedd mawr defnyddio Cymraeg mewn ysgolion yw cael plant i ddysgu Saesneg yn fwy effeithiol.[76] Prif fantais dysgu'r Gymraeg yn ôl y bydolwg hwn yw'r un iwtilitaraidd, sef ei bod yn haws wedyn i leiafrif afael yn y diwylliant mwyafrifol a bod yn wir ddwyieithog. Mae'n debyg i'r ddadl heddiw y dylai plant ddysgu Cymraeg am fod manteision gwybyddol yn deillio o hyn, sy'n gwella eu perfformiad academaidd yn gyffredinol (fel pe bai Cymru wedi cael ei gwladychu er mwyn y manteision gwybyddol!). Wrth deilwra ei ddadleuon i ffitio'r ideoleg fwyafrifol ormesol, roedd y mudiad iaith yn atgyfnerthu goruchafiaeth y Saesneg. Crynhoa Michael D. Jones resymiad Dan Isaac Davies yn dwt: 'Y peth hanfodol yn awr i'w ddysgu yw y Seisonaeg, a gellir arfer y Gymraeg neu y Wyddelaeg er hyrwyddo hynny.'[77] Canlyniad gorseddu dwyieithrwydd anghydradd o'r fath yw gwneud y Gymraeg nid yn unig yn ategol i'r Saesneg, ond hefyd yn ddibynnol arni.

Dadlennol tu hwnt yn y cyswllt hwn yw gohebiaeth yr hanesydd o genedlaetholwr ceidwadol H. Tobit Evans â Michael D. Jones yn *Y Celt* yn 1885, sy'n rhybuddio rhag sefydlu senedd i Gymru gan y byddai ei gweithgareddau yn cael eu dwyn ymlaen yn Saesneg. Byddai hyn yn cadarnhau sefyllfa ieithyddol ddarostyngedig y Cymry ac yn wir yn ei darostwng eto fyth gan mai penderfyniad y Cymry eu hunain fyddai hyn:

Os wrth Lywodraeth Leol y golygir Senedd i Gymru, rhaid i mi ddweyd unwaith eto y byddai yn well genyf hebddi ar hyn o bryd, am y gwn yn brofiadol sut y mae pethau yn cael eu dwyn yn mlaen eisoes yn ein Seneddau bychain sirol, a elwir yn Llysoedd Chwarterol. Cerir yr holl weithrediadau yn mlaen yn yr iaith Saesneg yn mhob un ohonynt. Gwn pe cawn un Senedd i'r oll o Gymru taw Saesneg fyddai yr iaith yno hefyd, ac felly ni fedrai Cymro *uniaith* sefyll ar yr un tir a Sais *uniaith* yno. Os yw yn *rhaid* i ni siarad Saesneg, gwell genyf i wneud hyny yn Llundain nag yn Nghymru.[78]

Ac yn wir, pan sefydlwyd y cynghorau sir gan Ddeddf Llywodraeth Leol 1888, mewn Saesneg y cynhelid eu holl weithgareddau, a chondemniwyd hyn gan Michael D. Jones.[79] Nid yr un peth o angenrheidrwydd fyddai ennill rhyddid i Gymru, a sicrhau tegwch i'r Cymry. Rhagwelwyd y posibiliad y gallai arferion rhyddfrydol yn ffafrio Saesneg 'sifig' ar draul Cymraeg 'ethnig' gael eu coleddu gan genedlaetholwyr Cymreig eu hunain, gan arwain at Gymru Rydd Ddi-Gymraeg. Ceir yma drafodaeth sy'n hynod berthnasol i Gymru ddatganoledig yr unfed ganrif ar hugain. Un o ryfeddodau annisgwyl hanes syniadol Cymru yw'r tebygrwydd amlwg rhwng y 1880–90au a'r 2000–10au, ac eto ai syn hynny? Ceir yn y ddau gyfnod ansicrwydd ynghylch dyfodol llywodraethol gwledydd Prydain, hollt yn ymagor rhwng uchelgais sifig y Gymru Gymreig a dirywiad ieithyddol y Gymru Gymraeg, a chynseiliau rhyddfrydol gwleidyddiaeth Cymru heb newid odid ddim yn y cyfamser.

5

Sut y gall Cymru fod

Nid heb achos y dywed Dafydd Glyn Jones fod safbwyntiau 'ôl-genedlaetholaidd, neo-Victoraidd' at y Gymraeg yn nodwedd ar y gymdeithas Gymreig heddiw.[1] Y rheswm amlwg am hyn yw bod disgwrs Cymreig yr unfed ganrif ar hugain yn barhad o ddisgwrs y bedwaredd ganrif ar bymtheg. Tueddfryd rhyddfrydol a dyneiddiol y mudiad cenedlaethol; parodrwydd i gydweithio â'r Chwith Brydeinig; diffyg deall fod i Geidwadaeth Gymraeg gynhenid swyddogaeth wrthdrefedigaethol hollbwysig; nerfusrwydd ynghylch annibyniaeth gan ffafrio yn hytrach ymreolaeth oddi mewn i Brydain; cydymdeimlad â lleiafrifoedd mewn llefydd eraill yn y byd ochr yn ochr â chyndynrwydd i ymrafael â'r gorthrwm ar y lleiafrif Cymraeg yng Nghymru; dwyieithrwydd anghytbwys sy'n rhewi'r berthynas rym rhwng y Saesneg a'r Gymraeg, er lles y Saesneg; camddealltwriaeth o swyddogaeth yr ethnig a'r sifig, sy'n gweithio o blaid y mwyafrif gan mai'r rheini sydd ar ochr y 'sifig' dychmygedig; normaleiddiad o'r syniad na raid i'r di-Gymraeg ddysgu Cymraeg, ac eto grym symbolaidd yn mynnu fod rhaid i'r di-Saesneg ddysgu Saesneg. Dyma rai o'r nodweddion sydd gan Gymru Gymraeg y bedwaredd ganrif ar bymtheg a'r unfed ar hugain yn gyffredin.

Y radical Cymreig Fictoraidd yw prototeip y gwleidydd Cymreig cyfoes: Cymro da, yn ddiffuant ei gefnogaeth i gyfiawnder cymdeithasol a masnach rydd, ac eto'n wrthwynebus i arallrwydd Cymraeg. Bron nad yw ei ddyneiddiaeth wedi'i seilio ar dderbyn y gorthrwm ar y Cymry. Caiff lefaru'n fwy effeithiol yn erbyn gormes mewn rhannau eraill o'r byd am fod Cymru'n llonydd, er bod y llonyddwch ('Cymru lân, Cymru lonydd') yn ganlyniad trefedigaethedd ei hun. Mae'r paradocs hwn yn ganolog i effeithlonrwydd grym Prydeindod yng Nghymru. Wrth wrthwynebu yn Llŷn fewnlifiad ym Mhalesteina, caiff y mewnlifiad yn Llŷn, sydd heb ei wrthwynebu, ei dderbyn. Ai er mwyn osgoi trap o'r fath yr arferai rhai o weithwyr Cymreig Oes Fictoria gyfeirio atynt eu hunain fel caethweision?[2] Daliwyd Cymru yn gaeth gan ei radicaliaeth, a gwlad radical yn anad dim ydyw hyd heddiw.

Mewn rhai materion er hynny, mae Cymru'r unfed ganrif ar hugain yn gymdeithas wahanol iawn i un y bedwaredd ganrif ar bymtheg, ac nid oherwydd 'newid cymdeithasol' yn unig. Mae ystyron geiriau wedi newid sy'n cymhlethu dirnadaeth o'r cyfnod gan nad yw pob cysyniad yn yr unfed ganrif ar hugain yn cyfateb o angenrheidrwydd i'r consept a oedd yn dwyn ei enw ganrif a hanner yn ôl. Bu newid creiddiol i'r hyn a olygir gan y term 'Cymry'. Ei ystyr hanesyddol yw siaradwyr Cymraeg sy'n arfer y Gymraeg. O leiaf, dyna oedd ei ystyr cyn dyfodiad cenedlaetholdeb sifig Cymreig tua diwedd y bedwaredd ganrif ar bymtheg.[3] Byddai diffiniad o Gymro neu Gymraes heb fod hwnnw neu honno'n siarad Cymraeg yn lled ddisynnwyr i Gymry cyffredin Oes Aur Fictoria ac yr oedd y Cymry o ollwng y Gymraeg 'yn troi yn Saeson'.[4]

Heddiw, fodd bynnag, mae'r gair 'Cymry' wedi mynd i olygu ei wrthwyneb, ac yn dynodi genedigaeth, magwraeth neu breswyliad mewn tiriogaeth. Er nad yw'r cyfnewidiad yn annilysu o raid y cysyniad o 'Gymro di-Gymraeg', ni ddylid derbyn cwrs datblygiad semantig y term yn ddigwestiwn, hyd yn oed os yw bellach yn hunaniaeth normadol. Tanlinella'r newid faint methiant Cymry'r bedwaredd ganrif ar bymtheg, oherwydd yn ôl eu ffon fesur eu hunain, os nad ffon fesur yr unfed ganrif ar hugain, lleiafrif bychan o boblogaeth Cymru sydd heddiw yn Gymry. Nid oes raid cydsynio â'r farn hon i weld ei bod yn codi cwestiynau pellgyrhaeddol am natur continwwm cenedlaethol yng Nghymru.

Yn ymhlyg yn hyn mae ystyriaeth bwysig arall, o ran trywydd cenedlaetholdeb a'i berthynas â'r gymdeithas Gymraeg ei hiaith. Ganol y bedwaredd ganrif ar bymtheg yr un peth i bob diben ymarferol fuasai llwyddiant mudiad cenedlaethol a chynnydd y gymuned Gymraeg. Gwlad Gymraeg oedd Cymru, a gallasai buddugoliaeth cenedlaetholdeb fod wedi dwyn enillion sifig ac 'ethnig' cyfamserol i'r Cymry. Erbyn hyn, nid yw hyn yn wir gan fod y 'Cymry' o ran iaith yn lleiafrif, ac yn bwysicach fyth gan fod hunaniaeth Gymreig Saesneg mewn bod. Heddiw, dau beth gwahanol yw Cymru a Chymru Gymraeg, ac ni fydd cynnydd mewn cenedlaetholdeb yn arwain o raid at gynnydd mewn Cymraeg. Mewn Cymru annibynnol bydd mater annibyniaeth 'y Cymry' (fel y deallwyd y gair hwnnw gan rieni'r mudiad cenedlaethol, fel Arglwyddes Llanofer, Michael D. Jones ac Emrys ap Iwan) o hyd heb ei setlo. Ni fydd y gymdeithas Gymraeg yn meddu ar ymreol-aeth er y gall fod ymreolaeth i'r wlad a elwir Cymru. Eisoes, yn ystod degawd a hanner cyntaf datganoli, gwelwyd sut y mae hollt rhwng dyheadau'r 'Cymry' (wedi'u diffinio fel pawb sy'n byw yng Nghymru) a rhwystredigaethau'r 'Cymry' (wedi'u diffinio fel lleiafrif ieithyddol darostyngedig) wedi ymagor, gan adlewyrchu diffygion amlwg o ran cynrychiolaeth y gymdeithas Gymraeg ei hiaith. Nid yw'r Cymry o ran iaith yn feistri yn eu tŷ eu hunain a therfynau goddefgarwch y di-Gymraeg yn hytrach nac atebolrwydd democrataidd i siaradwyr Cymraeg sy'n pennu polisi cyhoeddus parthed y Gymraeg yng Nghymru.

Methwyd â chael dyfodol cynaliadwy i'r gymdeithas Gymraeg oherwydd methiant i ddatblygu mudiad cenedlaethol pan fu hynny'n bosibl, a phan olygai ymreolaeth i Gymru y byddai endid mwyafrifol Cymraeg yn cael ei ryddid. Nid atebir y broblem drwy sefydlu gwladwriaeth i Gymru oni cheir ffordd i honno adlewyrchu ewyllys ddemocrataidd y gymdeithas Gymraeg. Ond cofier hefyd, gan fod y Gymraeg mor greiddiol i'r genedl Gymreig, ei bod yn annhebygol y gellid annibyniaeth heb adfywiad iaith yng Nghymru, ac yn yr ystyr honno mae'r ddau bwnc ynghlwm wrth ei gilydd o hyd.[5]

Ydy'r gwrthgenedlaetholgar yn rhagori'n foesol?

Wrth newid ystyr y gair 'Cymry' i gynnwys hefyd siaradwyr Saesneg Cymru, gwnaeth cenedlaetholwyr sifig Cymru rywbeth cyfrwys iawn. Newidiwyd yr hyn a olygid gan Gymreigrwydd ac felly fe'i diogelwyd yn wyneb y newid iaith i'r Saesneg trwy fod y newid hwnnw bellach yn amherthnasol iddo. Os felly, a oes ots am enciliad y gymdeithas Gymraeg gan y gallai Cymru, yn uned ddaearyddol o leiaf, oroesi hebddi? Tybed hefyd a ellid cyfiawnhau cymathiad y Cymry o gofio am yr holl enillion honedig a dducpwyd i Gymru gan Ryddfrydiaeth: economi farchnad, democratiaeth, rheolaeth y gyfraith ac yn bennaf oll heddwch? Wedi'r Llyfrau Gleision, ni chrogwyd neb yng Nghymru am ei farn wleidyddol. Os bu gwladychu ethnig ar Gymru, trwy'r llyfr siec ac nid trwy rym arfau y digwyddodd hynny. Yn nwyrain Ewrop, bu farw miliynau lawer yn sgil rhyfeloedd a borthid gan gasineb ethnig, a difodwyd trwy hil-laddiad a glanhau ethnig gymunedau cyfain. Oherwydd lladd eu haelodau, neu eu gyrru ymaith, yr aeth cymunedau Iddewig tir mawr Ewrop, cenhedloedd Almaenaidd bychain dwyrain y cyfandir, cymunedau Tyrceg yng Ngroeg a chymunedau Armeneg a Groeg yn Nhwrci, i'w tranc. Cynhaeaf difaol a fedwyd yn Ewrop yn sgil twf y cenedlaetholdeb ethnig a heuasid ymhlith ei phobloedd yn y ganrif gynt.

Trwy *beidio* â bod yn genedlaetholgar, ac wrth i'r Cymry *beidio* ag achlesu dadleuon ethnoieithyddol, ensynnir yn dawel bach, heb ddweud hynny ar ei ben ychwaith, fod gwendid cenedlaetholdeb Cymraeg wedi cynorthwyo Cymru i osgoi trychinebau o'r fath. Ceir felly argyhoeddiad moesol dwfn, sy'n rhan gyson o agwedd rhyddfrydwyr at ddiwylliannau bychain, nad yw'n beth drwg o gwbl i Gymru fethu â meithrin mudiad cenedlaethol o'r iawn ryw nac ychwaith i'r gymdeithas Gymraeg edwino. Roedd yn bwysicach o lawer nad aeth anghydfod ethnig yn rhan o ddisgwrs cyhoeddus yng Nghymru.[6] Gwelir ôl yr agwedd hyd heddiw gyda chenedlaetholwyr yn nodi'n aml fod cenedlaetholdeb Cymreig yn wahanol rywsut i genedlaetholdebau eraill, ei fod yn fwy sifig, cynhwysol a gwâr na hwy, heb sylweddoli fod dalgan hyn yn rhan o ielhreg wrthgenedlaetholgar yn y bôn, a heb ystyried ychwaith y gallai fod cyswllt rhwng 'gwarineb' haniaethol, rhyddfrydol cenedlaetholdeb Cymreig a'r methiant diriaethol i warchod cymuned leiafrifol, y gymuned Gymraeg ei hiaith. Dyma un o fannau gwan y ddadl sifig, ryddfrydol sef bod ei rhagoriaeth foesol honedig yn haniaethol, a phan edrychir ar y dystiolaeth empirig yr hyn a welir yw rhywbeth nad yw mor 'foesol' â hynny o gwbl, sef bod cymuned leiafrifol wedi diflannu. Nid yw'n rhesymol ychwaith ioi'r bai am alanastra gwrthdaro ethnig canolbarth a dwyrain Ewrop ar genedlaetholdeb ethnoieithyddol cenhedloedd bychain diwladwriaeth. Anodd priodoli erchyllterau'r ugeinfed ganrif i Ramantiaeth, Herderiaeth a chenedlaetholdeb iaith yn unig, neu'n wir yn bennaf. Diddordeb pennaf Herder oedd amrywiaeth ddiwylliannol, ac ni chefnogai genedlaetholdeb gorthrymol. Hebryngwr plwraliaeth ydoedd, gwrthwynebydd yr Oleuedigaeth Ffrengig ddeddfol, a chroesawr y bywiol, yr amgen a'r Arall.[7] Nid oedd ei ddrwgdybiaeth o genedlaetholdeb sifig yn afresymol: mae gwladwriaethau cryfion yn ormesol mewn ffordd fwy niweidiol o lawer na diwylliannau ethnig diwladwriaeth. Ni waeth pa mor aflan yw deisyfiadau cudd y cenedlaetholwr ethnig, a hyd yn oed yng Nghymru fe geir mewn nofel fel *Yma o Hyd* Angharad Tomos gymeriad sy'n ewyllysio hil-laddiad, mae gan y wladwriaeth bob tro beiriant gweinyddol effeithiolach.[8] Y wladwriaeth sifig fu'n gyfrifol am imperialaeth Ewropeaidd, hilladdiad yr Armeniaid yn Nhwrci a'r Holodomor yn Wcráin. Priodas anghymharus rhwng y sifig a'r ethnig oedd yr Almaen Natsïaidd, ac ni fuasai'r Holocost yn bosibl heb rym y wladwriaeth.

Pam felly mai cenedlaetholwyr gwledydd diwladwriaeth sydd dan y lach? Canlyniad safbwynt ynghylch y genedl leiafrifol fel endid moesol ydyw. Wrth drafod gwlatgarwyr Tsiecaidd y bedwaredd ganrif ar bymtheg, myn un hanesydd o'r ysgol wrthgenedlaetholgar mai 'gyda'i gilydd y cyfrannodd Palacký, Smetana, Wenzig, a'r ethnigwyr Tsiecaidd i gyd at ddileu cymunedau a chategorïau di-ethnig o'r gorffennol, tanbwysleisio eu presenoldeb yn y presennol, ac felly niweidio eu dyfodol'.[9] Daliwyd cenedlaetholwyr yn gyfrifol am 'ethnigeiddio' cymdeithas, am anwybyddu hunaniaethau nad yw ethnigrwydd ond yn rhan ymylol neu ansefydlog ohonynt, ynghyd hefyd â hunaniaethau na ffurfir mewn termau ethnig o gwbl. Mae'n debyg fod hyn yn wir, ond nid yw'n llai gwir am genedlaetholdeb banal y wladwriaeth. Fodd bynnag, yn nhyb haneswyr gwrthgenedlaetholgar, roedd cyfnewid y Bohemia cyn-genedlatholgar, honedig ddiethnig (ond goruchafol Almaeneg mewn gwirionedd) am *Čechy* cenedlaetholdeb iaith Tsiecaidd yn

newid hynod anffodus, gan iddo gau allan o'r genedl ddychmyg-
edig y ddwy filiwn a mwy o Fohemiaid Almaeneg, dros draean
poblogaeth y diriogaeth.

Dadl hynod niweidiol i ddiwylliannau ac ieithoedd lleiafrifol
yw hon, gan ei bod yn annog, ar dir moesol, gymathiad i'r diwylliant
goruchafol yn lle gwrthsafiad yn ei erbyn. (Nid yw'n annhebyg i
apêl foesol S.R. yn 'Cymysgiad Achau', a gwelir felly wreiddiau'r
disgwrs hwn hefyd yn y bedwaredd ganrif ar bymtheg). Trwy
ddifrïo 'ethnigeiddio', sef twf hunanymwybyddiaeth cenhedloedd
llai, cefnogir y diwylliant goruchafol yn ei gyffredinolrwydd 'di-
ethnig'. Gan nad oes lle ar eu cyfer yn y wladwriaeth sifig fel
cymdeithasau cydlynol, condemnir grwpiau iaith i ddarostyngiad
a, maes o law, ddiflaniad. Ceir mewn hanesyddiaeth y dybiaeth a
geir hefyd mewn athroniaeth ryddfrydol, sef nad yw colli iaith yn
anghyfiawnder 'go-iawn', gan y gallai'r unigolyn ddysgu iaith
newydd a mabwysiadu hunaniaeth y wladwriaeth. Eto, i'r neb
sy'n hidio am gymunedau lleiafrifedig, mae polisi *laissez-faire* o
adael i grŵp lleiafrifol drengi yn enw cytgord cymdeithasol yn
dramgwyddus iawn. Nid yw anwybyddu hawliau cymuned lei-
afrifol yn ddieffaith.

Aeth 'dwyieithrwydd', meddai un hanesydd am anghydfod
ieithyddol Bohemia, 'yn ddwy Bobl mewn brwydr am yr un wlad.'[10]
Ond pe na chaed y brwydro sut ddwyieithrwydd fuasai hwnnw
a adawai hegemoni Almaeneg heb ei gyffwrdd? Ai tebyg i
ddwyieithrwydd yng Nghymru, lle mae'r lleiafrif yn unig yn
ddwyieithog, a phob cyfathrach feunyddiol rhwng y lleiafrif a'r
mwyafrif trwy'r iaith fwyafrifol? Mewn gwirionedd, felly, a fu'r
hyn a ddigwyddodd ym Mohemia mor drychinebus o annerbyniol
â hynny? Mae'r Tsieciaid heddiw yn meddu ar gymdeithas ieith-
yddol gyflawn nad oes gan y Cymry mohoni. Ac oni bai am wall-
gofrwydd Hitler, diau y byddai'r Almaeneg yn iaith gymunedol
gref yn y Sudetenland hyd heddiw, yn gryfach o lawer nag yw'r
Gymraeg yn yr hyn sy'n weddill o'r Fro Gymraeg.

Nid yw'r dull rhyddfrydol-gymathol o feddwl heb ei ddylanwad
yn y Gymru gyfoes. Mae'r hanesydd Chris Williams o blaid codi
Cymru 'ôl-genedlaethol' lle y 'câi disgwrs hunaniaeth genedlaethol
a rhethreg Cymreictod ei adael ar ôl.'[11] Mae fel pe bai S.R. ei hun

yn taranu! Ond beth tybed fyddai ffawd y gymuned Gymraeg
mewn Cymru lle y dethlir 'dinasyddiaeth ôl-genedlaethol sy'n
croesi ffiniau gwleidyddol a diwylliannol cyfoes, gan anelu at
gonsensws o werthoedd moesol cyffredinol yn ymgorffori hawliau'r
unigolyn'?[12] Ymddengys 'ôl-genedlaetholdeb', gyda'i sôn am
werthoedd cyffredinol, hawliau unigolyddol a moesoldeb traws-
ffiniol, yn drawiadol o debyg i'r Rhyddfrydiaeth fwyafrifol a geid
yn y bedwaredd ganrif ar bymtheg, ac a ddiystyrodd hawliau
cymunedau lleiafrifol yn llwyr.

Llafuriaeth a'r agwedd wrth-Gymraeg

Mudiad go debyg i Ryddfrydiaeth Brydeinig-Gymreig o ran ei
awydd i lunio diwylliant cyffredinol ar dir moesol oedd mudiad
sosialaidd Cymru'r ugeinfed ganrif, sy'n esbonio pam fod saf-
bwyntiau gwrth-Gymraeg wedi cael rhwydd hynt yn y ganrif
honno hefyd. Rhagfarnai yn erbyn pob math o leiafrifoedd, brodorol
a mewnfudol, yn enw cymathiad a'r trawsffiniol, yn benodol
grwpiau ethnig nad oeddynt yn perthyn i'r dosbarth gweithiol
'rhyngwladol', sef yng Nghymru y dosbarth gweithiol Prydeinig
gwyn, Saesneg ei iaith.[13] Mae i ryngwladoldeb, fel i'r sifig, bob tro
ei graidd ethnig y mae ei flaenoriaethau yn cael ei wasanaethu
ganddo.

Nid y lleiaf o droseddau gwrthleiafrifol y mudiad llafur oedd
ei ogwydd gwrth-Gymraeg. Yn wir, haedda'r pwnc ei astudiaeth
theoretig a hanesyddol ei hun. Yng nghymdeithas ddeu-ethnig
cymoedd y de hanner cynta'r ugeinfed ganrif, cymdeithas yr oedd
tyndra iaith yn ganolog iddi (ffaith a ddynodir yn baradocsaidd
gan y diffyg trafodaeth yn ei gylch),[14] normaleiddid goruchafiaeth
y Saesneg trwy ddadleuon am natur gynhwysol a chyffredinol
Prydeindod dosbarth gweithiol. Adnabyddid y Gymraeg fel crair
ethnig a oedd yn ei neilltuolrwydd yn amlygiad o Adwaith. Fe'i
gwrthwynebid yn enw cydraddoldeb, ac roedd y safiad yn ei
herbyn yn fwy cymhleth felly na datganiad o wrth-Gymreictod
neu hiliaeth yn erbyn Cymry, er mai hiliaeth yn erbyn Cymry
fyddai ei effaith ymarferol.

Mynegiant o safbwynt cyffredinol sy'n tarddu o'r un ffynhonnell oleuedig yw agwedd Rhyddfrydiaeth a Sosialaeth at ethnigrwydd, er gwaetha'r agendor rhyngddynt ym mater 'cyffredinoli' (sef dosrannu) eiddo. Hyn sy'n esbonio pam fod eu hagwedd at y Gymraeg mor debyg. Wrth i hegemoni rhyddfrydol y bedwaredd ganrif ar bymtheg ildio'i le i hegemoni Llafuraidd yr ugeinfed, ni chafwyd unrhyw newid ystyrlon yn agwedd 'hegemoni' at y Gymraeg.

Tystia cynddaredd Engels yn 1849, wedi i'r Slafiaid gloffi chwyldro bwrgais yr Almaenwyr a'r Magyariaid, fod dadleuon cyffredinol, gwrthleiafrifol yn greiddiol i Farcsiaeth yn ystod ei blynyddoedd ffurfiannol cynnar. Dengys ei gasineb at y bobloedd lai ei agwedd ddilornus at wahanrwydd diwylliannol, ac yn benodol at fodolaeth 'cenhedloedd anhanesiol' ('geschichtslosen Völker'), a oedd yn 'sbwriel pobloedd' ('Völkerabfälle'). 'Nes iddynt gael eu dadgenedlaetholi neu'u difodi'n llwyr', meddai Engels, byddent 'yn gludwyr ffanatig gwrthchwyldro, a'u holl fodolaeth yn brotest eisoes yn erbyn chwyldro hanesyddol mawr.'[15] Oddi wrth Hegel y cafodd y syniad nad oes gan genedl heb ei gwladwriaeth ei hun ddim hanes.[16] Wrth gwrs, nid yw'n anodd gweld sut y gellid troi datganiad o'r fath ar ei ben gan genedlaetholwyr y gwledydd llai, a'l ddefnyddio er mwyn cyllawnhau datblygiad eu cenedlaetholdebau a'u gwladwriaethau eu hunain.

Yn hyn oll mae Sosialaeth yn driw i'w gwreiddiau goleuedig. Taranai Hegel a Marx yn erbyn 'neilltuoldeb' Iddewiaeth a oedd yn milwrio yn eu tyb hwy yn erbyn gwerthoedd cyffredinol y ddynoliaeth.[17] Awydd rhesymolaidd i ryddhau'r Iddewon o grefydd obscwrantaidd yw sail eu rhagfarn.[18] Dyma ochr dywyll yr Oleuedigaeth, ei *Schattenseite*, y byddai athronwyr Ysgol Frankfurt, a Theodor Adorno yn enwedig, yn tynnu sylw ati.[19] Roedd y ddadl gyffredinol, 'sosialaidd' yn milwrio yn erbyn lleiafrifoedd o bob math, ac nid oedd y rhagfarn yn erbyn cenhedloedd bychain anhanesiol ond yn un amlygiad o hyn.

Nid nad oedd ymatebion eraill ymhlith sosialwyr, a oedd yn fwy pleidiol i ddiwylliannau llai. Yn Awstria, ymdrechai theorïwyr Awstro-Farcsiaeth i ddatrys problemau ethnig Brenhiniaeth Habsbwrg wrth ddadlau o blaid 'Personalautonomie', gan gynnig fod cenedligrwydd, a'r hawliau sydd ynghlwm wrtho, yn perthyn i'r unigolyn yn hytrach nag i diriogaeth. Gall yr unigolyn feddu ar hawliau iaith er bod ei grwp iaith yn lleiafrif mewn cymdogaeth neilltuol. Deil rhai fod dadleuon Otto Bauer, prif theoretegydd y safbwynt hwn, yn fath cynnar o amlddiwylliannedd.[20] Ond gan nad oedd gan y Cymry unrhyw hawliau iaith o gwbl, roedd trafodaeth soffistigedig ynglŷn â sut i fireinio'r defnydd ohonynt yn lled amherthnasol.

Roedd Lenin yn cydnabod 'hawl cenhedloedd i hunanbenderfyniad', teitl erthygl bwysig o'i eiddo, ac yn wahanol i'r Awstro-Farcsiaid credodd yn sail diriogaethol cenhedloedd, gan roi sêl bendith ymddangosiadol felly ar eu hawl i geisio annibyniaeth.[21] Ond er iddo gefnogi hawliau iaith, barnai fod economeg yn gorfodi iaith gyffredin ar bawb yn yr un wladwriaeth.[22] Ymhellach, nid oedd yn gefnogol i genedlaetholdeb lleiafrifol mewn gwledydd cyfalafol, democrataidd, datblygedig gan y tanseiliai hynny undod y proletariat yn eu brwydr yn erbyn bwrgeisiaeth.[23] Cenedl mewn gwladwriaeth felly oedd Cymru.

Gallai Marcsiaid gefnogi annibyniaeth gwledydd fel Iwerddon a Gwlad Pwyl am y credent fod yn y gwledydd hyn ddichonoldeb cenedlaetholdeb chwyldroadol. Ond nid dyna eu barn am y gymuned ieithyddol leiafrifol yn 'South Wales' a oedd eisoes, diolch i Ryddfrydiaeth anghydffurfiol, yn rhan ymddangosiadol gymathedig o'r 'genedl' imperialaidd a bwrgais Brydeinig.

Yng Nghymru, felly, Sosialaeth gymathol, fwyafrifol a gâi'r llaw uchaf. Nid digon yw priodoli hyn i ffactorau 'lleol', megis goruchafiaeth y Blaid Lafur, a haeru mai mater o anlwc ydoedd na chafodd Llafuriaeth Brydeinig ei threchu gan sosialwyr 'Cymreig' mwy gwlatgar (y Blaid Lafur Annibynnol, Plaid Cymru, y Blaid Gomiwnyddol; unigolion fel E. T. John ac yn y blaen). Digwyddodd y fuddugoliaeth Brydeinig, gymathol, wrth-Gymraeg yn y de am reswm, ac mae'n datgelu llawer am werthoedd y gymdeithas honno. Mae i natur wrth-Gymraeg Sosialaeth yr ugeinfed ganrif ei gwreiddiau syniadol: mae'n ymestyniad ac ymgryfhad o resymeg ryddfrydol cenhedlaeth wleidyddol gynt.

Mae'n wir fod y Blaid Lafur Annibynnol yn credu mewn *Home Rule*, a'r Blaid Lafur foreol hefyd. Ar fandad hawliau i'r gweithwyr ac ymreolaeth i Gymru yr etholwyd yn 1900 Keir Hardie yn Aelod Seneddol cynta'r Blaid Lafur. Ond roedd greddf y Blaid Lafur eisoes yn gymathol Brydeinig (crynodeb yw'r unig Gymraeg a geir yn nhraethiad ffurfiannol, 'cenedlaetholgar' Keir Hardie, *The Red Dragon and the Red Flag*, yn 1912).[24] Erbyn diwedd yr ugeinfed ganrif, buasai'r Blaid Lafur yn fwy cyfrifol am danseilio iawnderau cenedlaethol ac ieithyddol y Cymry na'r un corff arall yn hanes Cymru erioed.

Gan fod y Cymry yn orthrymedig o ran dosbarth cymdeithasol, ac ar gyrion ethnig y wladwriaeth Brydeinig hefyd, roedd eu gwleidyddion yn rhwym o wrthsefyll Torïaeth Seisnig. Ond trwy ei fod yn hybu cyffredinolrwydd Prydeinig, hyrwyddodd y gwrthsafiad hwn fuddiannau Seisnig ar y gwastad ieithyddol. Daliwyd y Chwith yng Nghymru mewn rhwyd drefedigaethol, a pho fwyaf y pentyrrid pleidleisiau drosti, po fwyaf dwys yr âi'r gorthrwm ar y gymdeithas Gymraeg.

Y Dde Saundersaidd

Y canfyddiad fod y sifig Prydeinig yn endid mwy moesol na'r 'ethnig' Cymraeg sy'n diffinio diwylliant gwleidyddol Cymreig o ddyddiau'r Llyfrau Gleision hyd at sefydlu'r Cynulliad yng Nghaerdydd. Mae'r dadleuon hyn yn rhai ffug gan fod dulliau cyfanfydol, sifig o synio am y byd, boed yn rhai rhyddfrydol neu sosialaidd, yn cynnwys o'u mewn anoddefgarwch tuag at yr Arall lleiafrifol. Roedd yn anorfod, felly, y byddai llawer o'r ymdrechu o blaid hawliau cenedlaethol y Cymry yn dod o'r adain dde. At y Dde Saundersaidd mae'n rhaid troi er mwyn gweld parchu gwahaniaethau ieithyddol, ethnig a chenedligol yng Nghymru hanner cynta'r ugeinfed ganrif.

Pan sefydlwyd mudiad cenedlaethol Cymreig, Plaid Genedlaethol Cymru, yn 1925, a hwnnw am y tro cyntaf yn hanes Cymru yn gwbl annibynnol ar y pleidiau Seisnig, gwnaed hynny gan ddynion a merched a oedd yn adweithio'n hunanymwybodol i Ryddfrydiaeth Gymreig. Nid oeddynt i gyd yn cydymdeimlo â'r Dde (roedd rhai ohonynt, fel Kate Roberts, ar y Chwith), ond roeddynt oll yn gymdeithion ar ymdaith yr oedd ei hosgo ideolegol yn amlwg. Nid hwy oedd y cyntaf i ymwrthod â Rhyddfrydiaeth am eu bod yn genedlaetholwyr, eto hwy oedd y cenedlaetholwyr cyntaf i weithredu fel plaid wleidyddol drefnedig. Buasai rhai yn breuddwydio am weld sefydlu plaid o'r fath o'r blaen, er mai pur ymylol oeddynt yn y bywyd cenedlaethol Cymreig, o ddeall y gair 'ymylol' fel y byddai hanesydd fel K. O. Morgan yn ei ddeall. O ble daeth y Geidwadaeth Gymraeg, chwyldroadol hon? Daeth i Gymru o Lanofer. Gwrthsafiad ethnig ydoedd yn erbyn greddf gymathol Rhyddfrydiaeth. Gwêl un o haneswyr prin y mudiad cenedlaethol cynnar, Emlyn Sherrington, Blaid Genedlaethol Cymru yn olynydd i'r Anglicanwyr hynny a oedd rhwng y 1880au a 1914 yn genedlaetholwyr Cymreig ac yn elyniaethus i Anghydffurf-iaeth.[25] Roedd yr Anglicaniaeth hon yn ei thro'n dra dyledus i gyfnod cynharach clerigwyr Cymreig Swydd Efrog, y cymdeith-asau Cymreigyddol a'r Hen Bersoniaid Llengar. Ceir yma'r cyswllt â chenedlaetholdeb Saunders Lewis, oherwydd wrth gefnu ar y Methodistiaid Calfinaidd a throi'n Gatholig, dilynodd Saunders lwybr tebyg. Tybiodd yntau hefyd fod Anghydffurfiaeth, Rhydd-frydiaeth a Phrydeindod yn weddau ar ei gilydd.

Yn y dadansoddiad hwn o hanes Cymru yr oedd Saunders Lewis yn gwbl gywir. Ymestyniad o hegemoni Prydeinig oedd Anghydffurfiaeth a Rhyddfrydiaeth. Mudiad yr adain dde oedd Plaid Genedlaethol Cymru am na allasai fod wedi bod yn ddim arall. Y Dde oedd yr unig le yn y sbectrwm gwleidyddol nad oedd wedi'i feddiannu gan ddadleuon o blaid y cyffredinol. Felly, mae ceidwadwyr gwlatgar ddiwedd y bedwaredd ganrif ar bym-theg yn ffigyrau pwysig yn hanes Cymru, fel John Arthur Price y cyflwynodd Saunders Lewis ei lyfr, *Ceiriog*, iddo yn 1929, 'yn arwydd o'm cariad a'm parch'.[26] 'Nid oedd gan Gymru Fydd', meddai un sylwedydd, 'ond dau Genedlatholwr go-iawn, Emrys ap Iwan ac Arthur Price.'[27] Difyr mai yn 1925, blwyddyn sefydlu'r Blaid, y dywedodd Arthur Price am Gymru Fydd mai 'Yr hyn y dymunwn ei weled yr adeg honno oedd plaid Doriaidd Gened-laethol Gymreig.'[28]

Roedd yn rhaid i Blaid Genedlaethol Cymru deithio'n ddigon pell i'r Dde i gamu o'r rhwyll ryddfrydol. Fodd bynnag, nid bod ar y Dde a oedd yn angenrheidiol i genedlaetholdeb Cymraeg ond bod yn wrthryddfrydol.[29] Roedd Saunders Lewis yn barod i glosio at rai meddylwyr ar y Chwith (Jean-Paul Sartre a'i ddirfodaeth, er enghraifft) pe barnai fod eu safbwyntiau'n andwyol i Ryddfrydiaeth. Dengys ei gefnogaeth i Weriniaethwyr sosialaidd ddechrau'r 1950au, wrth iddynt danseilio arweinyddiaeth ryddfrydol Gwynfor Evans ar Blaid Cymru, fod hyn yn strategaeth ymarferol ganddo hefyd.[30] O dan amodau hanesyddol gwahanol, nid yw'n amhosibl y gallasai plaid genedlaethol Gymreig fod wedi dod o'r Chwith galed. Ond yng Nghymru yr oedd y Chwith yn wrth-Gymraeg.

Yn nhyb Saunders Lewis, y dasg gyntaf i genedlaetholwyr y 1920au oedd moderneiddio'r diwylliant Cymraeg, 'gwneud Cymru Gymraeg yn rhywbeth byw, cryf, nerthol, yn perthyn i'r byd modern', a heb greu cenedl Gymreig fodern, ni fyddai modd i genedlaetholdeb lwyddo.[31] Yn hyn o beth, mae ei amgyffred o gyfraniad moderneiddiad i dwf cenedlaetholdeb mewn cenhedloedd diwladwriaeth yn debyg i ddealltwriaeth haneswyr Marcsaidd. Coleddai Saunders Lewis weledigaeth o Gymru fodern am y byddai honno'n wrthryddfrydol, ac yn 'creu' cenedl. Buasai Rhyddfrydiaeth yn ddof, gwrthddeallusol a Phrydeinllyd, a'i hestheteg yn ceisio dihangfa hiraethlon rhag y byd cyfoes, Seisnig. Roedd felly yn rhan annatod o afael y byd hwnnw ar y Cymry, a delweddau cyfarwydd bythynnod gwyngalchog y wlad, bugeiliaid y mynydd a'r mab afradlon wedi dod adref i'r wlad o'r maes glo (fel plant heddiw wedi dod adref o Gaerdydd) yn greiddiol i ddisgwrs Cymraeg, Prydeiniedig y cyfnod.[32]

Mewn cenedl-wladwriaethau fel Lloegr a'r Almaen gallasai'r Chwith ddyneiddiol fod wedi bod yn gyfrwng i foderneiddiad esthetaidd. Fodd bynnag, nid oedd hynny'n bosibl yng Nghymru, o leiaf nid yn y Gymraeg.[33] Felly, er mai ceidwadol oedd gwleidyddiaeth Plaid Genedlaethol Cymru, nid Ceidwadaeth 'geidwadol' a phetrus mohoni, ond Ceidwadaeth amgen, radical a welai'r angen am Gymru Gymraeg fodern, a bathu'r genedl Gymreig o'r newydd mewn ailenedigaeth chwyldroadol, gweledigaeth a gynhwysai o'i mewn rai elfennau na fyddent yn gwbl ddieithr i'r Dde radical.

Yn y blynyddoedd rhwng ei benodi'n ddarlithydd yn Abertawe yn 1922 a'i ddiswyddo wedi'r Tân yn Llŷn bymtheng mlynedd yn ddiweddarach, aeth Saunders Lewis ati i ddadryddfi y doli diwyll iant Cymru, a da y gwyddai rhyddfrydwyr Cymraeg hynny gan yr aethant ati bob cam o'r ffordd i'w wrthwynebu. Brithir ei gyhoeddiadau yn y fenter ryfeddol hon gan enwau meddylwyr yr Ewrop Gatholig. Eto nid Maurice Barrès, Charles Maurras ac apostolion yr *Action française* a ddylanwadai fwyaf arno, ond Iddew o Fienna, Sigmund Freud. Troes Saunders Lewis at syniadau Freud am fod ei theorïau seicdreiddiol yn tanseilio'r 'synnwyr cyffredin' gwybyddol a oedd megis yn sail i Ryddfrydiaeth.

Gwelir, felly, mewn maes mor bell oddi wrth wleidyddiaeth bob dydd ag y mae'n bosibl mynd, sut y brwydrid rhwng yr hen gyffredinolrwydd rhyddfrydol Cymreig a neilltuolrwydd y cenedlaetholdeb newydd. I arweinwyr meddwl y Gymru Gymraeg ryddfrydol, roedd Freudiaeth yn ymosodiad ar y duedd resymolaidd, oleuedig mewn gwleidyddiaeth, ac felly ar y drefn ddemocrataidd. Dyrchefid yr isymwybod, yr anempirig a'r cyfriniol ganddi. Gan mai fel 'gwrthgiliad oddi wrth Reswm', chwedl D. Tecwyn Lloyd yn 1946, y syniai rhyddfrydwyr am synfyfyrion seicolegol, gwelent ynddynt dueddiadau totalitaraidd.[34] Trwy 'spectol Freud a T. S. Eliot' yr edrychai Saunders Lewis ar y byd, meddai W. J. Gruffydd mewn adolygiad ar *Ceiriog*, gan ensynio fod Freudiaeth, moderniaeth ac estheteg adain dde wedi'u hasio ynghyd.[35] Gwrthresymoliaeth oedd Freudiaeth, yn troi gwironeddau tu chwith allan: "'llyfr Pantycelyn ar Saunders Lewis'" oedd *Williams Pantycelyn*, astudiaeth seicdreiddiol Saunders o'r Pêr Ganiedydd, a 'gallaf innau', meddai Gruffydd, 'ychwanegu ei fod yn debyg o bara'n hir fel gwaith safonol ar y pwnc hwnnw.'[36]

'Philistia' oedd y Gymru ryddfrydol i Saunders Lewis ar y llaw arall a swydd yr artist oedd codi ar ei hymyl 'Bohemia fechan'.[37] Ond roedd 'yr adwaith llenyddol' yn ôl Gruffydd, sef y foderniaeth a ymgeleddid yn y Fohemia honno, 'yn wrthryfelwr yn erbyn y traddodiad byw Cymreig', a ffordd o fyw y werin anghydffurfiol.[38] 'A gwelaf amser', meddai,

y bydd Cymru'n llawn o hogiau barfog a merched byrwallt wedi
ymwisgo 'fel y dylai artistiaid' ac yn gosod y gyfraith o flaen y byd
mewn tai bwyta ac yfed, heb fod yr un copa walltog ohonynt yn
perthyn i'r Seiat nag wedi bod mewn Ysgol Sul na Chyfarfod Llen-
yddol, na dim byd Philistaidd o'r fath. Mewn gair bydd Cymru
gyfan fel y mae hi yn Bloomsbury yn awr, ac yn llawn mor gyfoethog
mewn cynnyrch â Bloomsbury. Môr o lol fydd Cymru lân.[39]

Taflasai'r cwbl 'ffrwd o olau ar feddyleg y glîc adweithiol.'[40]
Daethai moderniaeth yn faes cad ideolegol rhwng cenedlaeth-
olwyr Cymraeg a rhyddfrydwyr, y sawl a fwytâi eu hacademig
dost yn yr Adrannau Cymraeg y diarddelasid prif feddyliwr Cymru
ohonynt. Pan safodd Saunders Lewis yn ymgeisydd ar ran Plaid
Genedlaethol Cymru yn isetholiad seneddol Prifysgol Cymru yn
1943, W. J. Gruffydd a gynrychiolodd y Blaid Ryddfrydol. Ochrodd
modernwyr Freudaidd y 1920au gyda Saunders (llofnododd
Kitchener Davies, Kate Roberts, Prosser Rhys, Gwenallt a T. Gwynn
Jones ddeiseb gyhoeddus yn cefnogi ei ymgeisyddiaeth), ac ym-
restrodd ei wrthwynebwyr rhyddfrydol yn rhengoedd Gruffydd;
yn eu plith, Lloyd George, Iorwerth Peate, R. T. Jenkins, T. J. Morgan
a D. Tecwyn Lloyd.[41]
Yn hyn o beth, mae hanes deallusol Cymru yn sobr o debyg i
hanes syniadol cyfandir Ewrop. Meddylwyr gwrthryddfrydol (yng
Nghymru, Saunders Lewis o dan ddylanwad Freud; Friedrich
Nietzsche a Martin Heidegger ar y cyfandir) sydd wedi gosod y
sylfeini syniadol ar gyfer gwerthfawrogiad o wahanrwydd diwyll-
iannol. Mae dylanwad Nietzsche ar Michel Foucault, neu Heidegger
ar Jacques Derrida, yn tystio i hynny, ac i bob pwrpas y ddau
feddyliwr Ffrengig yw sylfaenwyr athronyddol ôl-foderniaeth.[42]
Nid cyd-ddigwyddiad ydyw mai neilltuoldeb adain dde Saunders
Lewis oedd ysbardun cychwynnol yr ymgyrchu dros hawliau iaith
yn y 1960au.
Meddai H. W. J. Edwards yn ei glasur coll gwrthryddfrydol,
Torïaidd Cymreig, digyfaddawd o genedlatholgar, Sons of the
Romans: The Tory as Nationalist (1975): 'Yr elfen baradocsaidd i'r
geidwadaeth hon yw ei gwrthsafiad yn erbyn newid radical ar
glymau gwleidyddol. Y paradocs yw mai effaith y nodwedd

geidwadol yw cadw grymoedd radical.'[43] Gall Ceidwadaeth mewn cyd-destun trefedigaethol fod yn radical wrthsefydliadol, ac yn yr un modd gall radicaliaeth fod yn gynheilydd gorthrwm pan fo'n cyd-fynd â rhesymeg gymathol y mwyafrif ethnig goruchafol.

Nid oes ddwywaith nad oedd Saunders Lewis yn y 1920au a'r 1930au yn wleidydd anoddefgar: galwodd am ddileu'r iaith Saesneg yng Nghymru, safbwynt a fynegodd yn groyw yn yr ymadrodd brawychus, *delenda est Carthago*, 'rhaid dinistrio Carthago'.[44] Ond gan fod i Saesneg yn y byd real ei grym anorthrech ni allasai ei haeriadau o blaid ei difodi fod wedi arwain at ddim o'r fath. Eto, roedd y gwrthwynebiad i Saesneg wedi creu lle ar gyfer Cymraeg. Mewn cyd-destun trefedigaethol neu ôl-drefedigaethol, mae'n rhaid i'r neb sydd o blaid amrywiaeth ddiwylliannol ddiffinio ei wleidyddiaeth yn erbyn Rhyddfrydiaeth.

Gorthrwm y sifig ar y gymuned Gymraeg

Yn hanesyddol felly, gan y Dde y ceid yr amddiffyniad pennaf o wahanrwydd y bywyd Cymraeg, yn groes i'r canfyddiad poblogaidd i hyn ddod o'r Chwith. 'Mi welaf mewn unrhyw genedl', meddai H. W. J. Edwards, yn Kantaidd iawn, 'y Peth quasi-organaidd'.[45] Ond nid oedd ei gyd-Gymry yn ei weld.

Beth felly yw agwedd y Cymry heddiw at wahanrwydd diwylliannol, ac at orthrwm y 'cyffredinol', o feddwl fod y Gymru gyfoes yn wlad mor adain chwith? I'r sylwedydd talog, gall ymddangos fel pe bai tro ar fyd. Wedi'r cwbl, mae hyd yn oed adain unoliaethol y Blaid Lafur yn yr oes ôl-ddatganoledig sydd ohoni wedi rhoi heibio ei safbwyntiau gwrth-Gymraeg mwyaf gwrthnysig. Mae Plaid Cymru erbyn hyn yn rhan sefydledig o dirwedd gwleidyddol Cymru. Eto, yn y pymtheng mlynedd ers datganoli, diffrwt iawn fu ei chamre, yn enwedig o'i chymharu â mudiadau cenedlaethol yr Alban a Chatalwnia. A bu'r diwylliant Cymraeg yn ymddatod yn gynt o dan reolaeth adain chwith llywodraeth Bae Caerdydd nag y gwnaethai yng nghwrs deunaw mlynedd o lywodraeth Thatcheraidd Llundeinig.

Gorwedd y bai am y methiant mewn polisi cyhoeddus yn blwmp ar ysgwyddau'r llywodraeth Lafur sydd wedi rheoli'n ddi-dor yng Nghaerdydd er 1999. Ond bu cenedlaetholwyr ar brydiau yn gyndyn o'i cheryddu rhag iddynt dramgwyddo rywsut ar heddwch sifig y wladwriaeth Gymreig. Ceir yng ngwraidd y diffyg ymateb gamddealltwriaeth theoretig sydd wedi dod yn amlycach ers datganoli. Nid yw'r sefydliad gwleidyddol yn gyfforddus yn trafod arwahanrwydd y bywyd Cymraeg, sef yr hyn sy'n gwahaniaethu'r Cymraeg oddi wrth y Cymreig. Pan dry at yr iaith, nid yw'n barod i gydnabod fod y Cymry Cymraeg yn grŵp cymdeithasol: gan hynny, rhoddir sylw i'r Gymraeg ond nid i'r *gymuned Gymraeg*; ond heb ymdrin ag anghenion y gymuned Gymraeg nid oes modd trin y Gymraeg.

Ar wastad Prydeinig hefyd, mae ofn 'arwahanrwydd' yn codi ei ben ac yn milwrio yn erbyn y lleiafrif, sef y Cymreig (a'r Celtaidd) yn hytrach na'r Cymraeg y tro hwn. Felly, roedd slogan yr ymgyrch yn erbyn annibyniaeth yr Alban, 'better together', yn awgrymu fod diwylliant cyffredin y Deyrnas Gyfunol yn tra rhagori ar arbenigrwydd diwylliannol y gwledydd Celtaidd. Mae gan y ddadl hon wreiddiau yn nadleuon cymathol y bedwaredd ganrif ar bymtheg megis galwad daer Benjamin Disraeli, a oedd ei hun yn Iddew cymathedig, y medir dilwylliant cyffredin 'un genedl' ('one nation') drechu rhagfarn yn erbyn lleiafrifoedd.[46]

Mae gorthrwm y sifig yn weithredol ar ddwy lefel: ym Mhrydain, yn erbyn Cymru a'r Alban a'u trigolion; yng Nghymru, yn erbyn y Gymraeg a'i siaradwyr.[47] Tyn hyn sylw at wendid amlwg mewn cenedlaetholdeb Cymreig cyfoes. Er bod gwleidyddiaeth genedlaetholgar gyfoes yn dadadeiladu'n fedrus honiadau ffals fod Prydeindod yn fwy cynhwysol na Chymreictod, nid yw mor effro i beryglon y gallai'r sifig Cymreig bennu mai Saesneg fydd 'iaith gyffredinol' y Gymru Rydd.

Heddiw, felly, mae pwyslais Plaid Cymru ar genedlaetholdeb sifig Cymreig yn cynnwys o'i fewn ymwrthodiad â chenedlaetholdeb ethnig. 'Cenedlaetholdeb sifig blaengar', chwedl arweinydd Plaid Cymru, Leanne Wood, yw'r nod fel pe na bai ethnigrwydd Cymreig yn rhan o'r prosiect o godi cenedl o gwbl.[48] 'Cenedlaetholdeb sifig yw hwn', fel y dywedodd yn ystod etholiadau Ewrop

2014, 'nad yw'n gwahaniaethu rhwng cred, tarddiad neu grefydd, dim ond rhwng y rhai sydd am weld Cymru'n stori lwyddiannus ryngwladol a'r rhai sydd am ein dal yn ol.'[49] Ar yr wyneb, nid oes dim oll o'i le ar hyn, yn wir mae'n wleidyddiaeth wrth-hiliol gymeradwy. Ond mae'r datganiad yn broblematig gan fod y sifig yng Nghymru yn cael ei gysylltu â'r Saesneg ar draul y Gymraeg, ac nid oes modd ymdrin yn ddeallus â phroblemau fel y mewnlifiad Saesneg i froydd Cymraeg pan fo mewnfudwyr yn cyfiawnhau gwrthod dysgu Cymraeg ar sail rhesymeg 'sifig' o'r fath.

Wrth reswm, gwleidydd yw Leanne Wood, ac ni ellid disgwyl iddi ddweud yn gywirach, sef fod i genedlaetholdeb Cymreig fel pob cenedlaetholdeb elfennau ethnig a sifig yn perthyn iddo. Pe gwnâi hynny, byddai ei geiriau yn cael eu hedliw iddi byth a hefyd. Fodd bynnag, y gwirionedd yw bod ymwybyddiaeth o hunaniaeth 'ethnig' yn hanfodol i barhad cenedl ddiwladwriaeth sydd heb y gallu i orfodi ei diwylliant ar eraill trwy gyfrwng ei sefydliadau sifig ei hun. Mae'n hanfodol felly bod cenedlaetholwyr yn llunio strategaeth wleidyddol a fydd yn rhoi hwb, ar bob cyfle posibl, i hunanymwybyddiaeth ddiwylliannol. Pan wneir fel arall, ni cheir mudiad cenedlaethol llwyddiannus. Pa reswm sydd i'r sifig Cymreig fod yn annibynnol ar y sifig Prydeinig os nad oes unrhyw wahanrwydd ffurfiannol gwaelodol yn perthyn i Gymru a fyddai'n gyfiawnhad dros y gwahanu? Onid yr iaith yw'r peth ffurfiannol hwnnw?[50]

O safbwynt Cymry Cymraeg, mae'r pwyslais cenedlatholgar ar undod cenedlaethol (mae pwysleisio undod y genedl yn rhan graidd o bob cenedlaetholdeb) yn medru bod yn niweidiol hefyd. Wrth i briod iaith cenedl fynd yn iaith lafar carfan yn unig o blith ei dinasyddion, gall ei bodolaeth fel arwyddnod grŵp cymdeithasol sy'n wreiddiol i ffurfiant y genedl, ac eto'n llai na hi, filwrio yn erbyn delfryd o gynhwysedd sifig. Yn y 1970au, gwrthwynebwyd y syniad o 'Fro Gymraeg' oherwydd pryder y byddai endid o'r fath yn rhannu'r genedl. Yn benodol, byddai rhanbarth â hunaniaeth Gymraeg (yn hytrach na dwyieithog) gref yn gwyro gormod oddi wrth hunaniaeth Saesneg normadol i genedlaetholdeb sifig fedru apelio mwyach at genedl gyfan. Yma felly bu i naratif cenedlaetholdeb sifig arwain at fethu â chymryd mesur polisi (dadleuol, bid sicr) a fyddai wedi gwarchod cymunedau Cymraeg eu hiaith.

Pe ceid ewyllys wleidyddol, gellid ffrwyno rywfaint ar duedd y sifig Cymreig i annilysu hunaniaethau Cymraeg cryfion. Nid yw'n gwbl amhosibl y gellid endid Cymreig sifig a fyddai'n parchu bodolaeth y gymdeithas Gymraeg sy'n waelodol iddo. Ni fyddai'n rhaid i Gymru annibynnol fod yn wladwriaeth unedol, a gellid datganoli rhai grymoedd i'r ardaloedd Cymraeg. Ceir cynsail i hyn ym mholisi'r SNP o roi i'r ynysoedd hynny yn yr Alban sydd â hunaniaeth ddiwylliannol Nors a Gaeleg gref rymoedd datganoledig wedi annibyniaeth.[51] Ac os yw sylfaen diriogaethol yr awgrym hwnnw'n peri tramgwydd i rai, oni ellid codi cynnig Ned Thomas y gallai siaradwyr Cymraeg gael eu cynulliad etholedig, ymgynghorol eu hunain?[52] Meithrinid felly rhyw wedd o gydnabyddiaeth o hawl y gymdeithas Gymraeg i leisio'n ddemocrataidd drosti'i hun fel sy'n weddus mewn cymdeithas amlddiwylliannol.

Sut y gall Cymru fod? Gwrthsefyll Rhyddfrydiaeth gymathol

Dyma gloi gan arfer cylllldeb o'r math y bydd gohebwyr gwleidyddol yn ei fynnu yn enw eglurder ac atebolrwydd. Pam na fu Cymru? Am fod y sifig yn gweithredu fel cyfryngwr diofyn grym y mwyafrif, a chostrelir hyn mewn ideolegau cyfanfydol fel Rhyddfrydiaeth a Sosialaeth fwyafrifol. Llyncodd y Cymry yr abwyd.

Diau, er hynny, y byddai rhyddfrydwyr yr unfed ganrif ar hugain yn mynnu fod gwahanol fathau o Ryddfrydiaeth yn bod heddiw ac nad yw beirniadaeth ar Ryddfrydiaeth y bedwaredd ganrif ar bymtheg yn feirniadaeth ddilys ar Ryddfrydiaeth gyfoes. Mae elfen o wir yn yr honiad hwn. Ceir rhai rhyddfrydwyr cyfoes sy'n dadlau o blaid egalitariaeth ddiwylliannol gan gymell diflaniad diwylliannau lleiafrifol yn enw cydraddoldeb, ond nid yw hynny'n wir am y rhelyw, a chodi dyn gwellt er mwyn ei drechu mewn dadl ffug fyddai honni hyn.[53] Ac eto, pa mor leiafrif-gyfeillgar yw Rhyddfrydiaeth heddiw mewn gwirionedd? Yn hytrach nag annog cymathiad fel y gwnâi o'r blaen, tuedd Rhyddfrydiaeth gyfoes yw goddef i gymathiad ddigwydd, a chodi bwganod y byddai'r camau sy'n debyg o i wystro hynny yn 'anryddfrydol'. Mae Rhyddfrydiaeth yn ideoleg wrthleiafrifol yn ei gwraidd.

Dadleua'r academydd Cymraeg Huw Lewis, y mae ei waith yn trafod dichonoldeb adferiad ieithyddol o safbwynt egwyddorion rhyddfrydol, fel arall. Honna fod carfan a eilw yn 'rhyddfrydwyr diwylliannol' wedi gweddnewid agwedd Rhyddfrydiaeth at leiafrifoedd cenhedlig, tra deil rhyddfrydwr Cymraeg arall, Gwenllian Lansdown Davies, fod modd seilio'r alwad am annibyniaeth i Gymru ar syniadaeth ryddfrydol John Rawls.[54] Ceir yng ngwaith y ddau ymdrech i gysoni cenedlaetholdeb Cymreig, yn ei weddau sifig ac 'ethnig', â Rhyddfrydiaeth athronyddol, sef i ddilysu disgyrsiau ymyledig cenedligrwydd Cymreig yn nhermau metanaratif moesegol prif dueddiad athronyddol yr oes. Trwy ddadlau fod modd cyfiawnhau camau o blaid ieithoedd lleiafrifol o safbwynt rhyddfrydol, gobeithia Huw Lewis y daw'n haws ennill dadleuon polisi o'u plaid mewn cyfundrefnau gwleidyddol rhyddfrydol fel yng Nghymru. Er enghraifft, pe gellid darbwyllo gwleidyddion yng Nghaerdydd fod ymyrraeth yn y maes cynllunio er mwyn cyfyngu ar fewnlifiad i'r broydd Cymraeg yn dderbyniol o safbwynt rhyddfrydol, diau y pylai peth o'r pryder fod hyn yn dramgwyddus o safbwynt 'ethnig'.

Eto, er bod rhyddfrydwyr diwylliannol fel Huw Lewis a Will Kymlicka yn fwy cefnogol i ddiwylliannau lleiafrifol na rhyddfrydwyr eraill, mae pob Rhyddfrydiaeth yn codi undod y sifig (mwyafrifol) yn fan cychwyn, ac erys o'r herwydd anghysondebau nad oes modd eu datrys. Hwyrach ei bod yn wir, fel yr awgryma Gwenllian Lansdown Davies, fod modd cyfiawnhau annibyniaeth i Gymru ar sail athrawiaeth Rawls (ffeirio un math o sifig am fath arall a wneid, wedi'r cwbl), ond heb fwrw trem beirniadol ar le'r ethnig mewn Cymru annibynnol, ni fyddid gam yn nes at ddileu'r gorthrwm ar y gymdeithas Gymraeg a gafwyd gynt o du'r wladwriaeth Brydeinig.

Un ateb i'r broblem hon yw pwysleisio y gallai'r Gymraeg fod yn iaith sifig *hefyd* trwy fod y gymdeithas Gymraeg yn amlddiwylliannol ac amlethnig yn ei hawl ei hun. Rhoddwyd cynnig ar dacteg o'r fath gan Dan Isaac Davies yn niwedd y bedwaredd ganrif ar bymtheg pan ddadleuodd fod plant mewnfudwyr yn dysgu Cymraeg yn y gymuned, a chan fod y gymdeithas Gymraeg, trwy hynny, yn endid trawsethnig y gellid cyfiawnhau ar sail dadleuon rhyddfrydol ddysgu Cymraeg mewn ysgolion.[55]

Yn eironig, byddai troi'r Gymraeg yn iaith sifig o'r iawn ryw yn gofyn am bolisïau iaith mwy 'gorfodol' o lawer na rhai a'i cadwai'n iaith ethnig. Iaith grŵp cymdeithasol pwerus wedi'i throi'n 'iaith gyhoeddus gyffredin' yw iaith sifig: dyna sy'n egluro llwyddiant y Saesneg yng Nghymru. Felly byddai troi'r Gymraeg yn iaith sifig yn golygu ei throi'n iaith normadol, *gyffredinol* trwy ei thiriogaeth, ac ni ellid hynny heb fesurau cryfion: dysgu Cymraeg i bob plentyn, gweinyddu'n fewnol trwy'r Gymraeg gan y byddai disgwyl i weithiwr fod yn ddwyieithog, cyflwyno dinasyddiaeth Gymreig sy'n cymell y Gymraeg i'r un graddau ag y cymhellir y Saesneg.

Fodd bynnag, cyfundrefn yw Rhyddfrydiaeth sy'n dadlau na ellir 'gorfodi' camau o'r fath. Nid oes modd felly troi lleiafrif ethnig yn fwyafrif sifig gan fod y camau 'gorfodi' sy'n angenrheidiol ar gyfer hynny yn cael eu gomedd. Condemnia Rhyddfrydiaeth ddiwylliannau lleiafrifol i drengi ar y cyrion ethnig.

Amlygir y broblem hon yng ngwaith Huw Lewis. Dadleua na all adferiad iaith fod yn later o 'gyfiawnder', gan nad yw'r niwed sy'n deillio o ddirywiad ieithyddol yn croesi'r trothwy angenrheidiol ar gyfer ei ystyried yn niwed 'hollgyffredinol'.[56] Mae'n anodd gan hynny gosod dyletswyddau ar eraill i arddel yr iaith leiafrifol. Er y gellid rhoi ystyriaeth i 'sicrwydd' (sef sefydlogrwydd) y gymdeithas leiafrifol, nid yw hyn yn 'trympio' egwyddorion rhyddfrydol pwysicach. Nid oes 'hawl' gan gymuned ieithyddol i 'oroesiad', gan y gallai hynny olygu gorfodi eraill i arfer yr iaith mewn dyfodol anhysbys.[57]

Wrth reswm, nid yw'r ystyriaethau hyn yn effeithio ar y gymuned fwyafrifol gan fod yr iaith fwyafrifol yn cael ei gorfodi'n ddigymell trwy rym symbolaidd, anweladwy bywyd bob dydd. Dywed hyn lawer wrthym am swyddogaeth Rhyddfrydiaeth fel cyfreithlonwr grym cymdeithasol.

Yng ngeiriau Pierre Bourdieu:

Er gwaetha'r parch y mae'r *homo scholasticus* sy'n cysgu ynof yn gallu ei deimlo tuag at adeiladwaith theoretig John Rawls, ni allaf dderbyn model ffurfiol lle mae pethau rhesymeg yn bwrw eu cysgod neu'n pwyso yn rhy weladwy ar resymeg pethau.[58]

Ystyr hyn, o'i roi mewn Cymraeg plaen, yw nid yw damcaniaeth i gael y blaen ar realiti gorthrwm yn y byd.

Hyd yn oed os yw rhyddfrydwr yn gefnogol i gynllunio ieithyddol, codir y cwestiwn pwy sydd i benderfynu pa gamau sy'n dderbyniol er mwyn adfer neu warchod iaith, a pha rai nad ydynt? Nid oes dewis gan y rhyddfrydwr ond nodi'r ateb amlwg: y drefn ddemocrataidd![59] Dengys hyn yn syth wendid y ddadl ryddfrydol, oherwydd nid yw democratiaeth fwyafrifol gan mwyaf ond yn enw arall ar ewyllys y mwyafrif, ac nid yw unrhyw fwyafrif yn debyg o gymeradwyo ond y mesurau hynny sy'n hwylus iddo, yn 'rhesymol a chymesur', chwedl sawl statud a llywodraeth am hawliau iaith yng Nghymru.[60] Fel arfer, ni chyflwynir mesurau cryfion o blaid lleiafrifoedd mewn cymdeithasau democrataidd-ryddfrydol ond pan fo'r lleiafrif ieithyddol yn cipio grym gwleidyddol ei hun, fel sydd wedi digwydd yn Québec, Catalwnia, Gwlad y Basg, ac yn y cyd-destun Cymraeg yng Ngwynedd. Digwydd am resymau yn ymwneud â nerth niferoedd a demograffeg: mae'r lleiafrif cenhedlig yn fwyafrif, ac yn ymddiffinio i raddau helaeth ar sail iaith. Grym yw brenin penderfyniadau democrataidd mewn cymdeithasau rhyddfrydol, yr un fath ag ymhob cymdeithas erioed.

Gan mai cynheilydd y *status quo* yw Rhyddfrydiaeth, tramgwyddir rhyddfrydwyr yn ddirfawr pan bechir yn erbyn hawliau ieithyddol aelodau'r mwyafrif. Bydd hyn yn esgor ar anghysondebau sydd nid yn unig yn amlwg, ond hefyd yn llwyr wrthgyferbyniol. Felly yng Nghymru, myn y wladwriaeth y byddai'n anryddfrydol mynnu fod Saeson mewn ardaloedd Cymraeg yn dysgu'r Gymraeg. Ond myn y wladwriaeth *hefyd* fod yn rhaid i fewnfudwyr ym Mhrydain ddysgu Saesneg. Felly, caiff grym cymdeithasol y Saesneg fwrw yn ei flaen yn ddilyffethair. Pe cymhwysid dadleuon y sifig am yr iaith Saesneg at y Gymraeg, byddid yn datgan mai Cymraeg yw 'iaith gyhoeddus gyffredin' cymunedau Cymraeg gan ymwadu â dwyieithrwydd sy'n caniatáu i fewnfudwyr i'r Fro Gymraeg aros yn ddi-Gymraeg. Eto, ni wna Rhyddfrydiaeth hyn.

Swyddogaethau cyfyng a neilltuir i ieithoedd lleiafrifol gan ryddfrydwyr fel arfer. Goddefir defnydd o'r iaith leiafrifol ar yr aelwyd oherwydd tybiaeth fod y sifig yn niwtral ac na ddylid ymyrryd yng nghylch preifat y teulu. Caniateir hefyd gynnal busnes cyhoeddus yn yr iaith leiafrifol ar y sail fod hyn hefyd yn tystio i niwtraliaeth honedig y wladwriaeth.[61] Mewn cymdeithas fodern, fodd bynnag, nid yw 'haelioni' o'r fath yn gwneud fawr ddim i hwyluso parhad hirdymor y lleiafrif, gan na wna fwy na chadw'r iaith lai yn ei lle fel iaith ategol mewn trefn ddwyieithog anghytbwys, ac ni chaiff y lleiafrif fod yn oruchafol hyd yn oed ar dro.

Fodd bynnag, nid ymddengys fod pob lleiafrif yng Nghymru (o ddiffinio lleiafrif fel grŵp llai ei rym) yn cael ei gloffi gan ddadleuon rhyddfrydol yn y dull hwn. Ceir polisïau anryddfrydol yng Nghymru sy'n seiliedig ar fuddiannau grŵp ac yn dderbyniol gan y sefydliad gwleidyddol. Dyna'r rhestrau byrion merched-yn-unig a fabwysiedid gan bleidiau gwleidyddol wrth iddynt ddethol ymgeiswyr mewn etholiadau. Maent yn tramgwyddo'r dybiaeth ryddfrydol na ddylid ceisio cyfiawnder i grŵp mewn modd sy'n sathru ar hawliau unigol (hawliau dynion yn yr achos hwn).[62] Ac eto, os mai'r nod yw sicrhau cydbwysedd rhwng grwpiau cymdeithasol a gwneud iawn am gamwahaniaethu yn erbyn merched, diau fod y polisi'n gyfiawn. Cwestiwn diddorol, gan hynny, yw pam na wahaniaethir yn gadarnhaol o blaid grwpiau iaith fel y Cymry Cymraeg, er enghraifft yn y farchnad dai. Yr ateb amlwg yw bod y gymuned Gymraeg wedi cael ei gosod mewn blwch 'ethnig', a chyfartaledd menywod yng nghategori cyfiawnder sifig, ac o ganlyniad gellir gwahaniaethu'n gadarnhaol o blaid merched ond nid o blaid siaradwyr Cymraeg.

Rhaid felly i'r Cymry ddibynnu ar hawliau unigol nad ydynt yn bod mewn gwirionedd, megis yr hawl ddamcaniaethol i bwrcasu eiddo mewn cystadleuaeth yn erbyn mewnfudwyr o Loegr sydd, yn amlach na pheidio, â chyfalaf mwy. Yn y disodliad ethnig arnynt sy'n ganlyniad agweddau rhyddfrydol o'r fath, ac sy'n mynd rhagddo yn yr ardaloedd Cymraeg, y disodliad ar grŵp iaith fel *grŵp iaith* sy'n anghyfiawn. Nid mater syml mohono o fethiant unigolion fel unigolion i brynu tai mewn ardaloedd hardd. Ond, yng ngolwg y sifig, Cymro yw'r prynwr tai o Loegr gan ei fod yn trigo bellach yng Nghymru, ac nid oes annhegwch.[63] Felly daw'r sifig, a'r dadleuon rhyddfrydol sy'n ei gynnal, i gymell glanhau ieithyddol, onid ethnig.

Fel y noda Gilles Deleuze a Félix Guattari mor graff:

Nid yw hawliau dynol yn ddim ond acsiomau: maent yn gallu cydfodoli ar y farchnad gyda nifer o acsiomau eraill, yn neilltuol acsiomau ynghylch diogelwch eiddo, sy'n eu hanwybyddu neu yn eu gohirio yn fwy nag y maent yn eu gwrthddweud.[64]

Dyma, mewn brawddeg, hanes enciliad y gymdeithas Gymraeg ers hanner canrif. Mae'r Gymraeg fel hawl unigolyddol yn creu marchnad ac fe roddir hawliau; mae'r Gymraeg fel sail i grŵp cymdeithasol cydryw yn llestair i fasnach, ac felly ni chaiff ei goddef. Cais hawliau rhyddfrydol (megis yr hawl i addysg Gymraeg a statws swyddogol i'r Gymraeg) esgor ar sefydlogrwydd ieithyddol ond cânt 'eu hanwybyddu neu eu gohirio' gan 'acsiomau ynghylch diogelwch eiddo' sy'n disodli'r boblogaeth leol, ac felly maent yn ddiystyr.

Bu pwyslais traddodiadol y mudiad iaith ar hawliau dinesig yn hytrach na 'goroesiad' cymunedol (y 'sifig' ar draul yr 'ethnig') yn porthi hyn, a'r cwbl yn gyfrifol am y sefyllfa adfydus ers traddodi *Tynged yr Iaith* fod 'adfywiad' yr iaith wedi cydrodio â diflaniad y rhan fwyaf o'r cymunedau lle y'i siaredir. Dadwreiddir a disodlir y gymdeithas Gymraeg yn ei thiriogaeth hanesyddol er bod gan y Cymry hawliau.

Ni fedr rhyddfrydwyr fynd i'r afael â'r broblem hon, a chyfeddyf hyd yn oed Kymlicka mai anodd onid amhosibl yw cyflwyno mesurau rhyddfrydol effeithiol o blaid gwarchod buddiannau cymdeithas leiafrifol. Try felly at gamau a ystyrir ganddo 'fymryn yn anryddfrydol' ('mildly illiberal').[65] Gorfu hyd yn oed y theorïwr rhyddfrydol pennaf ym maes hawliau lleiafrifol ymwrthod â'i Ryddfrydiaeth ei hun, gan gydnabod yn dawel bach fod angen olwyn fechan anryddfrydol ym mherfedd y peiriant rhyddfrydol er mwyn iddo weithio'n iawn.

Cyfiawnha Kymlicka yr anghysondeb trwy ddadlau fod camau sydd 'fymryn yn anryddfrydol', megis cymell mewnfudwyr i ddysgu iaith, yn gyfiawn trwy eu bod yn esgor ar ganlyniadau cymeradwy, sef datblygiad cymdeithas ôl-ethnig.[66] Mae'r lles cymdeithasol sy'n deillio o hyn yn peri na ddylid ymboeni'n ormodol ynghylch y tipyn anryddfrydiaeth, megis unieithrwydd yn yr iaith leiafrifedig, sy'n angenrheidiol er mwyn gwrthbwyso grym y diwylliant mwyafrifol yn y byd real. Felly, yn hytrach na cheisio dadlau fod yn rhaid i bob cam o blaid y Gymraeg fod yn rhyddfrydol, rheitiach peth fyddai dadlau na ellir cyfiawnder cymdeithasol heb fod camau yn cael eu cymryd o blaid y darostyngedig.

Ceir awgrym mewn theori wleidyddol gyfoes sut y gallai'r Chwith arddel gwleidyddiaeth o'r fath yng Nghymru heddiw. Un o'r Chwith yw'r athronydd Iris Marion Young sydd wedi cymhwyso llawer o'r syniadau hyn am ffaeledd y sifig at y gymdeithas Americanaidd gyfoes. Yn ei barn hithau hefyd, eithriwyd lleiafrifoedd o sffêr y sifig gan yr Oleuedigaeth, ac o'r herwydd mae'r 'delfryd cyfanfydol o'r sifig cyhoeddus wedi gweithredu mewn modd sydd i bob pwrpas ymarferol wedi eithrio o ddinasyddiaeth y sawl a gysylltir â'r corff a theimlad – merched, Iddewon, pobl dduon, brodorion America, ac yn y blaen'.[67] Yn sicr ddigon, mae siaradwyr ieithoedd lleiafrifol yn perthyn i'r rhestr hon, ac yng Nghymru y Cymry Cymraeg.

Ym marn Young, ni ellir cymdeithas gyfiawn heb gydnabod grwpiau cymdeithasol, a cheisio mynd i'r afael â'r gwahaniaethau o ran grym sydd rhyngddynt: 'Yn hytrach na chanolbwyntio ar rannu [cyfoeth]', meddai, 'dylai cysyniad cyfiawnder gychwyn gyda chysyniadau dominyddiaeth a gorthrwm.'[68] Gan fod gorthrwm ar grwpiau yn 'strwythurol', gall dadleuon o blaid y 'budd cyffredin' fod yn annigonol er mwyn sicrhau cyfiawnder i leiafrifoedd.[69] Gallant barhau i ganiatáu gorthrwm ar y grŵp darostyngedig; yn wir ei ddyrchafu.

Felly, ni ellir cyrchu gwerthoedd 'cyffredinol' megis cydraddoldeb ond trwy gydnabyddiaeth o neilltuoldeb.[70] Mae dadleuon o'r fath yn hynod ddeniadol yn y cyd-destun Cymraeg. Ceir yma ddadl ar y Chwith y gellid ei defnyddio er mwyn rhoi blaenoriaeth i'r Gymraeg mewn tiriogaethau, rhwydweithiau cymdeithasol, mudiadau a sefydliadau cyhoeddus yng Nghymru. Gellid camwahaniaethu'n gadarnhaol o blaid y gymdeithas Gymraeg hefyd, yn enwedig yn y rhannau hynny o'r wlad lle mae wedi ei gwladychu. Ac o gydnabod y ceir cyswllt anorfod rhwng y 'cyffredinol' a'r 'neilltuol', sylweddolir mai wrth iddi ddod yn iaith sifig yr arbedir iaith 'ethnig' fel yr iaith Gymraeg.

Trwy fod y Gymraeg yn 'iaith gyhoeddus gyffredin', ni fydd yr hollt iaith yn canlyn mwyach yr hollt ethnig rhwng 'Cymry' a 'Saeson' fel y mae mewn cynifer o froydd Cymraeg heddiw. O gymell mewnfudwyr yn yr ardaloedd Cymraeg i ddysgu Cymraeg, fel mae mewnfudwyr yn Lloegr yn dysgu Saesneg, ceid wedyn gymdeithas Gymraeg ôl-ethnig yn caniatáu pob gwedd ar wahanrwydd diwylliannol ac eithrio'r un gwladychol, sef yr 'hawl' negyddol i fod mewn anwybodaeth o'r iaith Gymraeg. Wrth sefydlu'r Gymraeg yn iaith sifig y gwrthweithir orau unrhyw beryglon 'ethnig' sydd ynddi, ond ni ellir hynny oni chodir y Gymraeg yn iaith gyffredinol. Iaith sifig yw'r Gymraeg fel y Saesneg, ac fel y Saesneg mae dyletswydd ar bawb i'w gwybod; yn sicr yn y broydd Cymraeg, efallai yng Nghymru.

Ni ddylai'r mudiad cenedlaethol anwybyddu'r anryddfrydol (y ffurfiannol, chwedl J. R. Jones) ychwaith, sy'n arwyddnod y gwahaniaeth gwaelodol, cynhwynol rhwng Cymru a Lloegr. Os yw Cymru am ddilyn llwybr cenedlaetholdeb sifig yn yr unfed ganrif ar hugain, nid yn absenoldeb yr iaith y gwneir hynny'n llwyddiannus. A ellir cenedl Gymreig yng Nghymru heb y gymdeithas Gymraeg, ei chraidd hanesyddol? Nid oes modd dyfeisio cenhedloedd o'r newydd o'u gwraidd, a thybio, pe llwyddid rywsut i ollwng o'r ymwybod cenedlaethol fater yr iaith 'wahaniaethol', y gellid bathu yng Nghymru gymdeithas sifig ddi-iaith ar y patrwm Albanaidd, a honno'n dwyn yn ei sgil annibyniaeth. Canlyniad tebycaf Cymru ddi-Gymraeg fyddai ymgorfforiad terfynol Cymru yn nheyrnas Loegr, a chysgod rhyw fywyd Cymreig ôl-genedlaethol, rhanbarthol yn llusgo byw fel rhith tebyg i'r 'ysbryd Cernywaidd' heddiw.

Ni all y mudiad cenedlaethol ymroi i achosion radicalaidd Prydeinig, a chynghreirio â'r Aswy trwy wledydd Prydain mor gyson ag y gwna, heb fod hynny'n effeithio ar gyd-destun y ddadl Gymreig. Ni sylweddolwyd, efallai, mor gefnogol o Brydeindod yw gwleidyddiaeth y Chwith yn Lloegr gan mai dadleuon am 'fudd cyffredin' pobl Prydain yw ei sail. Dengys hanes Cymru yn y bedwaredd ganrif ar bymtheg fod i gydweithio o'r fath ei beryglon. Gellir esbonio gwendid presennol cenedlaetholdeb yng Nghymru trwy fod y mudiad cenedlaethol wedi dychwelyd at wleidyddiaeth radicalaidd, ddyneiddiol, gyffredinol y ganrif honno. A oes gwahaniaeth mewn difrif rhwng cynghreirio â'r Chwith Seisnig yn enw gwleidyddiaeth Brydeinig 'progressive', fel y gwnaeth cenedlaetholwyr Cymreig cyn etholiad cyffredinol 2015, a'r cydweithio â radicaliaeth Seisnig a gafwyd ganrif a hanner yn ôl yn enw dinasyddiaeth gyffredin? Adlais yw gwleidyddiaeth yng Nghymru heddiw, mewn mwy nag un ffordd, o wleidyddiaeth Hiraethog, Tom Ellis ac S.R. Swyngyfareddir y Cymry a'u sugno i grombil Prydeindod cynhwysol, ac yno cânt eu malurio allan o fodolaeth.

6

Terfyn

Diffyg mewn syniadaeth sydd wrth wraidd methiant cenedlaetholdeb yng Nghymru. Er mwyn sicrhau hunaniaeth gwlad mewn gwladwriaeth fwy, mae'n rhaid i genedlaetholwyr fod yn gyfrwys. Rhaid iddynt ymhyfrydu yn neilltuolrwydd eu cenedl, ac arbenigrwydd eu hiaith ac ymdrefnu'n boliticaidd fel y bo'u cymdeithas yn dod, yn rhinwedd ei neilltuoldeb, yn gymdeithas gyffredinol ei hun. Rhaid iddynt wrthsefyll cymathiad diwylliannol ac ieithyddol, yn wir 'ethnig', ar bob cyfrif, ac ymdoddiad yn y sifig mwyafrifol. Ni wnaeth y Cymry mo hynny.

Yn hytrach, ymestynnent eu cefnogaeth ddiamod i Ryddfrydiaeth fwyafrifol y Saeson, fe'u llyncwyd gan y sifig Seisnig, a dyma'r rheswm am eu darostyngiad. Disodlwyd hunaniaeth ieithyddol yn y bedwaredd ganrif ar bymtheg gan hunaniaeth grefyddol a oedd yn haws ei thrin oddi mewn i Brydeindod cyfansawdd. Daeth Rhyddfrydiaeth ddyneiddiol yn rhan ganolog o'r hunaniaeth Gymreig. Ond ni chaed yn y radicaliaeth hon ymgais o ddifrif gan y Cymry i ymryddhau oddi wrth y gorthrwm arnynt hwy eu hunain. Nid syn hynny gan mai syniadaeth wrthleiafrifol ydyw Rhyddfrydiaeth sy'n hyrwyddo cyfranogiad mewn gofod sifig, ac yn tanbrisio gwahaniaethau ethnig. Llyncasai'r Cymry safbwynt y rhyddfrydwyr Prydeinig, sef bod natur cymdeithas fodern yn condemnio diwylliannau llai i safle ymylol heb obaith i'w hieithoedd oroesi fel moddion cyfathrebu llawn yn yr oes newydd. Ni lyncodd cenhedloedd bach canol a dwyrain Ewrop safbwynt tebyg rhyddfrydwyr mwyafrifol yno. Datblygodd eu diwylliannau a'u hieithoedd o dan ddylanwad Herder yn allblyg a chyfamserol.

Credai deallusion *Landespatriotismus* Cymraeg y 1820au a'r 1830au mewn Herderiaeth hefyd, ond gwthiwyd eu gwaddol deallusol o'r neilltu yn ystod y 1840au gan newidiadau mewn syniadaeth a oedd yn rhagflaenu'r Llyfrau Gleision ond a fyddai'n cael eu diffinio ganddynt.

Ni ellir esbonio methiant y mudiad cenedlaethol Cymreig yn nhermau theori datblygiad economaidd anwastad, neu brosesau mobileiddio cymdeithasol Hroch. Ni ddylid caniatáu i benderfyniadaeth hanesyddol Hroch fynd yn fersiwn gyfoes o ragluniaeth, a rhyddfrydwyr Cymraeg yn cael eu hesgusodi am fethu â chodi cenedl am y buasai honno'n fethiant p'run bynnag. Roedd Cymru Oes Fictoria ymhlith cymdeithasau mwyaf modern y byd. Roedd ei phobl yn llythrennog; roedd ganddynt wasg. Er bod y dosbarth bwrgais yn fychan, pe troesai at genedlaetholdeb, gallasai fod wedi lledaenu'r efengyl newydd, ond ni wnaeth. Erbyn y 1850au a'r 1860au yr oedd Rhyddfrydiaeth *laissez-faire* yn ei hanterth. Ar yr awr dyngedfennol honno, ni ddatblygwyd unrhyw athroniaeth wleidyddol gysefin, a'r unig gwmpawd diwylliannol a gyfrifid yn bwysig oedd yr un Seisnig. Gwir i Ryddfrydiaeth Seisnig gael ei dadadeiladu'n rymus yn y 1880au a'r 1890au cynnar gan Michael D. Jones ac Emrys ap Iwan, ac nad oedd Rhyddfrydwyr Cymreig fel David Lloyd George a Tom Ellis wedi anghofio am eu Cymreictod ychwaith, ond roedd natur ieithyddol y wlad eisoes yn brysur newid erbyn hynny, a phan fethodd Cymru Fydd â chyrraedd y nod, clymwyd y byd Cymraeg yn dynnach fyth wrth y wladwriaeth Brydeinig.

Nid yw lle canolog Rhyddfrydiaeth yn hyn oll yn golygu na fu ffactorau hanesyddol eraill, megis cryfder unigryw yr Ymerodraeth Brydeinig, o bwys. Bu pwysau seicolegol ymglywed â grym real Prydain yn bwysig wrth gymell y Cymry i lyncu ideoleg Rhyddfrydiaeth yn ddihalen. Fodd bynnag, ni fuasai ymglywed o gwbl oni bai fod Prydeindod yn genedligrwydd cyfansawdd, ac yn gynhwysol o leiafrifoedd ac yn eu trin ar sail cyfartaledd, ac yn rhoi iddynt mewn egwyddor y manteision damcaniaethol sy'n deillio o fod yn Sais. Deallai pawb fod yn rhaid 'mynd yn Sais' er mwyn ymafael yn y cydraddoldeb. Syniadaeth gymathol yn tarddu o ymwybyddiaeth y Cymry o fanteision Prydeindod sy'n esbonio'r newid iaith yng Nghymru'r bedwaredd ganrif ar bymtheg, ac ers hynny. Cafwyd gan hynny rwyg dooborth. Roedd y weini yn fwy triw i'r Gymraeg am nad oedd manteision Rhyddfrydiaeth unigol-yddol, yn benodol yr addewid y caent fynd yn aelodau o'r dosbarth canol Prydeinig, ar gael iddynt mor rhwydd. Ond roedd yr union ddosbarthiadau cymdeithasol a fuasai mewn gwledydd eraill yn gefn i fudiadau cenedlaetholgar, sef y dosbarth bwrgais a mân-fwrgais Cymraeg, ar flaen y gad wrth arddel Prydeindod. Rhoes dinasyddiaeth Brydeinig gyfleoedd i'r Cymro godi yn y byd a mentro i'r ymerodraeth a cheid enwau fel Craigmin Road a Lloyd Path ar leoedd fel llethrau'r Peak yn Hong Kong. Nid oedd gan ymerodraethau canolbarth a dwyrain Ewrop drysorau'r byd i'w cynnig i'w cenhedloedd darostyngedig. Roedd y rheini ar gael i'r Cymro ond iddo dderbyn egwyddor Rhyddfrydiaeth gymathol.

Nid oedd Rhyddfrydiaeth fwyafrifol o les i'r genedl, hyd yn oed os oedd o fudd i rai o'i haelodau unigol. Nododd teithwyr Almaen-eg i Gymru ddifaterwch y Cymry ynglŷn â safle israddol eu hiaith, a'u bod yn amddifad o hawliau ieithyddol. Tybiai'r Cymry bryd hynny (ac yn wir credant o hyd) eu bod yn ffodus i fyw mewn gwladwriaeth rydd, a chredent fod eu gwlad yn fwy blaengar na chenhedloedd bychain canolbarth a dwyrain Ewrop. Mewn gwir-ionedd, roedd gan y Cymry lai o hawliau ieithyddol nag odid yr un lleiafrif cenedlaethol arall yn Ewrop o faint cyffelyb iddynt ac eithrio efallai y Llydawyr, a phobl wledig, anfodernaidd oedd y rheini.

Roedd Rhyddfrydiaeth fwyafrifol yn ideoleg bwerus ar y cyfandir hefyd. Ond roedd sawl ffactor ar waith yno a'i rhwystrai rhag llyncu popeth o'i blaen. Yn yr Ymerodraeth Awstro-Hwngaraidd, nid oedd y prif grŵp ethnig, yr Almaenwyr, yn y mwyafrif, a cheid *Realpolitik* o'r herwydd. Roedd yno drefn ddatganoledig a gydnab-yddiai diriogaethau hanesyddol (roedd gan Bohemia ei chynulliad lleol, ei *Landtag*, ei hun) ac, yn bennaf oll, gyfundrefn o hawliau iaith wedi'i gwreiddio mewn cyfraith gyfansoddiadol, ac a blis-monid gan y llysoedd. Yng Nghymru, ni fodolai'r un o'r rhagfuriau gwarchodol hyn, a gallai Rhyddfrydiaeth gymathol fwrw yn ei blaen yn ddidrafferth iawn.

Enciliodd y gymdeithas Gymraeg gyda chydsyniad y Cymry eu hunain. Felly ceir y sefyllfa od yng Nghymru mai'r hyn a laddodd y Gymraeg oedd Rhyddfrydiaeth yn hytrach na Cheidwadaeth, radicaliaeth yn hytrach nac Adwaith, democratiaeth yn hytrach nac awtocratiaeth, ac addysg yn hytrach na diffyg dysg. Mae sylweddoli hyn yn hollbwysig oherwydd mae'n cynnwys awgrym pam fod y Gymraeg mewn trybini o hyd, a ninnau'n byw mewn gwladwriaeth ryddfrydol, ddemocrataidd.

Ac eto, nid oedd y cefnu yn ei hanfod yn ddewis rhydd: cyfryngwr grym real yw Rhyddfrydiaeth. Un o fannau gwan athroniaeth fel disgyblaeth yw iddi drafod syniadaethau ar wahân i'w heffeithiau diriaethol. Fel y noda Marx, ni ellir trafod syniadaeth mewn gwagle; rhaid ei hefrydu mewn cymdeithasau penodol, ac nid amherthnasol yw'r da a'r drwg a wna yn y byd. Cynigia Cymru brawf diymwad o ddrwgeffaith Rhyddfrydiaeth ar gymdeithas leiafrifol. Dengys Cymru, yn well nag unrhyw enghraifft arall yn Ewrop, yn wir yn y byd, yr hyn sy'n digwydd i leiafrif pan wyneba Ryddfrydiaeth fwyafrifol yn ddiamddiffyn.

Gwyddai'r Cymry yn iawn am y cam a gawsant, ond am i Ryddfrydiaeth gymathol daflu llwch i'w llygaid, ni sylweddolent y gallai fod opsiwn arall ar gael. O blith cymunedau ieithyddol anhanesiol, bychain Ewrop dim ond y Tsiecaid oedd â rhagolygon mwy ffafriol na'r Cymry yn y bedwaredd ganrif am bymtheg am oroesiad hirdymor. Roedd y Cymry mewn lle mwy ffodus na'r Slofaciaid, y Slofeniaid a phobloedd y Baltig. Ond erbyn gwawr yr unfed ganrif ar hugain, llwyddasai'r cenhedloedd hynny, er wynebu pwysau cymathol yr Almaeneg a'r Rwsieg, erledigaeth y Natsïaid a choflaid brawdol y Rwsia Sofietaidd, i ymsefydlu'n genedl-wladwriaethau o'r newydd. Nid unwaith y bu iddynt ennill eu hannibyniaeth ond dwywaith neu dair.

Ai ar y Cymry eu hunain yr oedd y bai? Ai'r Cymry eu hunain a luchiodd Gwern i'r tân? Gair nerthol yw 'bai', a hwyrach yn wir mai annheg y gofyn. Digon yw dweud hyn: yr oedd Cymry Oes Cenedlaetholdeb y bedwaredd ganrif ar bymtheg yn ymdeimlo â'u Cymraeg yn ddwys; yr oeddynt yn *Gymry*. Ond wedi'u dal rhwng Lloegr a Phrydain, yr oeddynt mewn lle anodd. Hawdd, yn emosiynol, yw cydymdeimlo â hwy; megis plant yn cysuro

rhieni. Eto, anodd cydymdeimlo â'r Cymry hyn yng nghysur eu
gwladwriaeth rydd o feddwl na wnaethant fwy i gadw eu hiaith,
o goho am wrhydri pobloedd fychain eraill yn hannedd pob math
o anawsterau. Ac eto, onid ydym ni heddiw yr un mor ddall a
di-hid â hwythau?

Nodiadau

1 Methiant Annisgwyl Cenedlaetholdeb Cymraeg

[1] Glyn Tegai Hughes, *Islwyn* (Caerdydd: Gwasg Prifysgol Cymru, 2003), tt. 227–9.

[2] Robin Okey, 'Iaith ac addysg mewn cenhedloedd di-wladwriaeth yn Ewrop, 1800–1918', yn Prys Morgan (gol.), *Brad y Llyfrau Gleision: Ysgrifau ar Hanes Cymru* (Llandysul: Gwasg Gomer, 1991), tt. 201–22.

[3] Richard Wyn Jones, *Rhoi Cymru'n Gyntaf: Syniadaeth Plaid Cymru: Cyfrol 1* (Caerdydd: Gwasg Prifysgol Cymru, 2007), t. 3.

[4] Gweler, er enghraifft, Hywel Teifi Edwards, *'Gŵyl Gwalia': Yr Eisteddfod Genedlaethol yn Oes Aur Victoria* (Llandysul: Gwasg Gomer, 1980); Hywel Teifi Edwards, *Codi'r Hen Wlad yn ei Hôl* (Llandysul: Gwasg Gomer, 1989); E. G. Millward, *Cenedl o Bobl Ddewrion: Agweddau ar Lenyddiaeth Oes Victoria* (Llandysul: Gwasg Gomer, 1991).

[5] Geraint H. Jenkins, '"Cymru, Cymry a'r Gymraeg": rhagymadrodd', yn Geraint H. Jenkins (gol.), *Gwnewch Bopeth yn Gymraeg: Yr Iaith Gymraeg a'i Pheuoedd 1801–1911* (Caerdydd: Gwasg Prifysgol Cymru, 1999), t. 10.

[6] Robin Okey, 'Plausible perspectives: Robin Okey on the new Welsh historiography', *Planet*, 73 (Chwefror/Mawrth 1989), 35.

[7] Knut Diekmann, *Die nationalistische Bewegung in Wales* (Paderborn: Ferdinand Schöningh, 1998), t. 148: 'Die Chance zur Ausformulierung eines Nationalismus nach der Formel „eine Nation = ein Staat" bestand in Wales. Doch sie wurde von den Vordenkern nicht wahrgenommen.'

[8] Saunders Lewis, *Tynged yr Iaith* (Llandysul: Gwasg Gomer, 2012), t. 56. Traddodwyd y ddarlith yn 1962. Dyfynnir o argraffiad 2012 er hwylustod i'r darllenydd.

[9] Lewis, *Tynged yr Iaith*, t. 52.

[10] Miroslav Hroch, *Social Preconditions of National Revival in Europe: A Comparative Analysis of the Social Composition of Patriotic Groups among*

the Smaller European Nations (New York: Columbia University Press, 2000), t. 4. Cyhoeddwyd y gyfrol mewn Almaeneg yn 1968 fel *Die Vorkämpfer der Nationalen Bewegung bei den Kleinen Völkern Europas: Eine Vergleichende Analyse zur Gesellschaftlichen Schichtung der Patriotischen Gruppen* (Praha: Acta Universtatis Carolinae Philosophica et Historica, Monographia XXIV) ond ni allwn gael hyd i'r gyfrol wreiddiol nac yng Nghymru nac ym Mhrag.

[11] Robin Okey, 'Ieithoedd llai eu defnydd a lleiafrifoedd ieithyddol yn Ewrop oddi ar 1918: arolwg cyffredinol', yn Geraint H. Jenkins a Mari A. Williams (goln), *'Eu Hiaith a Gadwant'? Y Gymraeg yn yr Ugeinfed Ganrif* (Caerdydd: Gwasg Prifysgol Cymru, 2000), t. 608.

[12] Dadleuir yn aml fod gwahanol fathau o genedlaetholdeb yn nodwedd-iadol o wahanol rannau o Ewrop: er enghraifft, fod cenedlaetholdeb sifig yn fwy nodweddiadol o orllewin Ewrop, a chenedlaetholdeb ethnig yn fwy tebygol o godi ei ben yn nwyrain y cyfandir. Am un o destunau ffurfiannol y ddadl hon, gweler Hans Kohn, *The Idea of Nationalism: A Study in its Origins and Background* (New York: Collier Books, 1960) (fe'i cyhoeddwyd gyntaf yn 1944). Fodd bynnag, fel y dengys y gyfrol hon, mae cenedlaetholdeb sifig gwladwriaethol y gorllewin bob tro ynghlwm wrth hegemoni grŵp ethnig goruchafol y wladwriaeth, ac yn llawer iawn mwy problematig nag y mae llawer yn barod i'w gyfaddef.

[13] Kenneth McRoberts, *Catalonia: Nation Building without a State* (Oxford: Oxford University Press, 2001), t. 19· 'the virtual prototype of a nation-state'.

[14] Am y broses o Gastileiddio Catalwnia yn y cyfnod hwn, yn aml gyda chefnogaeth y Catalaniaid eu hunain, gweler Angel Smith, *The Origins of Catalan Nationalism, 1770–1898* (Basingstoke and New York: Palgrave Macmillan, 2014), tt. 55–69.

[15] Smith, *Origins of Catalan Nationalism*, t. 94.

[16] Smith, *Origins of Catalan Nationalism*, tt. 127 ac 167.

[17] Am drafodaeth, gweler Stanley G. Payne, *Basque Nationalism* (Reno, Nevada: University of Nevada Press, 1975), tt. 61–86.

[18] Nid oes modd llunio unrhyw gymhariaeth ystyrlon rhwng Cymru a'r drydedd o genhedloedd diwladwriaeth pwysicaf gwladwriaeth Sbaen, Galicia. Yn y bedwaredd ganrif ar bymtheg, yr oedd yn gymdeithas wledig nad oedd wedi'i diwydiannu: yr oedd felly ar y pen eithaf i Gymru o ran datblygiad economaidd. Gweler Sharif Gemie, *Galicia: A Concise History* (Cardiff: University of Wales Press, 2006), tt. 45–6. Hyd yn oed yn Galicia, fodd bynnag, cafwyd mwy o raen ar fudiad cened-laethol nag yng Nghymru.

Nodiadau

[19] Reg Hindley, *The Death of the Irish Language: A Qualified Obituary* (London and New York: Routledge, 1990), tt. 13–20. Gweler hefyd Máirtín Ó Murchú, 'Iaith a chymdeithas yn Iwerddon yn y bedwaredd ganrif ar bymtheg', yn Geraint H. Jenkins (gol.), *Iaith Carreg fy Aelwyd: Iaith a Chymuned yn y Bedwaredd Ganrif ar Bymtheg* (Caerdydd: Gwasg Prifysgol Cymru, 1998), t. 337. Eisoes erbyn 1801 yr oedd llai na hanner plant yr ynys yn dysgu Gwyddeleg fel mamiaith.

[20] Gweler Dafydd Glyn Jones, 'Cyfrinach Ynys Prydain', *Agoriad yr Oes: Erthyglau ar Lên, Hanes a Gwleidyddiaeth Cymru* (Talybont: Y Lolfa, 2001), tt. 93–110, sef darlith radio flynyddol BBC Cymru yn 1992. Trafodir effaith myth Ynys Prydain ar seicoleg y Cymry. O ran hunaniaeth Brydeinig Oes y Tuduriaid, mae cyfrol Jerry Hunter, *Soffistri'r Saeson: Hanesyddiaeth a Hunaniaeth yn Oes y Tuduriaid* (Caerdydd: Gwasg Prifysgol Cymru, 2000), yn un olau.

[21] Gweler dwy gyfrol swmpus a rhyfeddol Adam Wandruszka a Peter Urbanitsch (goln), *Die Habsburgermonarchie 1848–1918: Band III: Die Völker des Reiches: 1. Teilband*, a *2. Teilband* (Wien: Verlag der Österreichischen Akademie der Wissenschaften, 1980) am fanylion. Dyma'r gwaith safonol ynghylch amrywiaeth ieithyddol a chenedlaethol tiriogaethau Brenhiniaeth Habsbwrg.

[22] Norman Davies, *Europe: A History* (London: Pimlico, 1997), t. 834. Diddorol yw sylwi na ffynnai rhanbartholdeb gwleidyddol yn Lloegr ychwaith megis yn Northumbria a allasai mewn amodau gwahanol fod wedi tyfu'n 'genedl'. Gweler Robert Colls, 'The new Northumbrians', yn Robert Colls (gol.), *Northumbria, History and Identity 547–2000* (Chichester: Phillimore & Co., 2007), tt. 151–77, am drafodaeth ddifyr ynghylch hunaniaeth ranbarthol gref a ddiffiniai ei hun oddi mewn i'r wladwriaeth yn hytrach nac yn ei herbyn. Buasai gan Northumbria ei gwladwriaeth ei hun ar un adeg, gwreiddiau ethnig gwahanol i dde Lloegr, ei 'hiaith' ei hun, gwerin ddiwyddiannol 'wlatgar', gwasg ffyniannus, pellter oddi wrth weddill Lloegr, dosbarth bwrgais lleol ac nid cwbl ffansïol yw gofyn pam na ddaeth yn genedl.

[23] Tom Nairn, *The Break-up of Britain: Crisis and Neo-Nationalism* (London: NLB, 1977), tt. 105–10.

[24] Paul O'Leary, *Immigration and Integration: The Irish in Wales 1798–1922* (Cardiff: University of Wales Press, 2000), t. 247.

[25] Nairn, *The Break-up of Britain*, tt. 113–16.

[26] Emrys ap Iwan, 'Dr. Edwards, a'r Achosion Seisnigol', yn D. Myrddin Lloyd (gol.), *Detholiad o Erthyglau a Llythyrau Emrys ap Iwan: III: Crefyddol* (Dinbych: Gwasg Gee, 1940), t. 85. Cyhoeddwyd gyntaf yn *Y Faner* yn 1880.

Nodiadau

[27] Saunders Lewis, 'Thomas Masaryk', *Canlyn Arthur: Ysgrifau Gwleidyddol* (ni nodir man cyhoeddi: Gwasg Aberystwyth, 1938), tt. 121–40. Cyhoeddwyd gyntaf yn *Y Ddraig Goch* yn Ebrill a Mai 1930.

[28] Otto Urban, 'Zur Frage der Voraussetzungen der politischen Tätigkeit des tschechischen Bürgertums in den Jahren 1848/1849', yn Ernst Bruckmüller et al. (goln), *Bürgertum in der Habsburgermonarchie* (Wien und Köln: Böhlau Verlag, 1990), tt. 205–10; Peter Urbanitsch, 'Bürgertum und Politik in der Habsburgermonarchie: Eine Einführung', yn *Bürgertum in der Habsburgermonarchie*, t. 167; Otto Urban, 'Heinrich/ Jindřich Fügner – Ein Typus des modernen Böhmischen Bürgers', yn Robert Hoffmann (gol.), *Bürger zwischen Tradition und Modernität* (Wien, Köln und Weimar: Böhlau Verlag, 1997), t. 273.

[29] R. J. W. Evans, 'Iaith a chymdeithas yn y bedwaredd ganrif ar bymtheg: rhai cymariaethau yng nghanol Ewrop', yn Jenkins, *Iaith Carreg fy Aelwyd*, t. 392.

[30] Robin Okey, *The Habsburg Monarchy c.1765–1918: From Enlightenment to Eclipse* (Basingstoke: Macmillan, 2001), t. 117.

[31] Michalea Marek, '"Prag 1848/49" und die nationale Symbolik in der tschechischen populären Druckgraphik. Skizzen zur Funktion eines "Massenmediums"', yn Rudolf Jaworski a Robert Luft (goln), *1848/49 Revolutionen in Ostmitteleuropa* (München: Collegium Carolinum, 1996), t. 117.

[32] Gerald Stourzh, 'Die Gleichberechtigung der Volksstämme als Verfassungsprinzip 1848–1918', yn Wandruszka ac Urbanitsch (goln), *Die Habsburgermonarchie 1848–1918: Band III: Die Völker des Reiches: 2. Teilband*, t. 977.

[33] Evans, 'Iaith a chymdeithas yn y bedwaredd ganrif ar bymtheg', tt. 392–5.

[34] Zdeněk Kárník, 'Bemühungen um einen deutsch-tschechischen Ausgleich in Österreich und die Folgen ihres Scheiterns', yn Erich Fröschl et al. (goln), *Staat und Nation in multi-ethnischen Gesellschaften* (Wien: Passagen Verlag, 1991), t. 127: 'Untergang des Deutschtums in Böhmen'.

[35] Ceir cymhariaeth gryno, wrth fwrw heibio, o sefyllfa Cymru a Slofacia yn R. J. W. Evans, *Austria, Hungary, and the Habsburgs: Central Europe c.1683–1867* (Oxford: Oxford University Press, 2008), t. 260.

[36] Hroch, *Social Preconditions of National Revival in Europe*, tt. 98–9.

[37] Evans, 'Iaith a chymdeithas yn y bedwaredd ganrif ar bymtheg', t. 405.

[38] Hannes Hofbauer a David X. Noack, *Slowakei: Der mühsame Weg nach Westen* (Wien: Promedia, 2012), tt. 32–5.

[39] E. G. Ravenstein, 'On the Celtic Languages in the British Isles; a Statistical Survey', *Journal of the Royal Statistical Society*, xlii (1879), 622.

⁴⁰ Jelinger C. Symons, *Reports of the Commissioners of Inquiry into the State of Education in Wales . . . and especially into the means afforded to the Labouring Classes of acquiring a Knowledge of the English Language. In Three Parts. Part II. Brecknock, Cardigan, Radnor, and Monmouth* (London: Her Majesty's Stationery Office, 1847), t. 33.

⁴¹ Leo Grafen von Thun, *Die Stellung der Slowaken in Ungarn* (Prag: Calvesche Buchhandlung, 1843), tt. 27–8: 'Wir verlangen von ihnen nicht mehr, als die Engländer von den celtischen Bewohnern von Wales und Hochschotlland, nicht mehr als die Franzosen von der Bretagne und dem Elsass. Wir wollen, dass alle öffentlichen Dokumente in Ungarn, also auch Taufbücher und Conventsprotokolle ungarisch verfasst werden, wir wollen, dass die Sprache des Unterrichts ungarisch sei, was zum Theil (in protestantischen Schulen) schon im Laufe dieses Jahres durchgesetzt wurde, mit einem Worte, dass die ungarische Sprache in jeder Hinsicht in die Rechte der lateinischen eintrete. . .'

⁴² Evans, 'Iaith a chymdeithas yn y bedwaredd ganrif ar bymtheg', t. 395.

⁴³ Joachim Hösler, *Slowenien: Von den Anfängen bis zur Gegenwart* (Regensburg: Verlag Friedrich Pustet, 2006), t. 18.

⁴⁴ Hösler, *Slowenien*, tt. 91 a 106–7.

⁴⁵ Hösler, *Slowenien*, t. 115: 'die Assimilationsprozesse vom Slowenischen zum Deutschen wurden gestoppt und vielfach sogar umgekehrt'.

⁴⁶ Hösler, *Slowenien*, t. 114.

⁴⁷ Ea Jansen, 'Die nicht-deutsche Komponente', yn Wilfried Schlau (gol.), *Sozialgeschichte der baltischen Deutschen* (Köln: Mare Balticum, 1997), t. 236.

⁴⁸ Hroch, *Social Preconditions of National Revival in Europe*, tt. 76–85.

⁴⁹ Jansen, 'Die nicht-deutsche Komponente', tt. 240–1. Tebyg iawn oedd effaith yr ymgyrch Rwsieiddio yn Lithwania a oedd yn hwb anfwriadol i'r gymuned Lithwaneg yn ei hymgais i wrthsefyll Pwyleiddio. Gweler Hroch, *Social Preconditions of National Revival in Europe*, t. 95.

⁵⁰ Cwyd Robin Okey y term 'sofraniaeth fewnol' o waith yr hanesydd Pwyleg, J. Chlebowczyk, *On Small and Young Nations in Europe* (Wrocław: Ossolineum, 1980).

⁵¹ Gweler, er enghraifft, Eric Hobsbawm a Terence Ranger (goln), *The Invention of Tradition* (Cambridge: Cambridge University Press, 1983).

⁵² Ceir yn Anthony D. Smith, *The Antiquity of Nations* (London: Polity, 2004) wrthddadl hynod rymus i gyfrol Hobsbawm a Ranger.

⁵³ J. E. Caerwyn Williams, 'Twf cenedlaetholdeb yng Nghymru'r Oesoedd Canol', yn Dewi Eirug Davies (gol.), *Gwinllan a Roddwyd* (Llandybïe: Christopher Davies, 1972), tt. 60–86; Peredur I. Lynch, *Proffwydoliaeth a'r Syniad o Genedl* (Bangor: Ysgol y Gymraeg, Prifysgol Bangor, 2007).

Nodiadau

54 Mariana Hausleitner, *Deutsche und Juden in Bessarabien 1814–1941: Zur Minderheitenpolitik Russlands und Großrumäniens* (München: IKGS Verlag, 2005), tt. 33 a 49–52.

55 Am berthynas modernrwydd â'r wladwriaeth, gweler Robin Okey, 'Wales and eastern Europe: small nations in comparison', yn T. M. Charles-Edwards a R. J. W. Evans (goln), *Wales and the Wider World: Welsh History in an International Context* (Donington: Shaun Tyas, 2010), tt. 200–1 a Jones, *Rhoi Cymru'n Gyntaf*, tt. 40–7.

56 Ernest Gellner, *Nationalism* (London: Weidenfeld and Nicholson, 1997).

57 Brinley Thomas, 'A cauldron of rebirth: population and the Welsh language in the nineteenth century', *Cylchgrawn Hanes Cymru*, 13 (1986/7), 436: 'As a biological species, the Welsh were fortunate; in the nineteenth century, they found themselves in a very favourable niche and they multiplied fast. Their number increased five-fold, and the Welsh language was given a new lease of life by a unique sequence of demographic swings. It was a windfall . . .'.

58 Thomas, 'A cauldron of rebirth', 429.

59 Jenkins, '"Cymru, Cymry a'r Gymraeg": rhagymadrodd', t. 19.

60 Benedict Anderson, *Imagined Communities: Reflections on the Origin and Spread of Nationalism* (London: Verso, 1991), t. 44: 'print-languages laid the bases for national consciousnesses'.

61 Emrys ap Iwan, 'Breuddwyd Pabydd wrth ei Ewyllys', yn Dafydd Glyn Jones (gol.), *Cyfrolau Cenedl 4: Emrys ap Iwan: Breuddwyd Pabydd wrth ei Ewyllys* (Bangor: Dalen Newydd, 2011), t. 66. Cyhoeddwyd gyntaf rhwng 1890 a 1892 yn *Y Geninen*.

62 Okey, 'Ieithoedd llai eu defnydd a lleiafrifoedd ieithyddol yn Ewrop oddi ar 1918: arolwg cyffredinol', t. 612.

63 Thomas, 'A cauldron of rebirth', 433: 'suddenly, in the first ten years of the century, there was a flood of 100,000 immigrants from outside Wales.'

64 Okey, 'Ieithoedd llai eu defnydd a lleiafrifoedd ieithyddol yn Ewrop oddi ar 1918: arolwg cyffredinol', t. 610; Okey, *The Habsburg Monarchy c.1765–1918*, tt. 288–9.

65 Gweler, er enghraifft, Jones, *Rhoi Cymru'n Gyntaf*, tt. 47–9.

66 Hroch, *Social Preconditions of National Revival in Europe*, t. 26.

67 Hroch, *Social Preconditions of National Revival in Europe*, tt. 114–15.

68 Michael Hechter, *Internal Colonialism: The Celtic Fringe in British National Development, 1536–1966* (London: Routledge & Kegan Paul, 1975), tt. 127–63.

69 Jones, *Rhoi Cymru'n Gyntaf*, t. 48.

70 Nairn, *The Break-up of Britain*, tt. 208–9.

Nodiadau

[71] Hroch, *Social Preconditions of National Revival in Europe*, tt. 53, 73 a 106.

[72] Aydin Babuna, *Die nationale Entwicklung der bosnischen Muslime: Mit besonderer Berücksichtigung der österreichisch-ungarischen Periode* (Frankfurt am Main: Peter Lang, 1996), t. 108.

[73] Hösler, *Slowenien*, tt. 85–6.

[74] Gweler Thomas Bowen, *Dinas Caerdydd a'i Methodistiaeth Galfinaidd* (Caerdydd: Williams Lewis (Argraffwyr) Cyf., 1927); J. Austin Jenkins a R. Edwards James, *The History of Nonconformity in Cardiff* (Cardiff: Wesleyan and General Book Depôt and London: H. R. Allenson, 1901).

[75] Owen John Thomas, 'Yr iaith Gymraeg yng Nghaerdydd *c.*1800–1914', yn Jenkins (gol.), *Iaith Carreg fy Aelwyd*, tt. 193–4.

[76] Gweler, er enghraifft, John Gwynfor Jones, 'Edward Thomas (Cochfarf): dinesydd, dyngarwr a gwladgarwr', *Trafodion Cymdeithas Hanes Bedyddwyr Cymru*, 1987, 26–45; John Gwynfor Jones, *Gweinidogion Anghydffurfiol yr Efengyl yng Nghaerdydd tua 1880–1939: Rhai Agweddau ar eu Hymwybyddiaeth Ddinesig Gymreig* (ni nodir man cyhoeddi: Capel, 2009); J. Elwyn Hughes, *Arloeswr Dwyieithedd: Dan Isaac Davies 1839–1887* (Caerdydd: Gwasg Prifysgol Cymru, 1984).

[77] Dewi Rowland Hughes, *Cymru Fydd* (Caerdydd: Gwasg Prifysgol Cymru, 2006), tt. 19–20.

[78] Saunders Lewis, *Ceiriog* (Aberystwyth: Gwasg Aberystwyth, 1929), t. 13.

[79] Hroch, *Social Preconditions of National Revival in Europe*, t. 23.

[80] Jones, *Rhoi Cymru'n Gyntaf*, t. 29.

[81] Jones, *Rhoi Cymru'n Gyntaf*, t. 32.

[82] Alun Burge, 'The Mold riots of 1869', *Llafur*, 3/3, 1982, 42–57; Aled Jones, 'Trade unions and the press: journalism and the Red Dragon revolt of 1874', *Cylchgrawn Hanes Cymru*, 12/2 (1984), 197–224.

[83] Daniel Owen, *Rhys Lewis* (Wrexham: Hughes & Son, 1885), tt. 110–32.

[84] Tybed ai un o'r rhesymau am y methiant i lunio mudiad cenedlaethol yw'r ffaith mai mân-fwrgeisiaeth oedd gan y Cymry, pan yr oedd angen *haute-bourgeoisie* arnynt (fel y bodolai mewn gwlad gyfoethog fel Catalwnia)?

[85] Ieuan Gwynedd Jones, *Ar Drywydd Hanes Cymdeithasol yr Iaith Gymraeg/ Towards a Social History of the Welsh Language* (Aberystwyth: Prifysgol Cymru Aberystwyth, 1994), t. 10. Dyfynnir 'trahison des clercs' (brad y deallusion) o ochr Saesneg y pamffledyn dwyieithog hwn am fod i'r ymadrodd Ffrangeg gymaint yn fwy o rym rhethregol na'r geiriad, 'brad y clerigwyr' (er bod hwnnw hefyd yn ddadlennol), a geir yn y testun Cymraeg. Dyfynnir gweddill y frawddeg o'r testun Cymraeg.

2 *Cenedl Iaith*

[1] Robin Okey, 'Iaith ac addysg mewn cenhedloedd di-wladwriaeth yn Ewrop, 1800–1918', yn Prys Morgan (gol.), *Brad y Llyfrau Gleision: Ysgrifau ar Hanes Cymru* (Llandysul: Gwasg Gomer, 1991), t. 204.

[2] Ulrich Herrmann, 'Volk – Nation – Vaterland: ein Grundproblem deutscher Geschichte', yn Ulrich Herrmann (gol.), *Volk – Nation – Vaterland* (Hamburg: Felix Meiner Verlag, 1996), t. 11: 'Deutschland? aber wo liegt es? Ich weiß das Land nicht zu finden,/ Wo das gelehrte beginnt, hört das politische auf.'

[3] [Johann Gottfried] Herder, *Abhandlung über den Ursprung der Sprache* (Berlin: Christian Friedrich Voß, 1772), tt. 198–9: 'Merkwort des Geschlechts, Band der Familie, Werkzeug des Unterrichts, Heldengesang von den Taten der Väter, und die Stimme derselben aus ihren Gräbern'.

[4] Herder, *Abhandlung über den Ursprung der Sprache*, t. 3: 'Schon als Thier, hat der Mensch Sprache'.

[5] Stefan Reiß, *Fichtes > Reden an die deutsche Nation < oder: Vom Ich zum Wir* (Berlin: Akademie Verlag, 2006), t. 121.

[6] J. R. Jones, *Prydeindod* (Llandybïe: Llyfrau'r Dryw, 1966), [t. 6.]. Am yr Almaeneg wreiddiol, gwelir Reiß, *Fichtes > Reden an die deutsche Nation <*, t. 127: 'der natürlichste Staat ist also auch Ein Volk, mit Einem Nationalcharakter . . . ein Volk ist sowohl eine Pflanze der Natur, als eine Familie; nur jenes mit mehreren Zweigen'. Cyhoeddwyd gyntaf yn ail gyfrol *Ideen zur Philosophie der Geschichte der Menschheit* Herder yn 1786.

[7] Reiß, *Fichtes > Reden an die deutsche Nation <*, t. 137: 'Völker sollten neben einander, nicht durch und über einander drückend wohnen'.

[8] Gweler, er enghraifft, Josef Vintr a Jana Pleskalová (goln), *Vídeňský podíl na počátcích českého národního obrození: J. V. Zlobický (1743–1810) a současníci: život, dílo, korespondence/ Wiener Anteil an den Anfängen der tschechischen nationalen Erneuerung: J. V. Zlobický (1743–1810) und Zeitgenossen: Leben, Werk, Korrespondenz* (Praha: Academia, 2004). Gweler hefyd Joachim Hösler, *Slowenien: Von den Anfängen bis zur Gegenwart* (Regensburg: Verlag Friedrich Pustet, 2006), tt. 59–67 ac 81–3.

[9] Hugh LeCaine Agnew, 'Czechs, Germans, Bohemians? Images of Self and Other in Bohemia to 1848', yn Nancy M. Wingfield (gol.), *Creating the Other: Ethnic Conflict and Nationalism in Habsburg Central Europe* (New York and Oxford: Berghahn Books, 2004), t. 61.

[10] Ea Jansen, 'Die nicht-deutsche Komponente', yn Wilfried Schlau (gol.), *Sozialgeschichte der baltischen Deutschen* (Köln: Mare Balticum, 1997), t. 235: 'die sich dank des Einflusses der Ideen der Aufklärung und der

Nodiadau

deutschen Romantik ihres Estentums nicht mehr schämten, sondern ihre gemeine Herkunft öffentlich deklarierten'.

[11] Gweler, am drafodaeth, R. J. W. Evans, 'Was there a Welsh Enlightenment?', yn R. R. Davies a Geraint H. Jenkins (goln), *From Medieval to Modern Wales: Historical Essays in Honour of Kenneth O. Morgan and Ralph A. Griffiths* (Cardiff: University of Wales Press, 2004), tt. 142–59.

[12] R. J. W. Evans, '"The Manuscripts": the culture and politics of forgery in central Europe', yn Geraint H. Jenkins (gol.), *A Rattleskull Genius: The Many Faces of Iolo Morganwg* (Cardiff: University of Wales Press, 2005), tt. 51–68.

[13] Marion Löffler, *Welsh Responses to the French Revolution: Press and Public Discourse: 1789–1802* (Cardiff: University of Wales Press, 2013), t. 49.

[14] Gweler Geraint H. Jenkins, Ffion Mair Jones a David Ceri Jones (goln), *The Correspondence of Iolo Morganwg: Volume I: 1770–1796* (Cardiff: University of Wales Press, 2007); Geraint H. Jenkins, Ffion Mair Jones a David Ceri Jones (goln), *The Correspondence of Iolo Morganwg: Volume II: 1797–1809* (Cardiff: University of Wales Press, 2007); Geraint H. Jenkins, Ffion Mair Jones a David Ceri Jones (goln), *The Correspondence of Iolo Morganwg: Volume III: 1810–1826* (Cardiff: University of Wales Press, 2007).

[15] Gweler Caryl Davies, *Adfeilion Babel: Agweddau ar Syniadaeth Ieithyddol y Ddeunawfed Ganrif* (Caerdydd: Gwasg Prifysgol Cymru, 2000), tt. 162, 215, 234–5, 238–9 a 270.

[16] Gweler am drafodaeth ynghylch effaith y cyd-destun syniadol ehangach ar ragolygon cenedl y Cymry, Prys Morgan, 'Wild Wales: civilizing the Welsh from the sixteenth to the nineteenth centuries', yn Peter Burke et al. (goln), *Civil Histories: Essays Presented to Sir Keith Thomas* (Oxford: Oxford University Press, 2000), tt. 265–83.

[17] William Roberts, *Crefydd yr Oesoedd Tywyll, neu Henafiaethau Defodol, Chwareuyddol, a Choelgrefyddol: yn cynwys y traethawd gwobrwyol yn Eisteddfod y Fenni ar Mari Lwyd; y traethawd gwobrwyol yn Eisteddfod y Blaenau, ar ddylanwad yr Ysgol Sabothol er Cadwraeth y Gymraeg; ynghyd a Sylwadau ar lawer o Hen Arferion Tebyg i Mari Lwyd* (Caerfyrddin: A. Williams, 1852), t. 18.

[18] D. Densil Morgan, *Lewis Edwards* (Caerdydd: Gwasg Prifysgol Cymru, 2009), tt. 18–20.

[19] Morgan, *Lewis Edwards*, t. 178.

[20] R. Llugwy Owen, *Hanes Athroniaeth y Groegiaid* (Conwy: R. E. Jones a'i Frodyr, 1899), [t. iii].

[21] Lor[enz] Diefenbach, *Celtica II. Versuch einer genealogischen Geschichte der Kelten* (Stuttgart: Liesching & Comp., 1840), t. 141: 'Ja eben heute

Nodiadau

gilt nach [*The Cambro-Briton*] nur die Engl. Sprache in Wales bei den Gerichten und als Weg zu Ehrenstellen; und es ist fast unglaublich, daß auf den Universitäten der Brit. Inseln keine Lehrstellen für Sprachen und Literatur der ältesten und rechtmäßigsten Bewohner bestehn . . .'.

22 Gweler, er enghraifft, J. G. Kohl, *Reisen in England und Wales: Erster Theil. Birmingham, Liverpool und Wales.* (Dresden und Leipzig: Arnoldischen Buchhandlung, 1844), tt. 217–20.

23 Heinrich Rohlfs, *Medicinische Reisebriefe aus England und Holland. 1866 und 1867* (Leipzig: Friedrich Fleischer, 1868), t. 121. I raddau, ystrydebau a thopoi rhamantaidd yw sylwadau o'r fath a geid hefyd mewn ysgrifeniadau Saesneg a Ffrangeg ar y gwledydd Celtaidd yn yr un cyfnod. 'La Suisse de L'Angleterre' oedd Cymru i un o ohebwyr Ffrangeg Jean-Jacques Rousseau a'i hanogodd i deithio yno. Gweler Heather Williams, 'Cymru trwy lygaid Rousseau (ac eraill)', *Y Traethodydd*, clxviii (Hydref 2013), 246.

24 Rohlfs, *Medicinische Reisebriefe aus England und Holland*, t. 122: 'Politisch ist der Waleser ein eben so guter Engländer, als der aus angelsächsischem Blute abstammende.'

25 Rohlfs, *Medicinische Reisebriefe aus England und Holland*, t. 123: 'Als unterdrückte Nation sind die Waleser eben nicht durch glänzende Eigenschaften des Geistes ausgezeichnet. Der Verlust ihrer politischen Selbstständigkeit, und der fortwährende Angriff, dem ihre Sprache durch das angelsächsische Element ausgesetzt ist, erzeugt gewisse Eigenthümlichkeiten des Geistes, die psychologisch erklärbar sind, aber nicht als eine angenehme Zugabe im geselligen Verkehr betrachtet werden dürfen.' Mae'r sylw o flaen ei amser ac yn dra threiddgar. Oni ddaeth rhai o Gymry'r ugeinfed ganrif i'r un casgliad, yn eu mysg Ernest Jones (cyfaill Sigmund Freud), Saunders Lewis, Hywel Teifi Edwards, Dafydd Glyn Jones, Bobi Jones ac eraill? Haera'r rhain mai cymhlethdod israddoldeb, ynghyd â'r problemau seicolegol ac agweddau gwleidyddol di-fynd sy'n deillio ohono, yw gwir ganlyniad gwladychiaeth.

26 Lewis Edwards, 'Goethe', *Y Traethodydd*, vii (1851), 137–53; Lewis Edwards, 'Athroniaeth Kant', *Y Traethodydd*, ix (1853), 67–77 a 208–16.

27 R. Tudur Jones, 'Agweddau ar ddiwylliant Ymneilltuwyr (1800–1850)', *The Transactions of the Honourable Society of Cymmrodorion, 1963, Part II* (1963), 174.

28 Glyn Tegai Hughes, *Islwyn* (Caerdydd: Gwasg Prifysgol Cymru, 2003), t. 173.

29 Mae cryn drafod yn y byd diwinyddol Cymraeg ai Hegelydd oedd Lewis Edwards. Gwada ei gofiannydd, D. Densil Morgan, y cyhuddiad

Nodiadau

yn ffyrnig. Ond yn nhyb diwinyddion Cymraeg rhyddfrydol ddechrau'r ngeinfed ganrif, Hegelydd ydoedd, a Hegelaidd yw ei 'egwyddor y cyferbyniadau', ac yn wir ei holl tydolwg diwlnyddul drwyddo draw Gweler Morgan, *Lewis Edwards*, tt. 241–6.

[30] Er gwaetha'r defnydd o'i syniadau gan genedlaetholwyr, roedd Hegel ei hun yn wrthwynebydd i genedlaetholdeb. Gweler Shlomo Avineri, 'Hegel and nationalism', yn Walter Kaufmann (gol.), *Hegel's Political Philosophy* (New York: Atherton Press, 1970), tt. 109–36, yn enwedig t. 123: 'Hegel used Herder's term *Volksgeist*, but with a connotation, which excludes any interpretation that he favoured a return to the Germanic *Ur-Volk*. In Hegel's thought the *Volksgeist* underwent a profound process of rationalization; it is not the origin of the historical phenomena, but is really the outcome of them, and thus tautological with it.' Defnyddia Hegel 'Volk' i gyfeirio at boblogaeth sy'n cael ei diffinio gan y wladwriaeth sifig y triga ynddi, ac nid mewn ystyr ethno-ieithyddol fel y dehonglid ei waith yn yr Almaen o'r 1850au ymlaen. Yn eironig, mae ymateb 'Prydeinig' Syr Henry Jones i athroniaeth Hegel, gan hynny, yn dra chywir; mewn gwladwriaeth Brydeinig y triga'r Cymry. Eto, onid y cwestiwn diddorol yw pam na ddehonglwyd Hegel yng Nghymru mewn termau ethnoieithyddol fel y gwnaed ar y cyfandir?

[31] E. Gwynn Matthews, *Yr Athro Alltud: Syr Henry Jones 1852–1922* (Dinbych: Gwasg Gee, 1998), tt. 123–9; David Boucher ac Andrew Vincent, *A Radical Hegelian: The Political and Social Philosophy of Henry Jones* (Cardiff: University of Wales Press, 1993), tt. 135–40.

[32] Chris Williams, 'The dilemmas of nation and class in Wales, 1914–45', yn Duncan Tanner et al. (goln), *Debating Nationhood and Governance in Britain, 1885–1945: Perspectives from the 'Four Nations'* (Manchester and New York: Manchester University Press, 2006), tt. 156 a 160–1.

[33] Henry Jones, 'Anghenion Cymru II', *Y Geninen*, viii/i (Ionawr 1890), 11–12.

[34] Knut Diekmann, *Die nationalistische Bewegung in Wales* (Paderborn: Ferdinand Schöningh, 1998), t. 121: 'Doch vom Rest des europäischen Bürgertums unterschied sich der Nonkonformismus in seinem religiösen Weltblick. Denn der Rationalismus der Aufklärung blieb ihm fremd.'

[35] Paul O'Leary, 'Ieithoedd gwladgarwch yng Nghymru 1840–1880', yn Geraint H. Jenkins (gol.), *Gwnewch Bopeth yn Gymraeg: Yr Iaith Gymraeg a'i Pheuoedd 1801–1911* (Caerdydd: Gwasg Prifysgol Cymru, 1999), t. 516.

[36] R. Tudur Jones, 'Ymneilltuaeth a'r iaith Gymraeg yn y Bedwaredd Ganrif ar Bymtheg', yn Jenkins (gol.), *Gwnewch Bopeth yn Gymraeg*, t. 247. Gweler hefyd ddyfyniad Lewis Edwards yn Thomas Charles

Nodiadau

Edwards, *Bywyd a Llythyrau y Diweddar Barch. Lewis Edwards, M. A., D.D.* (Liverpool: Isaac Foulkes, 1901), t. 419: 'There is no one who is a greater well-wisher than I am to the English cause, for our continuance as a body depends upon its success'.

[37] T. Gwynn Jones, *Emrys ap Iwan. Dysgawdr, Llenor, Cenedlgarwr* (Caernarfon: Cwmni'r Cyhoeddwyr Cymreig, 1912), t. 86.

[38] R. Tudur Jones, 'Abraham Kuyper', yn Noel A. Gibbard (gol.), *Ysgrifau Diwinyddol 2* (Pen-y-bont: Gwasg Efengylaidd Cymru, 1988), tt. 105–22.

[39] Am drafodaeth, gweler darlith gyhoeddus Derec Llwyd Morgan, '"Canys Bechan Yw": y genedl etholedig yn ein llenyddiaeth', sydd ar gael yn fwyaf hwylus yn Derec Llwyd Morgan, *Rhai Agweddau ar y Beibl a Llenyddiaeth Gymraeg* (Llandysul: Gwasg Gomer, 1998), tt. 71–92.

[40] Hermann Giliomee, *The Afrikaners: Biography of a People* (London: C. Hurst & Co., 2003), tt. 175–9 a 269.

[41] Angharad Price, *Gwrthddiwygwyr Cymreig yr Eidal* (Caernarfon: Gwasg Pantycelyn, 2005), t. 82.

[42] R. Tudur Jones, *Ffydd ac Argyfwng Cenedl: Cristionogaeth a Diwylliant yng Nghymru 1890–1914: Cyfrol II: Dryswch a Diwygiad* (Abertawe: Tŷ John Penry, 1982), tt. 48–9.

[43] Jones, *Emrys ap Iwan. Dysgawdr, Llenor, Cenedlgarwr*, t. 107.

[44] Konrad Gündisch, *Siebenbürgen und die Siebenbürger Sachsen* (München: Langen Müller, 1998), t. 148.

[45] Gündisch, *Siebenbürgen und die Siebenbürger Sachsen*, t. 149: 'Die Loyalität zum Staat, dem die Sachsen angehören, wird nicht in Frage gestellt, das Deutschtum jedoch betont und auch ein Widerstandsrecht gegen Verordnungen und Beschlüsse angemeldet, die ihre Existenzgrundlagen in Frage stellen.'

[46] Laura O'Connor, *Haunted English: The Celtic Fringe, the British Empire, and De-Anglicization* (Baltimore: Johns Hopkins University Press, 2006), t. 16.

[47] Johann Gottfried Herder, Llythyr yn Karl Wagner (gol.), *Briefe an Johann Heinrich Merck von Goethe, Herder und Wieland und andern bedeutenden Zeitgenossen* (Darmstadt: Johann Philipp Diehl, 1835), t. 14: 'nach Wales und Schottland und in die westlichen Inseln . . . Da will ich die celtischen Lieder des Volks in ihrer ganzen Sprache und Ton des Landherzens wild singen hören'.

[48] Johann Gottfried Herder, *Ideen zur Philosophie der Geschichte der Menschheit: Vierter Theil* (Riga und Leipzig: Johann Friedrich Hartsnoch, 1792), tt. 17–18: 'Lange erhielten sie sich unabhängig, im völligem Charakter ihrer Sprache, Regierungsart und Sitten, von denen wir im Regulativ des Hofstaats ihrer Könige und ihrer Beamten noch eine

merkwürdige Beschieibung haben; indessen kam auch die Zeit ihres Endes. Wales ward überwunden und mit England vereinigt; nur die Sprache der Kymren erhielt und erhält sich noch, sowohl hier als in Bretagne. Sie erhält sich noch, aber in unsichern Resten; und es ist gut, daß ihr Charakter in Büchern ausgenommen worden, weil unausbleiblich sowohl sie, als alle Sprachen dergleichen verdrängeter Völker ihr Ende erreichen werden...'.

⁴⁹ Bedwyr Lewis Jones, *'Yr Hen Bersoniaid Llengar'* (ni nodir man cyhoeddi: Gwasg yr Eglwys yng Nghymru, 1963), t. 33.

⁵⁰ Jones, *'Yr Hen Bersoniaid Llengar'*, t. 24.

⁵¹ Samuel Roberts, *Dau draethawd; y cyntaf ar Ardderchawgrwydd yr Iaith Gymraeg, a'r ail ar y creulondeb o ysbeilio llongau drylliedig* (Caernarfon: J. T. Jones, Heol-Bangor, 1834), t. 54. Roedd deng mlynedd rhwng cyfansoddi a chyhoeddi'r traethawd hwn.

⁵² Roberts, *Dau draethawd*, t. 6.

⁵³ Roberts, *Dau draethawd*, t. 6.

⁵⁴ Roberts, *Dau draethawd*, tt. 62–4.

⁵⁵ Geoffrey Powell, 'Prosiect Llanofer', *http://www.llgc.org.uk/fileadmin/ fileadmin/docs_gwefan/amdanom_ni/cyfeillion/darlithoedd/cyfn_dar_ GPowell_000916C.pdf* (2000) (gwelwyd 28 Tachwedd 2014). Gweler hefyd Frances Bunsen, *A Memoir of Baron Bunsen: Late Minister Plenipotentiary and Envoy Extraordinary of his Majesty Frederic William IV, at the Court of St. James... Vol. I* (London: Longmans, Green and Co., 1868), t. 37. Mewn llythyr a luniwyd yn 1812, cofia un o gyfeillion Christian Bunsen amdano yn Göttingen yn trafod Sophocles, Platon, Johannes Müller a Herder. Yn ogystal, gohebodd Bunsen â Wordsworth, Schelling ac Alexander von Humboldt, rhamantydd a fu'n fforio yn America Ladin, a brawd yr ieithydd enwog Wilhelm von Humboldt, yntau'n arddel syniadau am iaith nid annhebyg i rai Herder. Gweler Erich Geldbach, 'Vorwort', yn Erich Geldbach (gol.), *Das Gelehrte Diplomat: Zum Wirken Christian Carl Josias Bunsens* (Leiden: E. J. Brill, 1980), t. 9; Alexander von Humboldt a Christian Bunsen, *Briefe von Alexander von Humboldt an Christian Carl Josias Freiherr von Bunsen* (Leipzig: F. A. Brockhaus, 1869).

⁵⁶ [Augusta] Hall (Gwenynen Gwent), *Eisteddfod Gwent a Dyfed, 1834. Y traethawd buddugol ar y buddioldeb a ddeillia oddiwrth gadwedigaeth y Iaith Gymraeg, a Dullwisgoedd Cymru* (Caerdydd: William Bird, 1836), t. 4.

⁵⁷ Prys Morgan, *Gwenynen Gwent* [ni nodir man cyhoeddi: Eisteddfod Genedlaethol Casnewydd, 1988], [t . 3].

⁵⁸ Jane Williams, *The Literary Remains of the Rev. Thomas Price, Carnhuanawc, Vicar of Cwmdû, Breconshire; and Rural Dean ... Volume II* (Llandovery:

William Rees a London: Longman & Co., 1855), t. 191. Galwasai hefyd am ddysgu Cymraeg yn yr ysgolion dyddiol. Gweler Williams, *The Literary Remains of the Rev. Thomas Price*, t. 230.

[59] Mair Elvet Thomas, *Afiaith yng Ngwent: Hanes Cymdeithas Cymreigyddion y Fenni 1833–1854* (Caerdydd: Gwasg Prifysgol Cymru, 1978); Powell, 'Prosiect Llanofer'. Merch arall y dylanwadwyd arni gan syniadaeth Herder yn y cyfnod hwn oedd y bardd Eingl-Gymreig, hithau hefyd o gefndir Seisnig, Felicia Hemans o Abergele, awdur *A Selection of Welsh Melodies* (1822). Am drafodaeth ar Hemans, gweler Diego Saglia, '"Harp of the Mountain-Land": Felicia Hemans and the cultural geography of romantic Wales', yn Damian Walford Davies a Lynda Pratt (goln), *Wales and the Romantic Imagination* (Cardiff: University of Wales Press, 2007), tt. 228–42. Mae'n ddadlennol fod cynifer o ferched a Chymry o gefndir ethnig anghymreig yn bleidiol i Herderiaeth Gymraeg. Rhamantiaeth y sawl sy'n tarddu o'r tu allan i'r grŵp ethnig ei hun yw hyn i ryw raddau, ond ceir hefyd awgrym y gallai cenedlaetholdeb iaith, ar rai adegau o leiaf, fod yn fwy cynhwysol o grwpiau cymdeithasol ymyledig na chenedligrwydd sifig Cymreig a ddominyddid gan ddynion a Chymry brodorol.

[60] Gerald Stone, 'The Sorbs of Lusatia', *Planet*, 34 (Tachwedd 1976), 34–5.

[61] Arthur Hermann, 'Basanavièius, Jonas: Medega dr.o Jurgio Sauerweinu biografijai (Material zur Biographie von Dr Georg Sauerwein) . . .', *Annaberger Annalen: Jahrbuch über Litauen u. deutsch-litauische Beziehungen*, 9 (2001), 254–6; Stone, 'The Sorbs of Lusatia', 30–5; Autorenkollektiv, *Die Sorben: Wissenswertes aus Vergangenheit und Gegenwart der sorbischen nationalen Minderheit* (Bautzen: VEB Domowina-Verlag, 1979), t. 164; Gerald Stone, 'Georg Sauerwein and the Cornish language revival', *Sauerwein – Girėnas – Sorowin: II. Internationales Sauerwein-Symposion: 21.–26. November 1995* (Hildesheim: Olms, 1996), tt. 77–84.

[62] Ceir cyfeiriad dilornus yn y Llyfrau Gleision at yr arbrawf yn Abercarn: 'insists' yw'r gair a ddefnyddir am benderfyniad Arglwyddes Llanofer fod y Gymraeg yn cael ei dysgu; yn aflwyddiannus, fe honnir: 'the chief promoter insists on the schoolmaster teaching Welsh to the children as well as English'. Gweler Jelinger C. Symons, *Reports of the Commissioners of Inquiry into the State of Education in Wales . . . and especially into the means afforded to the Labouring Classes of acquiring a Knowledge of the English Language. In Three Parts. Part II. Brecknock, Cardigan, Radnor, and Monmouth* (London: Majesty's Stationery Office, 1847), t. 308.

[63] John Jones [Ioan Tegid], *Traethawd ar Gadwedigaeth yr Iaith Gymraeg, . . . , Er coleddu Iaith Gwlad eu Genedigaeth* (Caerfyrddin: argraffwyd gan J. Evans, [1820]), t. 15.

Nodiadau

⁶⁴ Powell, 'Protiect Llanofer'. Gweler hefyd Morgan, *Gwenynen Gwent* am drafodaeth hynod fywiog ar weilhgarwch Cymreigyddol y mudiad.

⁶⁵ Defnyddir y term *épistémè* yn yr ystyr a briodola iddo gan yr allwonydd a'r hanesydd Michel Foucault, sef cyfnod a ddiffinnir gan ei ddefnydd penodol o wybodaeth, ac felly'r hyn y gellir ei fynegi mewn disgwrs.

⁶⁶ Dim ond yn negawdau ola'r bedwaredd ganrif ar bymtheg y gwelid yng Nghymru unwaith eto yn ysgrifau milwriaethus Emrys ap Iwan a Michael D. Jones y cyfuniad o ddadleuon cymunedolaidd ac ethno-ieithyddol sy'n nodweddu Herderiaeth. Ceir dylanwad Herder ar rai eraill bid siŵr, mwy parchus hefyd; yn y modd yr arddelir y gair 'gwerin' gan O. M. Edwards (mae'n hynod debyg i *Volk*), ac yn ymhlyg yn hanesyddiaeth J. E. Lloyd gyda'i phwyslais ar anian y Cymry. O'r traddodiad deallusol hwn y daw dull Gwynfor Evans o feddwl am y byd hefyd. Fodd bynnag, Herderiaeth dra chynnil wedi'i hidlo trwy ridyll rhyddfrydol oedd hon. Nid tan y 1970au y cafwyd Herderiaeth Gymraeg ar ei gwedd glasurol, gan ddiffinio'r 'Bobl Gymraeg' ar sail iaith yn unig, a hynny yn ysgrifeniadau Emyr Llywelyn ar ran mudiad Adfer, ac i ryw raddau hefyd yn athroniaeth J. R. Jones, er mai Fichte a'i hysbrydolodd yn bennaf. Am drafodaeth ddiddorol ar athroniaeth Herder a gwahanol gysyniadau o'r ethnig a'r sifig yn y diwylliant Cymraeg, gweler Ned Thomas, 'Yr ethnig, y sifig a'r gymuned ieith-yddol wedi datganoli', yn Simon Brooks a Richard Glyn Roberts (goln), *Pa Beth yr Aethoch Allan i'w Achub? Ysgrifau i Gynorthwyo'r Gwrthsafiad* *yn erbyn Dadfeiliad y Gymru Gymraeg* (Llanrwst: Gwasg Carreg Gwalch, 2013), tt. 212–33.

⁶⁷ Prys Morgan, 'Early Victorian Wales and its crisis of identity', yn Laurence Brockliss a David Eastwood (goln), *A Union of Multiple* *Identities: The British Isles, c.1750–c.1850* (Manchester and New York: Manchester University Press, 1997), t. 107.

⁶⁸ Jones, 'Yr Hen Bersoniaid Llengar', t. 51.

⁶⁹ R. T. Jenkins, *Hanes Cymru yn y Bedwaredd Ganrif ar Bymtheg: Y Gyfrol* *Gyntaf (1789–1843)* (Caerdydd: Gwasg Prifysgol Cymru, 1933), t. 51.

⁷⁰ Richard Böckh, 'Die statistische Bedeutung der Volkssprache als Kennzeichen der Nationalität', *Zeitschrift für Völkerpsychologie und* *Sprachwissenschaft*, iv (1866), 259–402.

⁷¹ Gerald Stourzh, 'Probleme der Konfliktlösung in multi-ethnischen Staaten: Schlüsse aus der historischen Erfahrung Österreichs 1848 bis 1918', yn Erich Fröschl et al. (goln), *Staat und Nation in multi-ethnischen* *Gesellschaften* (Wien: Passagen Verlag, 1991), tt. 110 a 118.

⁷² D. Isaac Davies, *Yr Iaith Gymraeg. 1785, 1885, 1985! Neu, Tair Miliwn o* *Gymry Dwy-ieithawg mewn Can Mlynedd* (Dinbych: T. Gee a'i Fab, 1886).

155

73 Stourzh, 'Probleme der Konfliktlösung in multi-ethnischen Staaten', t. 113: 'Diese ,Ausgleiche', vor allem jener in Mähren, waren Maßnahmen zur Befriedung durch Trennung, zur Befriedung durch Isolation; sie führten nicht zu einem neuen Bewußtsein der Integration, des Zusammengehörigkeitsgefühls . . . Es war dies die Einführung einer obligatorischen Option für die Zugehörigkeit zu einer ethnischen Gruppe . . . Ethnische Zugehörigkeit . . . wurde eine unvermeidliche Entscheidung.'

74 Emil Franzel, *Sudetendeutsche Geschichte* (Würzburg: Flechsig, 2002); Zdeněk Kárník, 'Bemühungen um einen deutsch-tschechischen Ausgleich in Österreich und die Folgen ihres Scheiterns', yn Fröschl et al. (goln), *Staat und Nation in multi-ethnischen Gesellschaften*, tt. 121–39.

75 Hösler, *Slowenien*, t. 104.

76 John Ceiriog Hughes, 'Cymraeg a Saesneg, neu siaradwch y ddwy', *Oriau'r Bore* (Rhuthyn: I. Clarke, [1862]), t. 10.

77 Robert Rhys, *Daniel Owen* (Caerdydd: Gwasg Prifysgol Cymru, 2000), t. 142.

78 Robin Okey, *The Habsburg Monarchy c.1765–1918: From Enlightenment to Eclipse* (Basingstoke: Macmillan, 2001), tt. 290–1; Krešimir Nemec a Marijan Bobinac, 'Die Wiener und die Kroatische Moderne in Literatur und Poetik', yn Damir Barbarić a Michael Benedikt (goln), *Ambivalenz des Fin de siècle: Wien-Zagreb* (Wien, Köln a Weimar: Böhlau Verlag, 1998), tt. 91–113.

79 Mae cael cip ar gynnwys *Y Llenor* yn ddigon i brofi hyn, a diau y gellid dweud yn gyffelyb am swyddogaeth y cylchodolyn *Gwalarn* yn Llydaw.

80 Thomas, *Afaith yng Ngwent*, t. 111.

81 Huw Walters, 'Michael D. Jones a'r iaith Gymraeg', yn Geraint H. Jenkins (gol.), *Cof Cenedl XVII* (Llandysul: Gwasg Gomer, 2002), tt. 118–19.

82 E. G. Millward, '"Dicter Poeth y Dr Pan"', yn Geraint H. Jenkins (gol.), *Cof Cenedl XVII* (Llandysul: Gwasg Gomer, 1994), t. 167.

83 Gweler Angharad Price, *Ffarwél i Freiburg: Crwydriadau Cynnar T. H. Parry-Williams* (Llandysul: Gwasg Gomer, 2013), tt. 117–214.

84 Jones, *Emrys ap Iwan. Dysgawdr, Llenor, Cenedlgarwr*, tt. 28–54.

85 Jones, *Emrys ap Iwan. Dysgawdr, Llenor, Cenedlgarwr*, t. 213.

3 *Rhyddfrydiaeth yn Gorthrymu'r Cymry*

1 R. T. Jenkins, *Hanes Cymru yn y Bedwaredd Ganrif ar Bymtheg: Y Gyfrol Gyntaf (1789–1843)* (Caerdydd: Gwasg Prifysgol Cymru, 1933), t. 115.

2 Frank Price Jones, *Radicaliaeth a'r Werin Gymreig yn y Bedwaredd Ganrif ar Bymtheg* (Caerdydd: Gwasg Prifysgol Cymru, 1977), t. 48.

3   James Cope, *Y Tories yn cael eu cymeryd adref at eu teulu*, c.1834–36. Dywedir o dan y llun, 'Hai hu, Bcth sydd yna? Ebe Lucifer; Pymtheg o DORIES, ebe Belphegor. Pa beth? ebe y Brenin, dim ond pymtheg, lle y byddant yn dyfod wrth y cannoedd. Onid ydych chwi allan er's tridiau, Syre, ac heb ddwyn i mi ond pymtheg etto?'

4   Yn debyg i lawer o genedlaetholwyr Cymraeg, buasai Talhaiarn hefyd yn byw ar y cyfandir, yn Paris, ond ymysg Cymry o anian Brydeinig roedd yn eithriad cymharol brin yn hyn o beth.

5   Talhaiarn, *Gwaith Talhaiarn: The Works of Talhaiarn in Welsh and English* (London: H. Williams, 1855), t. 392. Gweler hefyd Alltud Eifion, *Y Gestiana, sef Hanes Tre'r Gest, yn cynnwys cofnodion hynafiaethol Plwyfi Ynyscynhaiarn a Threflys ac hefyd beddergreiph y ddwy fynwent, Hanes Dyffryn Madog, &c.* (Porthmadog: Gwasg Tŷ ar y Graig, 1975), t. 195. Cyhoeddwyd gyntaf yn 1892.

6   Dewi M. Lloyd, *Talhaiarn* (Caerdydd: Gwasg Prifysgol Cymru, 1999), t. 62.

7   Lloyd, *Talhaiarn*, tt. 57–8.

8   Mary-Ann Constantine, *The Truth against the World: Iolo Morganwg and Romantic Forgery* (Cardiff: University of Wales Press, 2007), t. 162.

9   Brynley F. Roberts, '"The Age of Restitution": Taliesin ab Iolo and the reception of Iolo Morganwg', yn Geraint H. Jenkins (gol.), *A Rattleskull Genius: The Many Faces of Iolo Morganwg* (Cardiff: University of Wales Press, 2005), t. 470.

10 Iolo Morganwg, 'Ancient British Bards and Druids I', yn Cathryn A. Charnell-White, *Bardic Circles: National, Regional and Personal Identity in the Bardic Vision of Iolo Morganwg* (Cardiff: University of Wales Press, 2007), t. 160.

11 Charnell-White, *Bardic Circles*, t. 63; Caryl Davies, *Adfeilion Babel: Agweddau ar Syniadaeth Ieithyddol y Ddeunawfed Ganrif* (Caerdydd: Gwasg Prifysgol Cymru, 2000), t. 239.

12 Owain Myvyr, Iolo Morganwg a G. Owain Meirion, *The Myvyrian Archaiology of Wales being a collection of Historical Documents from Ancient Manuscripts. Volume II. Prose* (London: printed by S. Rousseau . . . for the Editors, 1801), t. [i].

13 Owain Myvyr, Iolo Morganwg a G. Owain Meirion, *The Myvyrian Archaiology of Wales, collected out of Ancient Manuscripts. Volume I. Poetry* (London: printed by S. Rousseau . . . for the Editors, 1801), t. xviii.

14 Charnell-White, *Bardic Circles*, t. 20: '[Bardism] was essentially an anti-quarian construct, a system firmly rooted in the past . . . Its confidence in history and historical precedence was incongruous with, and further-more militated against, the anti-historical spirit of Painite radicalism

which held that terms of governance should be dictated by the rights of the living rather than the traditions of the dead and that public consent should not bow to historical precedence.'

[15] Gweler, er enghraifft, *Welsh Patriotism. Report of the Proceedings of the Association of Welsh Clergy, in the West Riding of Yorkshire, March 1st, 1852* (Carnarvon: printed by James Rees, Castle Street, 1852), t. 9: 'The inhabitants of the Principality have a right to expect and do expect the same lingual qualifications in their bishops, as the people of England do in theirs'.

[16] *Justice to Wales. Report of the Proceedings of the Association of Welsh Clergy in the West Riding of the County of York* (Carnarvon: printed by James Rees, Herald Office, 1856), t. 27.

[17] Roger L. Brown, *"Welsh Patriotism" and "Justice to Wales": The Association of Welsh Clergy in the West Riding of Yorkshire* (Welshpool: Tair Eglwys Press, 2001), t. 25.

[18] Thomas Price (Carnhuanawc), *Hanes Cymru, a Chenedl y Cymry, o'r Cynoesoedd hyd at Farwolaeth Llewelyn ap Gruffydd; ynghyd a rhai cofiaint perthynol i'r amseroedd o'r pryd hynny i waered* (Crughywel: Thomas Williams, 1842), t. 793.

[19] [Augusta] Hall (Gwenynen Gwent), *Eisteddfod Gwent a Dyfed, 1834. Y traethawd buddugol ar y buddioldeb a ddeillia oddiwrth gadwedigaeth y Iaith Gymraeg, a Dullwisgoedd Cymru* (Caerdydd: William Bird, 1836), t. 8.

[20] Frances Bunsen, *A Memoir of Baron Bunsen Late Minister Plenipotentiary and Envoy Extraordinary of his Majesty Frederic William IV, at the Court of St. James... Vol. II* (London: Longmans, Green and Co., 1868), t. 166.

[21] Frances Bunsen, *A Memoir of Baron Bunsen: Late Minister Plenipotentiary and Envoy Extraordinary of his Majesty Frederic William IV, at the Court of St. James... Vol. I* (London: Longmans, Green and Co., 1868), t. 376. Roedd François Rio yn ymwelydd cyson â Gwent yn y 1830au, a phriododd un o berthnasau Arglwyddes Llanofer. Roedd hefyd yn un o ddirprwyaeth o Lydawiaid a wahoddwyd i Eisteddfod y Fenni yn 1838, ac ynghlwm, gan hynny, wrth dwf cynnar yr ymwybyddiaeth boblogaidd o Geltigrwydd yng Nghymru. Gweler Mair Elvet Thomas, *Afiaith yng Ngwent: Hanes Cymdeithas Cymreigyddion y Fenni 1833–1854* (Caerdydd: Gwasg Prifysgol Cymru, 1978), tt. 127–37.

[22] Am ymatebion Llydewig i'r Chwyldro Ffrengig yn y bedwaredd ganrif ar bymtheg, gweler Yves Le Berre, 'La propagande révolutionnaire et contre-révolutionnaire dans le littérature bretonnante du XIXe siècle', yn *La Révolution française dans la conscience intellectuelle bretonne du XIXeme siècle* (Centre de Recherche Bretonne et Celtique, Université de Bretagne Occidentale, 1988), tt. 175–202.

[23] Jane Aaron, *Nineteenth-Century Women's Writing in Wales: Nation, Gender and Identity* (Cardiff: University of Wales Press, 2007), t. 68: 'far from promoting division within the Kingdom, she sees it as actively support ive of the English monarchy.'

[24] Geoffrey Powell, 'Prosiect Llanofer', *http://www.llgc.org.uk/fileadmin/fileadmin/docs_gwefan/amdanom_ni/cyfeillion/darlithoedd/cyfn_dar_GPowell_000916C.pdf* (2000) (gwelwyd 28 Tachwedd 2014).

[25] Mark Stoyle, *West Britons: Cornish Identities and the Early Modern British State* (Exeter: University of Exeter Press, 2002), tt. 50–65.

[26] A. H. Dodd, *Studies in Stuart Wales* (Cardiff: University of Wales Press, 1952), tt. 110–14.

[27] Lloyd, *Talhaiarn*, t. 146.

[28] Samuel Roberts, *Heddwch a Rhyfel: Llyfrau'r Ford Gron: Rhif 7* (Wrecsam: Hughes a'i Fab, [1931]), t. 40. Detholiad bychan o newyddiaduraeth Samuel Roberts ynghylch rhyfel a heddychiaeth yw'r gyfrol hon.

[29] Tom Eurig Davies, 'Cyfraniad Dr. William Rees (Gwilym Hiraethog) i fywyd a llên ei gyfnod' (MA: Prifysgol Cymru, Bangor, 1931), t. 250.

[30] Marian Henry Jones, 'Wales and Hungary', *The Transactions of the Honourable Society of the Cymmrodorion: Session 1968: Part 1* (1969), 12.

[31] [di-enw], *Hanes Louis Kossuth, Llywydd Hungari; yn cynnwys rhagdraith ar ei nodwedd fel dyn, gwladwr, areithiwr, &c. a hanes ei fywyd o'i febyd i'w ddymchweliad gan Awstria a Rwssia, ynghyd a diangfa ryfedd ei wraig a'i blant: hefyd, ei areithiau yn Southampton, Llundain, Winchester, etc., etc.* (Y Bala: E. Davies a G. Humphreys, 1852); D. Gwenallt Jones, *Detholiad o Ryddiaith Gymraeg R. J. Derfel* (Dinbych: Gwasg Gee, 1945), t. 18.

[32] Jones, 'Wales and Hungary', 15–23.

[33] John Ceiriog Hughes, 'Garibaldi a Charcharor Naples', *Oriau'r Bore* (Rhuthyn: I. Clarke, 1862), t. 10.

[34] Reginald Coupland, *Welsh and Scottish Nationalism: A Study* (London: Collins, 1954), t. 168: 'Sympathy with the efforts of small continental nations to obtain their freedom was a British heritage from the Napoleonic age: it had become part of the British tradition; and Welshmen's and Scotsmen's share in it had no distinctive tone or warmth. The cause of Italians, Poles, Hungarians appealed to them as it did to Englishmen, no more and no less.'

[35] 'Cymdeithasfa chwarterol y Trefnyddion Calfinaidd yn Mhwllheli', *Baner ac Amserau Cymru*, Medi 18, 1861; 'Caergybi', *Baner ac Amserau Cymru*, Hydref 16, 1861; 'Cyfarfod i groesawu y Parch W. Lewis, ei briod, ac U. Larsing yn y Bala', *Baner ac Amserau Cymru*, Hydref 1, 1862. Gweler hefyd John Hughes Morris, *Ein Cenhadaeth Dramor (Eglwys Bresbyteraidd Cymru)* (Liverpool: Hughes Evans a'i Feibion, Cyf., 1930), t. 31.

Nodiadau

[36] 'Cyfarfod Cenhadol yn Llandderfel', *Baner ac Amserau Cymru*, Medi 24, 1862; 'Machynlleth', *Baner ac Amserau Cymru*, Hydref 29, 1862.

[37] Ffynhonnell anhysbys yn ddyfynedig yn John Hughes Morris, *Hanes Cenhadaeth Dramor y Methodistiaid Calfinaidd Cymreig, hyd ddiwedd y flwyddyn 1904* (Caernarfon: Llyfrfa y Cyfundeb, 1907), t. 208.

[38] R. J. Derfel, *Rhosyn Meirion: sef, Pryddest wobrwyedig ar "Kossuth," yn nghyd a Byr Ganiadau ar Amrywiol Destunau* (Rhuthyn: I. Clarke, 1853), tt. 18 a 21.

[39] Derfel, *Rhosyn Meirion*, t. 22.

[40] Derfel, *Rhosyn Meirion*, t. 17.

[41] Derfel, *Rhosyn Meirion*, t. 25.

[42] Jones, 'Wales and Hungary', 23: 'means of demonstrating that the Welsh were no semi-barbarous peasantry knowing little of the world outside. They were showing this to the Hungarians, proving it to themselves, but most of all demonstrating it to the English. They did not push it further than this.'

[43] Henry Richard, *Letters on the Social and Political Condition of the Principality of Wales* (London: Jackson, Walford and Hodder, [1866]), tt. 41–2.

[44] William Rees [Gwilym Hiraethog], *Rhydd-weithiau Hiraethog: sef Casgliad o Weithiau Llenyddol y Parch. William Rees, Liverpool* (Liverpool, I. Foulkes, 1872), t. 550. Cyhoeddwyd y sylwadau gyntaf yn *Baner Cymru* yn 1858.

[45] Rees, *Rhydd-weithiau Hiraethog*, t. 550.

[46] Rees, *Rhydd-weithiau Hiraethog*, t. 550.

[47] [William Rees], 'Chwyldroadau y Flwyddyn 1848', *Y Traethodydd*, v (1849), 270.

[48] [Rees], 'Chwyldroadau y Flwyddyn 1848', 271–2.

[49] [Rees], 'Chwyldroadau y Flwyddyn 1848', 272. Wrth gwrs, nid oedd hyn yn wir: dynion a chanddynt dir neu olud yn unig a gâi bleidleisio.

[50] [Rees], 'Chwyldroadau y Flwyddyn 1848', 270.

[51] William Rees [Gwilym Hiraethog], *Providence and Prophecy; or, God's hand fulfilling his word; more especially in the Revolutions of 1848, and subsequent events* (Liverpool: M. A. Jones, 1851), tt. 34–5.

[52] Rees, *Providence and Prophecy*, t. 53.

[53] Davies, 'Cyfraniad Dr. William Rees (Gwilym Hiraethog) i fywyd a llên ei gyfnod', 265; *Y Bywgraffiadur Cymreig hyd 1940* (Llundain: Anrhydeddus Gymdeithas y Cymmrodorion, 1953), t. 782.

[54] Davies, 'Cyfraniad Dr. William Rees (Gwilym Hiraethog) i fywyd a llên ei gyfnod', 262; E. D. Jones, '"Gwilym Hiraethog" and Giuseppe Mazzini', *Cylchgrawn Llyfrgell Genedlaethol Cymru*, i (1940), 149; D. J. Williams, *Mazzini: Cenedlaetholwr, Gweledydd, Gwleidydd* (Caerdydd: Plaid Cymru, 1948), t. 5.

55 Daniel G. Williams, *Black Skin, Blue Books: African Americans and Wales 1845–1945* (Carditt: University of Wales Press, 2012), t. 35.

56 William Rees [Gwilym Hiraethog], 'Cymry a Saesneg' a ''Rhen Ffarmwr a Siôn Bwl', yn E. Morgan Humphreys (gol.), *Llythyrau 'Rhen Ffarmwr gan Gwilym Hiraethog* (Caerdydd: Gwasg Prifysgol Cymru, 1939), tt. 37–9 a 45–6. Cyhoeddwyd y colofnau gyntaf yn *Yr Amserau* rhwng 1846 ac 1851.

57 William Rees [Gwilym Hiraethog], 'Llythur XI. *Sèn y 'Rhen Ffarmwr i rhyw "Ellis Parry"* ', *Llythurau 'Rhen Ffarmwr* (Liverpool: I. Foulkes, 1902), t. 29. Ceir cywair tebyg yng ngholofnau Gwilym Hiraethog, yr 'Hen Deiliwr', a welodd olau dydd gyntaf yn *Y Tyst* a'r *Dydd*, ac sy'n ymgais gynnar yn y Gymraeg ar lunio nofel. Mae'r coegni yn aml yn fendigedig, a dengys yn glir, er nad oedd y Cymry yn medru dianc yn syniadol rhag Rhyddfrydiaeth Gymreig-Brydeinig eu bod yn gwarafun i'r byd hierarchaidd gwrth-Gymraeg ei faldordd a'i snobyddiaeth. Gweler, er enghraifft, William Rees [Gwilym Hiraethog], *Helyntion Bywyd Hen Deiliwr* (Liverpool: I. Foulkes, 1877), t. 113: '"Pe buasai ar y gwr boneddig eisiau gwraig i drin llaeth a menyn a chaws, – i bobi, a golchi, a smwddio, a gweu a thrwsio sanau," meddai Margaret, "buasai un o'n merched ni yn fwy cymhwys iddo fo, ond nid un felly wna'r tro iddo fo, rhaid iddo fo gael gwraig yn medru Sasneg, a sgrifenu, a downsio, a chware piana, a mae Mari Ifan yn ben *camster* ar gampie felly." "Campie sâl iawn ydi pethe o'r fath hyny, feddyliwn i," ebe un ohonynt. "Ie," ebai un arall, "bcth bo tasen ni heb fedru gneud dim ond canu a downsio, a siarad Sasneg, mi fase'n fyd go dlawd ar ein gwyr ni, ac arnom ninau i'w calyn [*sic*] nhw, cyn hyn, 'rwy'n siwr; p'wr werth ydi medru downsio a siarad Sasneg i fyn'd trwy'r byd yma, mi leiciwn wbod."'

58 William Rees [Gwilym Hiraethog], 'Llythur XL. *Ffrae rhwng 'Rhen Ffarmwr a Sion Bwl'*, *Llythurau 'Rhen Ffarmwr*, t. 113.

59 William Rees [Gwilym Hiraethog], 'Cyfnewid Llythyrau', yn Humphreys (gol.), *Llythyrau 'Rhen Ffarmwr gan Gwilym Hiraethog*, t. 25.

60 Davies, 'Cyfraniad Dr. William Rees (Gwilym Hiraethog) i fywyd a llên ei gyfnod', 254. Gweler hefyd William Rees [Gwilym Hiraethog], 'Llythur XVII. *'Rhen Ffarmwr yn camol Dilead Treth yr Yd, ac yn edliw i'r ffarmwrs nad ydynt yn ffyddlon i'w gilydd'*, *Llythurau 'Rhen Ffarmwr*, tt. 43–45, am amddiffyniad cyfoes gan Hiraethog o wleidyddiaeth Richard Cobden. Cyfansoddwyd y llythyr yn 1849.

61 Robert J. Richards, 'Richard Cobden', *Y Traethodydd*, xx (1865), 378 a 384.

62 Simon Morgan, 'From warehouse clerk to corn law celebrity: the making of a national hero', yn Anthony Howe a Simon Morgan (goln),

Rethinking Nineteenth-Century Liberalism: Richard Cobden Bicentenary Essays (Aldershot: Ashgate, 2006), t. 46.

63 R. Tudur Jones, *Grym y Gair a Fflam y Ffydd: Ysgrifau ar Hanes Crefydd yng Nghymru* (Bangor: Canolfan Uwchefrydiau Crefydd yng Nghymru, Prifysgol Cymru, Bangor, 1998), t. 223.

64 Jones, *Grym y Gair a Fflam y Ffydd*, t. 228.

65 E. Pan Jones, *Cofiant y Tri Brawd o Lanbrynmair a Conwy* (Bala: H. Evans, 1892), tt. 294–5.

66 Kilsby Jones, 'Y Fantais a Ddeillia i'r Cymro o feddu Gwybodaeth Ymarferol o'r Iaith Saesonaeg', yn Vyrnwy Morgan, *Kilsby Jones* (Wrexham: Hughes and Son, 1890), tt. 206–7.

67 Hywel Teifi Edwards, *"Gŵyl Gwalia": Yr Eisteddfod Genedlaethol yn Oes Aur Victoria* (Llandysul: Gwasg Gomer, 1980), t. 355.

68 Edwards, *"Gŵyl Gwalia"*, t. 336.

69 R. Tudur Jones, *Hanes Annibynwyr Cymru* (Abertawe: Undeb yr Annibynwyr Cymraeg, 1966), t. 270.

70 Samuel Roberts, *Gwaith Samuel Roberts. (S.R.)* (Llanuwchllyn: Ab Owen, 1906), tt. 31–5.

71 Samuel Roberts, *Gweithiau Samuel Roberts* (Dolgellau: argraffedig gan Evan Jones, Brynteg, 1856), tt. 787–93. Detholiad sylweddol iawn o newyddiaduraeth ac ysgrifau S.R. sydd yn y casgliad trwchus hwn.

72 Roberts, *Gweithiau Samuel Roberts*, t. 782. Cyhoeddwyd y darn hwn, 'Gwahaniaeth teilwng o sylw', gyntaf ym mis Ebrill 1847.

73 Roberts, *Gweithiau Samuel Roberts*, t. 782.

74 Roberts, *Gweithiau Samuel Roberts*, t. 781. Gwnaed y sylwadau hyn gyntaf ym mis Ionawr 1847.

75 Yn ddiddorol iawn, ni chynhwyswyd yr erthygl hon, 'Cymysgiad Achau', yn y gwahanol ddetholiadau o ysgrifau gan S.R. a gyhoeddwyd yn yr ugeinfed ganrif. Dyna arwydd sicr o argyhoeddiad oes ddiweddarach fod Rhyddfrydiaeth, cenedlaetholdeb a Chymreigrwydd rywsut yn gymheiriaid naturiol.

76 Daniel Williams, 'Hil, iaith a chaethwasanaeth; Samuel Roberts a "Chymysgiad Achau"', *Y Traethodydd*, clix, 669 (2004), 92–106.

77 Samuel Roberts, *Pregethau a Darlithiau* (Utica: T. J. Griffiths, 1865), t. 208.

78 Roberts, *Pregethau a Darlithiau*, tt. 220–1. Bu peth cylchrediad ar y syniad y dylid cael un iaith yn y byd yn yr Unol Daleithiau yn y 1860au. Dyna oedd barn Ulysses S. Grant, Cadfridog Lluoedd y Gogledd yn ystod y rhyfel cartref, a gŵr a ddaeth yn Arlywydd yr Unol Daleithiau wedyn.

79 Roberts, *Pregethau a Darlithiau*, t. 221.

80 Roberts, *Pregethau a Darlithiau*, t. 222.

[81] Roberts, *Pregethau a Darlithiau*, t. 223.

[82] Roberts, *Pregethau a Darlithiau*, t. 223.

[83] Roberts, *Pregethau a Darlithiau*, tt. 222–3.

[84] Roberts, *Pregethau a Darlithiau*, t. 218.

[85] Roberts, *Pregethau a Darlithiau*, tt. 215–19.

[86] Roberts, *Pregethau a Darlithiau*, tt. 227–8.

[87] Roberts, *Pregethau a Darlithiau*, t. 226.

[88] Roberts, *Pregethau a Darlithiau*, t. 231.

[89] Jerry Hunter, *Llwch Cenhedloedd: Y Cymry a Rhyfel Cartref America* (Llanrwst: Gwasg Carreg Gwalch, 2003), tt. 108–11.

[90] Orm Øverland, 'From melting pot to copper kettles: assimilation and Norwegian-American literature', yn Werner Sollors (gol.), *Multilingual America: Transnationalism, Ethnicity, and the Languages of American Literature* (New York and London: New York University Press, 1998), t. 53. Gan fod trosiad y crochan yn celu natur y berthynas rym rhwng grwpiau ethnig gwan a chryfach, ac yn esgusodi ymdoddiad lleiafrif i'r mwyafrif dominyddol, dug olwg newydd ar haeriad Dai Smith ac eraill mai math o 'American Wales', rhyw grochan tawdd Saesneg ei iaith, oedd cymdeithas cymoedd y de pan oedd yn ei hanterth.

[91] Øverland, 'From melting pot to copper kettles', t. 53.

[92] Alun Davies, 'Cenedlaetholdeb yn Ewrop a Chymru yn y bedwaredd ganrif ar bymtheg', *Efrydiau Athronyddol*, xxvii (1964), 18.

[93] Davies, 'Cenedlaetholdeb yn Ewrop a Chymru yn y bedwaredd ganrif ar bymtheg', 20.

[94] Hywel Teifi Edwards, *Codi'r Hen Wlad yn ei Hôl* (Llandysul: Gwasg Gomer, 1989), t. 166.

[95] John Stuart Mill, *Considerations of Representative Government* (London: Longman, Green, Longman, Roberts and Green, 1865), t. 120.

[96] Mill, *Considerations of Representative Government*, t. 120.

[97] Mill, *Considerations of Representative Government*, tt. 120–1. Ceid hefyd y dull hwn o resymu yn y Gymru Gymraeg er mwyn cyfiawnhau dysgu Saesneg. Gweler, er enghraifft, [di-enw], 'Y Cymry a'r iaith Saesoneg', *Y Traethodydd*, xv (1858), 388: 'Yr ydym yn credu, yn gyntaf, y deillia i ni rai manteision drwy ei dysgu *am mai hi ydyw iaith y mwyafrif dirfawr o drigolion ein gwlad.* Gŵyr pawb nas gall unrhyw beth fod yn fwy anhylaw mewn teulu neu gwmni, na bod rhai yn eu mysg yn analluog i ddeall iaith y lleill, ac i ymddyddan a dwyn ymlaen gyfeillach â hwy. Y mae hyny yn wastad yn cael ei ystyried yn rhwystr nid bychan. Y mae yn taflu oerfelgarwch ar y teulu mwyaf dyddan, ac yn achosi dyeithrwch a phellhâd rhwng rhai a fuasent, oni b'ai hyny, yn dra thebyg o ddyfod yn gyfeillion calonog.'

Nodiadau

98 Georgios Varouxakis, *Mill on Nationality* (London and New York: Routledge, 2002), t. 27.

99 Mill, *Considerations of Representative Government*, t. 122.

100 E. J. Hobsbawm, *Nations and Nationalism since 1780: Programme, Myth, Reality* (Cambridge: Cambridge University Press, 1990), tt. 29–32.

101 Daniel G. Williams, *Ethnicity and Cultural Authority: From Arnold to Du Bois* (Edinburgh: Edinburgh University Press, 2006), t. 45.

102 Friedrich Engels, 'What have the working classes to do with Poland?', *The Commonwealth*, 31 Mawrth, 1866. Ceir y testun gwreiddiol ar *http://www.marxists.org/archive/marx/works/1866/03/24.htm* (gwelwyd 28 Tachwedd 2014): 'The Highland Gaels and the Welsh are undoubtedly of different nationalities to what the English are, although nobody will give [statehood] to these remnants of people long gone by the title of nations, any more than to the Celtic inhabitants of Brittany in France. . . . The principle of nationalities raises two sorts of questions; first of all, questions of boundary between these great historic peoples; and secondly, questions as to the right to independent national existence of those numerous small relics of peoples which, after having figured for a longer or shorter period on the stage of history, were finally absorbed as integral portions into one or other of those more powerful nations whose greater vitality enable them to overcome greater obstacles. . . . [could] the Welsh and Manxmen, if they desired it, . . . have an equal right to independent political existence, absurd though it would be with the English. The whole thing is an absurdity, got up in a popular dress in order to throw dust in shallow people's eyes, and to be used as a convenient phrase, or to be laid aside if the occasion requires it.' Mae'r tebygrwydd rhwng dadleuon Mill, Arnold ac Engels yn amlwg, ac yn dangos y cysylltiadau agos rhwng Marcsiaeth Glasurol a Rhyddfrydiaeth Glasurol yn hyn o beth.

103 A. S. Walton, 'Nation, civil society, state: Hegelian sources of the Marxian non-theory of nationality', yn Z. A. Pelczynski (gol.), *The State and Civil Society: Studies in Hegel's Political Philosophy* (Cambridge: Cambridge University Press, 1984), t. 263.

104 Mill, *Considerations of Representative Government*, t. 123. Sylwer, er hynny, mai 'tolerable justice' a argymhellir, ac nad oes raid, felly, i'r cyfiawnder fod yn gyflawn, a hwyrach yn wir y medd y grŵp mwy, yn ymhlyg yn ei oruchafiaeth naturiol, ar rai manteision o hyd.

105 Ralph Robert Wheeler Lingen, *Reports of the Commissioners of Inquiry into the State of Education in Wales . . . and especially into the means afforded to the Labouring Classes of acquiring a Knowledge of the English Language.*

In Three Parts. Part I. Carmarthen, Glamorgan and Pembroke (London: Majesty'o Stationery Office, 1847), t. 3.

[106] Lingen, Reports of the Commissioners of Inquiry into the State of Education in Wales . . . Part I, t. 3.

[107] Lingen, Reports of the Commissioners of Inquiry into the State of Education in Wales . . . Part I, t. 3. Dyfynnir fersiwn ychydig yn wahanol yn Saunders Lewis, Tynged yr Iaith (Llandysul: Gwasg Gomer, 2012), tt. 48–9.

[108] Lingen, Reports of the Commissioners of Inquiry into the State of Education in Wales . . . Part I, tt. 5 a 7.

[109] Lingen, Reports of the Commissioners of Inquiry into the State of Education in Wales . . . Part I, t. 28.

[110] Gweler, er enghraifft, Jelinger C. Symons, Reports of the Commissioners of Inquiry into the State of Education in Wales . . . and especially into the means afforded to the Labouring Classes of acquiring a Knowledge of the English Language. In Three Parts. Part II. Brecknock, Cardigan, Radnor, and Monmouth (London: Her Majesty's Stationery Office, 1847), tt. 33 a 66–8; Lingen, Reports of the Commissioners of Inquiry into the State of Education in Wales . . . Part I, t. 7; Henry Vaughan Johnson, Reports of the Commissioners of Inquiry into the State of Education in Wales . . . and especially into the means afforded to the Labouring Classes of acquiring a Knowledge of the English Language. In Three Parts. Part III. North Wales, comprising Anglesey, Carnarvon, Denbigh, Flint, Merioneth, and Montgomery (London: Her Majesty's Stationery Office, 1847), tt. 59–61.

[111] Symons, Reports of the Commissioners of Inquiry into the State of Education in Wales . . . Part II, t. 68.

[112] Lewis, Tynged yr Iaith, t. 51.

[113] [di-enw], 'Y Rhagymadrodd', Y Dysgedydd (1848), 4.

[114] [Lewis Edwards], 'Adroddiadau y Dirprwywyr', Y Traethodydd, iv (1848), 251.

[115] [Lewis Edwards], 'Addysg yn Nghymru. [Reports of the Commissioners of Inquiry into the State of Education in Wales.]', Y Traethodydd, iv (1848), 118–24.

[116] Symons, Reports of the Commissioners of Inquiry into the State of Education in Wales . . . Part II, t. 33.

[117] Edwards, Codi'r Hen Wlad yn ei Hôl, t. 154.

[118] Matthew Arnold, On the Study of Celtic Literature (London: Smith, Elder and Co., 1867), tt. 15–16: 'It cannot [the Celtic genius of Wales or Ireland] count appreciably now as a material power; but, perhaps, if it can get itself thoroughly known as an object of science, it may count for a good deal, – far more than we Saxons, most of us, imagine, – as a spiritual power.'

[119] Williams, *Ethnicity and Cultural Authority*, t. 49: 'The Celts are deemed to be less an actually existing people than a historic people whose ideals persist as a cultural force within the English composite self.'

[120] Arnold, *On the Study of Celtic Literature*, t. 15.

[121] D. Densil Morgan, *Lewis Edwards* (Caerdydd: Gwasg Prifysgol Cymru, 2009), t. 182.

[122] Tybed a geir yma wreiddiau'r disgwrs cyfoes fod cenedlaetholwyr, wrth fynnu hawliau iaith a rhyddid cenedlaethol, yn camwahaniaethu'n hiliol yn erbyn y Saeson? Os felly, gwelir fod y myth hwn hefyd yn barhad o ddisgwrs rhyddfrydol y bedwaredd ganrif ar bymtheg. Am hanes y disgwrs, gweler ymdriniaeth Simon Brooks, 'The idiom of race: the "Racist Nationalist" in Wales as bogeyman', yn T. Robin Chapman (gol.), *The Idiom of Dissent: Protest and Propaganda in Wales* (Llandysul: Gwasg Gomer, 2006), tt. 139–65.

[123] Edwards, *"Gŵyl Gwalia"*, t. 316.

[124] Edwards, *"Gŵyl Gwalia"*, t. 324.

[125] Richard Glyn Roberts, 'Gwireddu'r genedl ac atgynhyrchu gormes', yn Simon Brooks a Richard Glyn Roberts (goln), *Pa Beth yr Aethoch Allan i'w Achub? Ysgrifau i Gynorthwyo'r Gwrthsafiad yn erbyn Dadfeiliad y Gymru Gymraeg* (Llanrwst: Gwasg Carreg Gwalch, 2013), t. 161.

[126] Gweler W. Gareth Evans, 'Y wladwriaeth Brydeinig ac addysg Gymraeg 1850–1914', yn Geraint H. Jenkins (gol.), *Gwnewch Bopeth yn Gymraeg: Yr Iaith Gymraeg a'i Pheuoedd 1801–1911* (Caerdydd: Gwasg Prifysgol Cymru, 1999), t. 138. Cafwyd peth beirniadaeth yn *Y Goleuad* nad oedd unrhyw gyfeiriad at y Gymraeg yn y Mesur Addysg a drafodwyd yn 1870, ond fel y dywed W. Gareth Evans, 'eithriad brin oedd beirniadaeth o'r fath. Ni chafwyd safiad cenedlaethol yng Nghymru o blaid ystyr-iaeth arbennig i'r Gymraeg ym 1870.' Yn Iwerddon, ar y llaw arall, yn 1870, mynegasai'r *Irish National Teachers' Organization* ei farn y dylai'r Wyddeleg fod yn gyfrwng dysgu mewn broydd Gwyddeleg. Gweler Reg Hindley, *The Death of the Irish Language: A Qualified Obituary* (London and New York: Routledge, 1990), t. 248.

[127] D. Tecwyn Lloyd, *Drych o Genedl* (Abertawe: Tŷ John Penry, 1987), t. 19.

4 Dadadeiladu Rhyddfrydiaeth

[1] Peter Jones, 'Group Rights', *The Stanford Encyclopaedia of Philosophy* (2008) *http://plato.stanford.edu/entries/rights-group/* (gwelwyd 28 Tachwedd 2014).

Nodiadau

[2] Gweler, er enghraifft, Pierre Bourdieu, *Language and Symbolic Power* (Cambridge: Polity Press, 1992), tt. 123–4.

[3] Bourdieu, *Language and Symbolic Power*, tt. 81–9.

[4] Will Kymlicka, *Multicultural Citizenship: A Liberal Theory of Minority Rights* (Oxford: Oxford University Press, 1996), t. 93: 'that "people are born and are expected to lead a complete life" within the same "society and culture", and that this defines the scope within which people must be free and equal.'

[5] J. R. Jones, *Ac Onide* (Llandybïe: Llyfrau'r Dryw, 1970), t. 175.

[6] Jones, 'Group Rights', yn ddyfynedig yn Huw Lewis, 'Y Gymraeg a'r hawl i sicrwydd ieithyddol', yn Simon Brooks a Richard Glyn Roberts (goln), *Pa Beth yr Aethoch Allan i'w Achub? Ysgrifau i Gynorthwyo'r Gwrthsafiad yn erbyn Dadfeiliad y Gymru Gymraeg* (Llanrwst: Gwasg Carreg Gwalch, 2013), t. 198.

[7] Kymlicka, *Multicultural Citizenship*, tt. 45–8.

[8] Kymlicka, *Multicultural Citizenship*, tt. 35–44.

[9] Gerald Stourzh, 'Die Gleichberechtigung der Volksstämme als Verfassungsprinzip 1848–1918', yn Adam Wandruszka a Peter Urbanitsch (goln), *Die Habsburgermonarchie 1848–1918: Band III: Die Völker des Reiches: 2. Teilband* (Wien: Verlag der Österreichischen Akademie der Wissenschaften, 1980), t. 1014. Dau gymal cyntaf Erthygl 19 y cyfansoddiad, sy'n ymwneud ag iaith a chenedligrwydd, yw 'Alle Volksstämme des Staates sind gleichberechtigt, und jeder Volksstamm hat ein unverletzliches Recht auf Wahrung und Pflege seiner Nationalität und Sprache' a 'Die Gleichberechtigung aller landesüblichen Sprachen in Schule, Amt und öffentlichem Leben wird vom Staate anerkannt.'

[10] Stourzh, 'Die Gleichberechtigung der Volksstämme als Verfassungsprinzip 1848–1918', t. 1043.

[11] Stourzh, 'Die Gleichberechtigung der Volksstämme als Verfassungsprinzip 1848–1918', t. 1060.

[12] Stourzh, 'Die Gleichberechtigung der Volksstämme als Verfassungsprinzip 1848–1918', tt. 1059–60.

[13] Stourzh, 'Die Gleichberechtigung der Volksstämme als Verfassungsprinzip 1848–1918', tt. 1064–6.

[14] Stourzh, 'Die Gleichberechtigung der Volksstämme als Verfassungsprinzip 1848–1918', t. 1199.

[15] Rudolf von Raumer, *Deutsche Versuche* (Erlangen: Theodor Bläsing, 1861), tt. 71–2. Gofynna'n rhethregol: 'Soll das Fürstenthum Wales sich von England lossagen und einen kleinen kümmerlichen, aber echt nationalen Keltenstaat bilden?'

16 Raumer, *Deutsche Versuche*, t. 72: 'Wie verhält es sich nun aber in einem solchen Staat, der verschiedensprachige Völker in sich schließt, mit der Sprache? Ohne Frage soll die Grundlage der sprachlichen Verhältnisse die politische Gleichberechtigung sein. Denn der eine Mensch hat denselben Anspruch auf den Gebrauch seiner Muttersprache wie der andere. In ihrem eigenen Kreise also darf keine der im Staat gesprochenen Sprachen gewaltsam unterdrückt werden.'

17 Raumer, *Deutsche Versuche*, t. 73: 'Nehmen wir das oben angeführte Beispiel des Fürstenthums Wales. Wo die Sprache der dortigen Bewohner die walisch-keltische ist, wird es Pflicht sein, für keltische Schule und keltischen Gottesdienst zu sorgen, ebenso wie man in den Theilen des Reichs, in denen englisch gesprochen wird, für englische Schulen und englischen Gottesdienst sorgt. Darin besteht die Gleichberechtigung des Keltischen und des Englischen, daß ein jedes in seinem Gebiet unterstützt und gefördert wird.'

18 Raumer, *Deutsche Versuche*, t. 73.

19 István Diószegi, 'Die Liberalen am Steuer: Der Ausbau des bürgerlichen Staatssystems in Ungarn im letzen Drittel des 19. Jahrhunderts', yn Dieter Langewiesche (gol.), *Liberalismus im 19. Jahrhundert* (Göttingen: Vandenhoeck & Ruprecht, 1988), t. 487.

20 Robin Okey, *The Habsburg Monarchy c.1765–1918: From Enlightenment to Eclipse* (Basingstoke: Macmillan, 2001), t. 216.

21 Andrew C. Janos, *The Politics of Backwardness in Hungary 1825–1945* (Princeton: Princeton University Press, 1982), t. 126.

11 Jose Luis Garcia Garrido, 'Spanish education policy towards non-dominant linguistic groups, 1850–1940', yn Janusz Tomiak (gol.), *Schooling, Educational Policy and Ethnic Identity: Comparative Studies on Governments and Non-Dominant Ethnic Groups in Europe, 1850–1940: Volume I* (Dartmouth: Europe Science Foundation and New York University Press, 1991), tt. 307–8: 'At the very roots of the Basque problem, there is a strong component of traditionalism, and rejection of the liberal and centralist state.'

23 Angel Smith, *The Origins of Catalan Nationalism, 1770–1898* (Basingstoke and New York: Palgrave Macmillan, 2014), tt. 31–2 a 42.

24 Smith, *The Origins of Catalan Nationalism*, tt. 104–5. Gweler hefyd t. 111: 'the conservative Romantics' identification with the historical province was linked to their opposition to what they saw as the homogenizing, unitary spirit of the Enlightenment and the liberal revolution.'

25 Gudmund Sandvik, 'Non-existent Sami language rights in Norway, 1850–1940', yn Sergij Vilfan (gol.), *Ethnic Groups and Language Rights: Comparative Studies on Governments and Non-Dominant Ethnic Groups in*

Nodiadau

Europe, 1850–1940: Volume III (Dartmouth: Europe Science Foundation and New York University Press, 1993), tt. 270–1.

26 Vittorio Peri, 'Two ethnic groups in the modern Italian state, 1860–1945', yn Donal A. Kerr (gol.), *Religion, State and Ethnic Groups: Comparative Studies on Governments and Non-Dominant Ethnic Groups in Europe, 1850–1940: Volume II* (Dartmouth: Europe Science Foundation and New York University Press, 1992), t. 143.

27 Ea Jansen, 'Die nicht-deutsche Komponente', yn Wilfried Schlau (gol.), *Sozialgeschichte der baltischen Deutschen* (Köln: Mare Balticum, 1997), t. 234: 'Wenn die Letten sich mit den Deutschen amalgamieren, dann würde Miß trauen und Haß von unseren Provinzen verschwinden.'

28 Otto Urban, *Die tschechische Gesellschaft 1848 bis 1918: Band I* (Wien, Köln a Wiemar: Böhlau Verlag, 1994), tt. 515–17. Cyhoeddwyd gyntaf mewn Tsieceg fel *Česká společnost 1848–1918* yn 1982. 'Sprachen-föderalismus' oedd y term Almaeneg ar 'ffederaliaeth ieithyddol'.

29 Zdeněk Kárník, 'Bemühungen um einen deutsch-tschechischen Ausgleich in Österreich und die Folgen ihres Scheiterns' yn Erich Fröschl et al. (goln), *Staat und Nation in multi-ethnischen Gesellschaften* (Wien: Passagen Verlag, 1991), t. 129.

30 Konrad Gündisch, *Siebenbürgen und die Siebenbürger Sachsen* (München: Langen Müller, 1998), t. 151: 'zu Gunsten der gesamten eigentums-berechtigten Einwohnerschaft ohne Unterschied der Religion und Sprache'.

31 Robin Okey, 'Iaith ac addysg mewn cenhedloedd di-wladwriaeth yn Ewrop, 1800–1918', yn Prys Morgan (gol.), *Brad y Llyfrau Gleision: Ysgrifau ar Hanes Cymru* (Llandysul: Gwasg Gomer, 1991), t. 219.

32 C. A. Macartney, *The Habsburg Empire 1790–1918* (London: Weidenfeld and Nicolson, 1971), tt. 350–4. Am gyfieithiad o'r llythyr enwog a luniodd yn datgan hyn, gweler S. Harrison Thomson, *Czechoslovakia in European History* (London: Frank Cass & Co., Ltd, 1965), tt. 44–6.

33 Rita Krueger, *Czech, German, and Noble: Status and National Identity in Habsburg Bohemia* (Oxford: Oxford University Press), 2009, t. 206. Mae Palacký yn sôn yma am bobloedd Slafaidd y frenhiniaeth yn gyffredinol.

34 Friedrich Engels, 'Der magyarische Kampf', *Neue Rheinische Zeitung*, 13 Ionawr 1849. Ceir trawsysgrif o'r erthygl bwysig hon ar *http://www.mlwerke.de/me/me06/me06_165.htm* (gwelwyd 28 Tachwedd 2014).

35 Joachim Hösler, *Slowenien: Von den Anfängen bis zur Gegenwart* (Regensburg: Verlag Friedrich Pustet, 2006), t. 102: 'heiligen katholischen Glauben und die Muttersprache'.

36 Macartney, *The Habsburg Empire 1790–1918*, t. 386.

[37] Okey, *The Habsburg Monarchy c.1765–1918*, tt. 15 ac 143–6. Roedd 'Stockböhmen' i'w cyferbynnu â 'Deutschböhmen', y ddwy boblogaeth o Fohemia. Gweler hefyd Ernst Bruckmüller, 'The national identity of the Austrians', yn Mikuláš Teich a Roy Porter (goln), *The National Question in Europe in Historical Context* (Cambridge: Cambridge University Press, 1993), t. 215.

[38] Okey, *The Habsburg Monarchy c.1765–1918*, t. 218; Peter Štih, Vasko Simoniti a Peter Vodopivec, *Slowenische Geschichte: Gesellschaft – Politik – Kultur* (Graz: Leykam Buchverlag, 2008), t. 266. Cyfieithiad yw'r llyfr o'r Slofaneg.

[39] Štih, Simoniti a Vodopivec, *Slowenische Geschichte*, tt. 266–9 a 281.

[40] Manfred Alexander, *Kleine Geschichte der böhmischen Länder* (Stuttgart: Phillip Reclam, 2008), tt. 357–8.

[41] Urban, *Die tschechische Gesellschaft 1848 bis 1918*, t. 438.

[42] E. J. Hobsbawm, *Nations and Nationalism since 1780: Programme, Myth, Reality* (Cambridge: Cambridge University Press, 1990), t. 41: 'if the only historically justifiable nationalism was that which fitted in with progress, i.e. which enlarged rather than restricted the scale on which human economies, societies and culture operated, what could be the defence of small peoples, small languages, small traditions be, in the overwhelming majority of cases, but an expression of conservative resistance to the inevitable advance of history?'

[43] Nid yw hanesyddiaeth Hobsbawm yn bod ar wahân i'w ragfarnau ei hun wrth gwra. Gweler ei hunangofiant am ei ymateb i argyfwng cymunedau Cymraeg (yr oedd ganddo dŷ haf ger Croesor, Meirionnydd). Eric Hobsbawm, *Interesting Times: A Twentieth-Century Life* (London: Allen Lane, 2002), t. 242: 'They [the Welsh] turned inwards because they felt themselves to be in that most desperate of situations, that of a beleaguered, hopeless and permanent minority. But for some there was a solution: compulsory Cymricization, imposed by nationalist political rule.' Mae'r tebygrwydd i gywair hanesyddiaeth *Nations and Nationalism since 1870* yn drawiadol, ac yn dangos natur oddrychol llawer i ddehongliad hanesyddol.

[44] Dafydd Glyn Jones, 'Traddodiad Emrys ap Iwan', yn *Emrys ap Iwan: Tair Darlith Goffa Cymdoithas Emrys ap Iwan, Abergele* (Yr Wyddgrug: Gwasanaeth Llyfrgell a Gwybodaeth Cyngor Sir Clwyd, 1991), t. 4.

[45] Dafydd Tudur, 'The life, work and thought of Michael Daniel Jones' (PhD thesis, University of Wales, Bangor, 2006), tt. 79–95.

[46] Gweler E. Wyn James, 'Michael D. Jones: y cyfnod ffurfiannol cynnar', yn E. Wyn James a Bill Jones (goln), *Michael D. Jones a'i Wladfa Gymreig* (Llanrwst: Gwasg Carreg Gwalch, 2009), tt. 31–59.

Nodiadau

47 Tudur, 'The life, work and thought of Michael Daniel Jones', tt. 115–16.
48 Michael D. Jones, *Gwladychfa Gymreig* (Liverpool: J. Lloyd, [1860]), t. 8.
49 Jones, *Gwladychfa Gymreig*, tt. 7–8.
50 Jones, *Gwladychfa Gymreig*, t. 8.
51 Michael D. Jones, 'Y Rhyfel yn Affghanistan', *Y Celt* (Hydref 4 1878), 8.
52 Michael D. Jones, 'Difodi y Gymraeg yn barhad o oresgyniad Cymru', *Y Geninen*, ix (4 Hydref 1891), 244.
53 Michael D. Jones, 'Cynrychiolaeth Meirionydd', *Y Celt* (Medi 11 1885), 7: 'Dynion rhy egwan sydd wedi ein gwan gynrychioli yn y Senedd hyd yn ddiweddar, yr oll a gawsom hyd yn ddiweddar oedd Byl Claddu hynod o fain, a Byl Cau Tafarnau, a byl *negyddol* oedd hwnw. Nid oedd yn rhoddi dim, ond cadwai ddrwg oddiwrthym.' Caniataodd y Ddeddf Gladdu i Anghydffurfwyr ddefnyddio'u gwasanaethau crefyddol eu hunain wrth gladdu'r meirw ym mynwent y plwyf. Mesur Prydeinig ydoedd er mai Cymro, Osborne Morgan, AS sir Ddinbych, a gysylltir ag ef yn bennaf. Roedd y Ddeddf Gau Tafarndai yn yr un cywair anghydffurfiol, ac mae'n ddiddorol iddi arddangos nodweddion anoddefgar Rhyddfrydiaeth wrth geisio dylanwadu ar fuchedd eraill. Roedd felly, ys nododd Michael D. Jones, yn *negyddol*.
54 Tudur, 'The life, work and thought of Michael Daniel Jones', tt. 382–3.
55 Michael D. Jones, 'Dameg Sion Puw a Parnell', *Y Celt* (Ionawr 9 1891), 2.
56 T. I. Ellis, *Thomas Edward Ellis Cofiant Cyfrol 1. (1859–1886)* (Liverpool: Gwasg y Brython, 1944), t. 172.
57 T. I. Ellis, *Thomas Edward Ellis Cofiant Cyfrol II. (1886–1899)* (Liverpool: Gwasg y Brython, 1948), tt. 126 a 289–90. Byddai Tom Ellis yn canmol Michael D. Jones i'r cymylau mewn llythyrau preifat, ac areithiodd yn ei gynhebrwng yn 1898.
58 Ellis, *Thomas Edward Ellis Cofiant Cyfrol II*, tt. 127–9.
59 Thomas E. Ellis, 'Gwleidyddiaeth Genedlaethol', *Y Traethodydd*, xli (1886), 492.
60 Michael D. Jones, 'Ein Cynrychiolaeth', *Y Celt* (Awst 24 1888), 1.
61 Jones, 'Dameg Sion Puw a Parnell', 2.
62 Gweler Kenneth O. Morgan, *Wales in British Politics 1868–1922* (Cardiff: University of Wales Press, 1991), tt. 120–65 am drafodaeth fanwl ar wleidyddiaeth seneddol y cyfnod.
63 Morgan, *Wales in British Politics 1868–1922*, t. 121. Am fywgraffiad byr o John Arthur Price, gweler Frances Knight, 'Welsh nationalism and Anglo-Catholicism: the politics and religion of J. Arthur Price (1861–1942)', yn Robert Pope (gol.), *Religion and National Identity: Wales*

and Scotland c.1700–2000 (Cardiff: University of Wales Press, 2001), tt. 103–22. Nid yw'n fywgraffiad cwbl foddhaol, ond prin yw'r deunydd amdano fel arall.

64 Ellis, *Thomas Edward Ellis Cofiant Cyfrol 1*, tt. 107 ac 174–5; D. Tecwyn Lloyd, *Drych o Genedl* (Abertawe: Tŷ John Penry, 1987), tt. 30–1; [dienw], *Thomas Edward Ellis Marchog Meirion: Er Cof* (Y Bala: Davies ac Evans, 1900), t. 28. Diddorol yn y cyd-destun hwn yw adran arall o gofiant T. I. Ellis i'w dad, Tom Ellis: gweler *Thomas Edward Ellis Cofiant Cyfrol 1*, tt. 214–18. Yn ystod gaeaf 1882–3, paratodd Tom Ellis a D. R. Daniel restr drafft o lyfrau i'w pwrcasu ar gyfer llyfrgell arfaethedig cymdeithas ddirwest Llandderfel. Rhydd syniad go dda o drywydd meddwl y Gymru Gymraeg anghydffurfiol, radicalaidd, led-genedlaetholgar. Argymhellir prynu'r clasuron Cymraeg (y Mabinogi, Ellis Wynne, Theophilus Evans, ac yn y blaen), traethodau a chyfrolau barddoniaeth y bedwaredd ganrif ar bymtheg (Lewis Edwards, Gwilym Hiraethog, Islwyn, ac yn y blaen), ceinion llenyddiaeth Saesneg (Shakespeare, Milton, Tennyson, Dickens, ac yn y blaen), a bywgraffiadau gwleidyddion rhyddfrydol pwysica'r ganrif (Gladstone a Cobden yn benodol).

65 Emrys ap Iwan, 'Cymru i'r Cymry!', *Y Geninen*, iv, 3, Gorffennaf 1886, 155.

66 Iwan, 'Cymru i'r Cymry!', 158.

67 Michael D. Jones, 'Ymreolaeth', *Y Celt* (7 Mawrth 1890), ?.

68 E. Pan Jones, *Oes a Gwaith y Prif Athraw y Parch. Michael D. Jones, Bala* (Bala: H. Evans, 1903), t. 265.

69 Jones, 'Traddodiad Emrys ap Iwan', t. 4.

70 Iwan, 'Cymru i'r Cymry!', 162.

71 Iwan, 'Cymru i'r Cymry!', 162.

72 Iwan, 'Cymru i'r Cymry!', 157.

73 Ergyd y jôc yw y byddai'r Seionydd, y culaf o genedlaetholwyr yn ôl rhethreg Sosialaeth ryngwladol, yn medru fel arfer Rwsieg ynghyd â'r iaith genedlaethol leol (Latfieg neu Wcreineg, dyweder) a Hebraeg; y cenedlaetholwr bwrgais yn medru Rwsieg ac iaith y genedl leol; a'r dyn rhyngwladol yn medru Rwsieg yn unig. Gweler, er enghraifft, Laada Bilaniuk, *Contested Tongues: Language Politics and Cultural Correction in Ukraine* (New York: Cornell University Press, 2005), t. 91.

74 Am y safbwynt hwn mewn trafodaethau theoretig cyfoes, gweler Slavoj Žižek, 'Multiculturalism, or, the cultural logic of multinational capitalism', *New Left Review*, I/225 (September–October 1997), 28–51, yn benodol, 37: 'any "real" Other is instantly denounced for its "fundamentalism"' ... the "real Other" is by definition "patriarchial", "violent",

never the Other of ethereal wisdom and charming customs.' Gweler hefyd Slavoj Žižek a Glyn Daly, *Conversations with Žižek* (Cambridge: Polity, 2004), tt. 122–4, 130 ac 156–7.

[75] Michael D. Jones, 'Y Gymraeg a Masnach', *Y Celt* (24 Ebrill 1891), 1.

[76] Michael D. Jones, 'Y Seison, Cwrdd Bangor a'n Hiaith', *Y Celt* (4 Mai 1888), 1.

[77] Jones, 'Difodi y Gymraeg yn barhad o oresgyniad Cymru', 244.

[78] H. Tobit Evans, 'Plaid Gymreig', *Y Celt* (20 Tachwedd 1885), 8. Dyn diddorol oedd H. Tobit Evans – gwlatgarwr a chyhoeddwr newyddiaduron Cymraeg, hanesydd Merched Beca, arbenigwr ar enwau lleoedd Cymraeg, ac eto yn ysgrifennydd mygedol Ceidwadwyr sir Aberteifi.

[79] Michael D. Jones, 'Y Gymraeg yn y Cyngor Sirol', *Y Celt* (15 Mawrth 1889), 1–2; Michael D. Jones, 'Y Gymraeg yn y Cynghorau Sirol', *Y Celt* (22 Mawrth 1889), 1.

5 Sut y gall Cymru fod

[1] Dafydd Glyn Jones, 'Rhagymadrodd', yn Dafydd Glyn Jones (gol.), *Dramâu W. J. Gruffydd: [']Beddau'r Proffwydi['] a [']Dyrchafiad Arall i Gymro[']* (Bangor: Dalen Newydd, 2013), t. 21.

[2] Gweler, er enghraifft, R. Merfyn Jones, *The North Wales Quarrymen 1874–1922* (Cardiff: University of Wales Press, 1982), t. 90.

[3] Syniadau sy'n gynnyrch eu cyfnod a'u hamgylchiadau yw 'Cymry Cymraeg' a 'Chymry di-Gymraeg' yr ugeinfed ganrif. Maent yn dilyn shifft iaith, ac yn cydredeg ag ef, a heb y shifft iaith ni fuasent yn ystyrlon. Ni cheir categorïau ieithyddol megis Almaenwyr di-Almaeneg, Tsieciaid di-Tsieceg a Phwyliaid di-Bwyleg. Nac o ran hynny Saeson di-Saesneg a Saeson Saesneg. Am ystyron hanesyddol y gair 'Cymry', gweler Simon Brooks a Richard Glyn Roberts, 'Pwy yw'r *Cymry*? Hanes Enw', yn Simon Brooks a Richard Glyn Roberts (goln), *Pa Beth yr Aethoch Allan i'w Achub? Ysgrifau i Gynorthwyo'r Gwrthsafiad yn erbyn Dadfeiliad y Gymru Gymraeg* (Llanrwst: Gwasg Carreg Gwalch, 2013), tt. 23–39.

[4] Thomas Rees a John Thomas, *Hanes Eglwysi Annibynnol Cymru: Cyfrol I* (Liverpool: argraffwyd yn swyddfa'r 'Tyst Cymreig', 1871), t. 228. Gweler hefyd t. 232. Pan geid diffiniad amgen yn y bedwaredd ganrif ar bymtheg na'r un ieithyddol, cynhwysai'n aml apêl ffug-ysgolheigaidd at 'hil' er mwyn cyfiawnhau cyfrif *rhai* pobl ddi-Gymraeg yr oedd eu hynafiaid yn Gymry yn 'Gymry' (nid ystyrid plant Gwyddelod a aned yng Nghymru yn 'Gymry', er enghraifft), ac felly yr oedd y

prosiect sifig yn hiliol yn ei wraidd. Gweler am enghraifft gynnar o'r disgwrs hwn, 'Pwy sydd Gymro?' a ailgyhoeddwyd yn R. J. Jones (Alltud Eifion) (gol.), *Cell Meudwy, sef Gweithiau Barddonol a Rhyddieithol Ellis Owen, F. A. S., Cefnmeusydd, yn nghyda Bywgraphiad a Darlun o'r Awdur* (Tremadog: R. J. Jones, 1877), tt. 68–70. Cyhoeddwyd gyntaf yn *Y Brython*, fwy na thebyg tua chanol y bedwaredd ganrif ar bymtheg. Ceir disgyrsiau hil ac iaith yn ymdroi yn yr erthygl wrth i Ellis Owen ystyried a oes modd i'r di-Gymraeg fod yn Gymry trwy eu bod o waed Cymreig. Er nad yw ei gasgliad yn bendant, y ddadl yn drwsgwl, a'r awgrym yn wrthrych dychan ganddo, dengys fod y syniad ar led y gallai rhai nad ydynt yn Gymry o ran iaith fod yn Gymry er hynny, ac mai syniadau Fictoraidd am hil sy'n hwyluso hyn.

5   Dywed Daniel G. Williams rywbeth tebyg, ond megis o'r ochr arall fel petai, sef nad oes modd dihatru iaith oddi wrth y prosiect cenedlaethol. Gweler Daniel G. Williams, 'After the Scottish referendum: peripheral visions[.] A perspective from Wales', *Planet*, 216 (Gaeaf 2014), 11: 'One of the historical problems faced by Plaid Cymru over the years is the perception that the party appeals primarily to Welsh speakers. This doesn't seem to change no matter what the party does or says. This is because the perception stems from a structural base, for the very existence of minority language communities foregrounds the discrepancy between culture and state.' Os felly, oni fyddai'r prosiect cenedlaethol yn fwy llewyrchus pe bai'r Gymraeg yn gryfach, a'r hunaniaeth honno'n cael ei rhannu gan fwy o bobl Cymru?

6   Gweler Charlotte Williams, Neil Evans a Paul O'Leary, 'Introduction: race, nation and globalization', yn Charlotte Williams, Neil Evans a Paul O'Leary (goln), *A Tolerant Nation? Exploring Ethnic Diversity in Wales* (Cardiff: University of Wales Press, 2003), t. 10, am enghraifft gyfoes o'r disgwrs sy'n awgrymu y gallai dirywiad y gymdeithas Gymraeg fod o fudd moesol, gan y byddai'n lleihau'r potensial am wrthdaro ethnig: 'One way forward [from Welsh–English inter-ethnic tensions] [would be that] . . . the concept of nationhood could be made inclusive. Secondly, the territorial divisions of language and culture in Wales are likely to be reduced in the long run. Welsh speakers are more likely to form a scattered community than a geographically concentrated one . . . But, in the shorter term, as the majority Welsh-language communities decline there is likely to be increased conflict of this kind.'

7   Gweler am yr amlygiad clasurol o'r safbwynt hwn, Isaiah Berlin, *Vico and Herder: Two Studies in the History of Ideas* (London: The Hogarth Press, 1976), tt. 145–216.

Nodiadau

8   Gweler Simon Brooks, 'Ffantasi hil-laddiad a'r diwylliant Cymraeg:
    dirnad cenedlaetholdeb ethnig, a syniadaeth Slavoj Žižek', *Ysgrifau
    Beirniadol XXX* (Dinbych: Gwasg Gee, 2011), tt. 133–67 am diafodaeth
    ar ddeisyfiadau ethnig mewn diwylliannau lleiafrifol, gyda sylw arben-
    nig i *Yma o Hyd*.

9   Jeremy King, 'The nationalization of east central Europe: ethnicism,
    ethnicity and beyond', yn Maria Bucur a Nancy M. Wingfield (goln),
    *Staging the Past: The Politics of Commemoration in Habsburg Central Europe,
    1848 to the Present* (West Lafayette: Purdue University Press, 2001),
    t. 134: 'together, Palacký, Smetana, Wenzig, and all Czech ethnicists
    contributed to erasing non-national categories and communities from
    the past, to downplaying their presence in the present, and thus to
    blighting their future'.

10 Manfred Alexander, *Kleine Geschichte der böhmischen Länder* (Stuttgart:
    Phillip Reclam, 2008), t. 364: 'Zweisprachigkeit . . . wandelte sich in
    zwei» Völker» im Kampf um dasselbe Land'.

11 Chris Williams, 'Problematizing Wales: an exploration in postcoloniality
    and historiography', yn Jane Aaron a Chris Williams (goln), *Postcolonial
    Wales* (Cardiff: University of Wales Press, 2005), t. 16: 'The discourse
    of national identity and the rhetoric of Welshness would be left behind.'

12 Williams, 'Problematizing Wales: an exploration in postcoloniality and
    historiography', t. 16: 'a postnational citizenship [which] crosses existing
    political borders and cultural boundaries, aiming for a consensus of
    universal moral values that enshrines the rights of the individual'.

13 Ymgyrchid gan undebau yn erbyn llongwyr croenddu 'tramor' dociau
    Caerdydd yn y 1930au, a cheid gelyniaeth tuag at fewnfudwyr o
    ddwyrain Ewrop ym mhyllau glo'r de toc wedi'r Ail Ryfel Byd. Gweler
    Marika Sherwood, 'Racism and resistance: Cardiff in the 1930s and
    1940s', *Llafur*, 5/4 (1991), 54–6; Neil Evans, 'Comparing immigrant
    histories: the Irish and Others in modern Wales', yn Paul O'Leary (gol.),
    Irish Migrants in Modern Wales (Liverpool: Liverpool University Press,
    2004), tt. 171–2. Y ddwy undeb a oedd yn gyfrifol am gydlynu'r ymgyrch-
    oedd oedd Undeb Cenedlaethol y Morwyr ac Undeb Cenedlaethol y
    Glowyr (yn achos yr olaf, noder fod rhai o'r mewnfudwyr yn ffoad-
    uriaid rhag Staliniaeth ac felly yr oedd eu presenoldeb mewn maes glo
    a oedd yn dra chefnogol i Gomiwnyddiaeth yn broblematig).

14 Yn hyn o beth, sef y diffyg trafod ar dyndra rhwng 'Cymry' a 'Saeson'
    er mai dyna i raddau helaeth sy'n diffinio'r gymdeithas, mae Morgannwg
    ddechrau'r ugeinfed ganrif yn debyg i'r Fro Gymraeg heddiw.

15 Friedrich Engels, 'Der magyarische Kampf', *Neue Rheinische Zeitung*
    (13 Ionawr 1849): 'bis zu ihrer gänzlichen Vertilgung oder

Entnationalisierung die fanatischen Träger der Kontrerevolution, wie ihre ganze Existenz überhaupt schon ein Protest gegen eine große geschichtliche Revolution ist.'

[16] Georg Wilhelm Friedrich Hegel, *Encyklopädie der philosophischen Wissenschaften im Grundrisse* (Berlin: L. Heimann, 1870), t. 453: 'In dem Dasein eines Volkes ist der substantielle Zweck, ein Staat zu sein und als solcher sich zu erhalten; ein Volk ohne Staatsbildung (eine Nation als solche) hat eigentlich keine Geschichte, wie die Völker vor ihrer Staatsbildung existierten und andere noch jetzt als wilde Nationen existieren. Was einem Volk geschieht und innerhalb desselben vorgeht, hat in der Beziehung auf den Staat seine wesentliche Bedeutung'. Cyhoeddwyd gyntaf yn 1830 yn nhrydydd rhan y gwyddoniadur, 'Die Philosophie des Geistes'.

[17] M. Kneer, 'Rationalistischer Antijudaismus im 19. Jahrhundert', yn Matthias Brosch et al. (goln), *Exklusive Solidarität: Linker Antisemitismus in Deutschland* (Berlin: Metropol Verlag, 2007), tt. 27–47.

[18] Kneer, 'Rationalistischer Antijudaismus im 19. Jahrhundert', t. 28.

[19] Max Horkheimer a Theodor W. Adorno, *Dialektik der Aufklärung: Philosophische Fragmente* (Frankfurt an Main: Suhrkamp, 1981), yn enwedig tt. 192–234. Cyhoeddwyd gyntaf yn 1944.

[20] Michael Forman, *Nationalism and the International Labor Movement: The Idea of the Nation in Socialist and Anarchist Theory* (Pennsylvania: Pennsylvania State University, 1998), [t. vii]. Am ddadl Otto Bauer, gweler ei *Die Nationalitätenfrage und die Sozialdemokratie* (Wien: Verlag der Wiener Volksbuchhandlung, 1907).

[21] Forman, *Nationalism and the International Labor Movement*, tt. 70–83; Ephraim Nimni, *Marxism and Nationalism: Theoretical Origins of a Political Crisis* (London: Pluto, 1991), tt. 74–90.

[22] Forman, *Nationalism and the International Labor Movement*, tt. 78–9; Nimni, *Marxism and Nationalism*, t. 70.

[23] Nimni, *Marxism and Nationalism*, tt. 79–80. Roedd hyd yn oed Antonio Gramsci, sydd oherwydd hanesyddiaeth Gwyn Alf Williams yn feddyliwr poblogaidd eithriadol yng Nghymru, yn bleidiol i'r math o wleidyddiaeth Jacobinaidd sy'n gorthrymu lleiafrifoedd ieithyddol yn enw diwylliant cyffredin y dosbarth gweithiol. Gweler Nimni, *Marxism and Nationalism*, tt. 112–13; Forman, *Nationalism and the International Labor Movement*, tt. 143–59.

[24] Neil Evans a Kate Sullivan, '"Yn Llawn o Dân Cymreig": iaith gwleid-yddiaeth yng Nghymru 1880–1914', yn Geraint H. Jenkins (gol.), *Gwnewch Bopeth yn Gymraeg: Yr Iaith Gymraeg a'i Pheuoedd 1801–1911* (Caerdydd: Gwasg Prifysgol Cymru, 1999), t. 548.

25 Emlyn Sherrington, 'Welsh nationalism, the French Revolution and the influence of the French Right 1800 1930', yn David Smith (gol.), *A People and a Proletariat: Essays in the History of Wales 1780–1980* (London: Pluto, 1980), tt. 127–47.

26 Saunders Lewis, *Ceiriog* (Aberystwyth: Gwasg Aberystwyth, 1929), [t. 5].

27 H. W. J. Edwards, *Sons of the Romans: The Tory as Nationalist* (Swansea: Christopher Davies, 1975), t. 58: 'Cymru Fydd had only two genuine Nationalists, Emrys ap Iwan and Arthur Price.'

28 John Arthur Price, 'Atgofion Crefyddol', *Y Genedl Gymreig* (22 Mehefin 1925), 4.

29 Nid oedd Plaid Genedlaethol Cymru yn blaid ffasgaidd. Gweler am drafodaeth Richard Wyn Jones, *'Y Blaid Ffasgaidd yng Nghymru': Plaid Cymru a'r Cyhuddiad o Ffasgaeth* (Caerdydd: Gwasg Prifysgol Cymru, 2013).

30 Rhys Evans, *Gwynfor: Rhag Pob Brad* (Talybont: Y Lolfa, 2005), t. 131. Dyfynnir Saunders Lewis yn ysgrifennu yn *Baner ac Amserau Cymru* (11 Ionawr 1950): 'Pan ddwedo'r Gweriniaethwyr Cymreig fod Plaid Cymru wedi colli ysbryd ei blynyddoedd cyntaf, wedi troi ei chefn ar Benyberth, ymddengys imi fod y cyhuddiad yn deg. Trwy holl fywyd Cymru heddiw y mae diffyg antur yn amlwg.' Mewn llythyr at D. J. Williams yn yr un flwyddyn, mynegodd hefyd ei gydymdeimlad â'r Gweriniaethwyr. Gweler T. Robin Chapman, *Un Bywyd o blith Nifer: Cofiant Saunders Lewis* (Llandysul: Gwasg Gomer, 2006), t. 296.

31 Saunders Lewis, 'Dylanwadau: Saunders Lewis: mewn ymgom ag Aneirin Talfan Davies', *Taliesin*, 2 (Nadolig 1961), 13.

32 Am drafodaeth ynghylch yr estheteg ryddfrydol, gweler T. Robin Chapman, *Meibion Afradlon a Chymeriadau Eraill: Golwg ar y Dymer Delynegol, 1891–1940* (Caerdydd: Gwasg Prifysgol Cymru, 2004).

33 Nid oedd unrhyw angen i sosialwyr a rhyddfrydwyr yng Nghymru arddel moderniaeth. Ni chaed ymdrech ddifrif i gynhyrchu moderniaeth adain chwith, o'r math a fodolai ar y cyfandir ar y pryd, i gystadlu â moderniaeth adain dde Saunders Lewis. Telynegol oedd cywair barddonol T. E. Nicholas, comiwnydd barddol mwyaf adnabyddus yr ugeinfed ganrif. Dim ond yn ail hanner y 1930au, yn sgil twf Natsïaeth, y cyfunid yn y byd Cymraeg fodernrwydd â safbwyntiau adain chwith arddeledig, a hynny wrth i gydymdeimlad Saunders Lewis â'r Dde mewn materion rhyngwladol gael ei herio mewn cylchgrawn fel *Tir Newydd* Alun Llywelyn-Williams.

34 D. Tecwyn Lloyd, 'James Joyce a Datblygiad Llenyddol', *Y Llenor*, xxv (1946), 30. Er hynny, atgoffodd Tecwyn Lloyd ei ddarllenwyr y gallai seicoleg fod yn 'gam ymlaen at ryw reswm arall nas adwaenir'.

[35] W. J. Gruffydd, 'Yr Artist yn Philistia. I. Ceiriog, gan Saunders Lewis ....', Y Llenor, viii, 4 (Gaeaf 1929), 256.

[36] W. J. Gruffydd, 'Braslun o Hanes Llenyddiaeth Gymraeg, y Gyfrol gyntaf hyd at 1535, gan Saunders Lewis. ....', Y Llenor, xi, 4 (Gaeaf 1932), 251.

[37] Lewis, Ceiriog, t. 24.

[38] W. J. Gruffydd, 'Yr Alltud, gan Aneirin Talfan Davies ...', Y Llenor, xxiv, 1 a 2 (Gwanwyn–Haf 1945), 40.

[39] Gruffydd, 'Yr Alltud, gan Aneirin Talfan Davies ...', 41.

[40] Gruffydd, 'Yr Alltud, gan Aneirin Talfan Davies ...', 40.

[41] Ceir rhestr hwylus o'r sawl a lofnododd y ddeiseb o blaid ymgeisyddiaeth Saunders Lewis ac W. J. Gruffydd ar wefan Llyfrgell Genedlaethol Cymru. Gweler 'Ymgyrchu', http://www.llgc.org.uk/ymgyrchu/Pleidleisio/ls/1943/PLIS43list.htm (gwelwyd 28 Tachwedd 2014).

[42] Mae dyled Derrida i Heidegger yn bellgyrhaeddol, ac yn ganolog i'w waith. Mae cyswllt amlwg rhwng dadadeiladaeth, cysyniad canolog Derrida, a Destruktion Heidegger. Cyhoeddodd Derrida sawl ysgrif a chyfrol yn ymateb i waith Heidegger, er enghraifft Jacques Derrida, De l'esprit: Heidegger et la question (Paris: Galilée, 1987). O ran Nietzsche a Foucault, gweler Michael Mahon, Foucault's Nietzschean Genealogy: Truth, Power and the Subject (Albany: State University of New York Press, 1992).

[43] Edwards, Sons of the Romans: The Tory as Nationalist, tt. 33–4: 'The paradoxical aspect of this conservatism amounts to a resistance to radical alteration of political ties. The paradox is that the conservative trait has the effect of conserving radical forces.'

[44] Saunders Lewis, 'Un Iaith i Gymru', Canlyn Arthur: Ysgrifau Gwleidyddol (ni nodir man cyhoeddi: Gwasg Aberystwyth, 1938), t. 59. Cyhoeddwyd gyntaf yn Y Ddraig Goch yn Awst 1933. Cyfeiria'r geiriau at bolisi digymrodedd Rhufain tuag at un o'i elynion pennaf, Carthago. Dinistriwyd y ddinas yn y flwyddyn 146 CC, gwerthwyd y boblogaeth gyfan fel caethweision, ac yn ôl y chwedl heuwyd y tir â halen.

[45] Edwards, Sons of the Romans: The Tory as Nationalist, t. 76. 'I see in a given nation a complex, the quasi-organic Thing.'

[46] Daniel G. Williams, 'Single nation, double logic: Ed Miliband and the problem with British multiculturalism', Our Kingdom: Power & Liberty in Britain (2012), http://www.opendemocracy.net/ourkingdom/daniel-g-williams/single-nation-double-logic-ed-miliband-and-problem-with-british-multicu (gwelwyd 28 Tachwedd 2014).

[47] Am drafodaeth ynghylch y didoliad rhwng y Saesneg fel iaith sifig honedig a'r Gymraeg fel iaith ethnig honedig, a pherthnasedd hyn i'r

Nodiadau

Gymru ddatganoledig, gweler Simon Brooks, 'The rhetoric of civic "inclusivity" and the Welsh language', *Contemporary Wales*, 22 (2009), 1–15; Simon Brooks, 'Astudiaeth achos: ieithoedd "ethnig" ac ieithoedd "sifig"', yn Brooks a Roberts (goln), *Pa Beth yr Aethoch Allan i'w Achub?*, tt. 235–8.

48 Leanne Wood, 'Is England up for it?', *Red Pepper* (2008), *http://www.
redpepper.org.uk/Is-England-up-for-it/* (gwelwyd 28 Tachwedd 2014): 'a progressive civic nationalism'.

49 Leanne Wood, 'Let's provide an alternative vision of hope', *Hope not Hate: For a modern, inclusive Britain* (2014), *http://www.hopenothate.org.
uk/blog/nick/let-s-provide-an-alternative-vision-of-hope-3691* (gwelwyd 28 Tachwedd 2014): 'Ours is a civic nationalism that does not distinguish between creed or origin or religion, only between those who want to see Wales an international success story and those who want to hold us back.'

50 J. R. Jones, *Prydeindod* (Llandybïe: Llyfrau'r Dryw, 1966), t. 10: 'Craidd ei ffurfiant [Pobl] yw'r briodas gydymdreiddiol rhwng un briod iaith ag un priod tir.'

51 'Lerwick Declaration', *The Scottish Government: Riaghaltas na h-Alba* (25 Gorffennaf 2013), *http://news.scotland.gov.uk/News/Lerwick-Declaration-2a7.aspx* (gwelwyd 28 Tachwedd 2014). Ymrwymodd llywodraeth yr Alban i ddatganoli rhai grymoedd i ynysoedd Shetland, Orkney a'r Ynys Hir (Na h-Eileanan Siar) pe enillid annibyniaeth.

52 Ned Thomas, 'Yr ethnig, y sifig a'r gymuned ieithyddol wedi datganoli', *Pa Beth yr Aethoch Allan i'w Achub?*, t. 232.

53 Am ryddfrydwr sy'n bleidiol i'r safbwynt egalitaraidd, gweler Brian Barry, *Culture and Equality: An Egalitarian Critique of Multiculturalism* (Cambridge: Polity Press, 2001).

54 Dafydd Huw Lewis, 'Rhyddfrydiaeth ac adferiad iaith' (traethawd ymchwil PhD: Prifysgol Aberystwyth, 2009); [Dafydd] Huw Lewis, 'Y Gymraeg a'r hawl i sicrwydd ieithyddol', yn *Pa Beth yr Aethoch Allan i'w Achub?*, tt. 188–207; Gwenllian H. Lansdown, 'From community to pluralism: Liberalism and Nationalism in Wales' (PhD thesis: Cardiff University, 2007); Gwenllian Lansdown Davies, 'Cyfiawnder John Rawls ac annibyniaeth wleidyddol i Gymru', yn E. Gwynn Matthews (gol.), *Cenedligrwydd, Cyfiawnder a Heddwch* (Talybont: Y Lolfa, 2013), tt. 56–68.

55 [Dan Isaac Davies], 'Bilingual Wales: Paper by Mr. D. I. Davies of Cardiff', *South Wales Daily News* (18 Ebrill 1885), yn ddyfynedig yn J. Elwyn Hughes, *Arloeswr Dwyieithedd: Dan Isaac Davies 1839–1887* (Caerdydd: Gwasg Prifysgol Cymru), 1984, tt. 167–70.

[56] Lewis, 'Rhyddfrydiaeth ac adferiad iaith', tt. 40–107, yn benodol t. 77, a hefyd t. 31. Wrth haeru nad yw adferiad iaith yn fater o gyfiawnder, mae'n dibynnu'n drwm ar farn rhyddfrydwyr megis David D. Laitin a Rob Reich, 'A Liberal Democratic approach to language justice', yn Will Kymlicka ac Alan Patten (goln), *Language Rights and Political Theory* (Oxford: Oxford University Press, 2003), tt. 80–104.

[57] Lewis, 'Rhyddfrydiaeth ac adferiad iaith', t. 66. Gweler hefyd Lewis, 'Y Gymraeg a'r hawl i sicrwydd ieithyddol'.

[58] Pierre Bourdieu, *Méditations pascaliennes* (Paris: Éditions du Seuil, 1997), t. 114: 'Malgré le respect que l'*homo scholasticus* qui sommeille en moi peut éprouver devant la construction théorique de John Rawls, je ne puis adhérer à un modèle formel où les << choses de la logique >> éclipsent ou écrasent trop visiblement la << logique des choses >>'.

[59] Lewis, 'Rhyddfrydiaeth ac adferiad iaith', t. 185.

[60] Noder y rheswm a roddwyd gan y Gweinidog â chyfrifoldeb am y Gymraeg, Leighton Andrews, wrth wrthod yn 2013 safonau iaith arfaethedig Comisiynydd y Gymraeg, sef ei 'bryderon ynghylch pa mor rhesymol a chymesur ydyn nhw.' Gweler Llywodraeth Cymru (25 Chwefror 2013), *http://wales.gov.uk/newsroom/welshlanguage/2013/130225languagestandards/?lang=cy* (gwelwyd 28 Tachwedd 2014).

[61] Lewis, 'Y Gymraeg a'r hawl i sicrwydd ieithyddol', t. 202. Ei ffynhonnell ar gyfer dadlau hyn yw Leslie Green, 'Are language rights fundamental?', *Osgoode Hall Law Journal*, 25 (1987), 662–3.

[62] Ni ellir derbyn y ddadl esgusodol fod gan y dynion hyn yr hawl i sefyll yn yr etholaeth ar ran plaid arall, a bod hyn yn golygu nad yw rhestrau merched-yn-unig yn tramgwyddo egwyddorion rhyddfrydol. Mewn sawl etholaeth ddiogel, oni cheir *cause célèbre* (fel y cafwyd yn etholaeth Blaenau Gwent yn 2005), mae colli'r hawl i fod yn ymgeisydd ar ran y blaid sy'n dal y sedd yn gyfystyr â cholli cyfle i fod yn aelod etholedig.

[63] Yn ôl y ddadl sifig hon, gellid haeru y bu Saesnes mor Seisnigaidd â Kate Middleton yn Gymraes yn ystod ei dwy flynedd yn byw yn sir Fôn, er yn Saesnes weddill ei hoes!

[64] Gilles Deleuze a Félix Guattari, *Qu'est-ce que la philosophie?* (Paris: Les Éditions de Minuit, 2005), t. 103: 'Les droits de l'homme sont des axiomes: ils peuvent sur le marché coexister avec bien d'autre axiomes, notamment sur la sécurité de la propriété, qui les ignorent ou les suspendent encore plus qu'ils ne les contredisent'.

[65] Will Kymlicka, *Politics in the Vernacular: Nationalism, Multiculturalism, and Citizenship* (Oxford: Oxford University Press, 2001), t. 288.

[66] Kymlicka, *Politics in the Vernacular*, t. 288. Gweler hefyd t. 287. Argymhellir mabwysiadu polisïau anryddfrydol er mwyn 'cymell'

Nodiadau

mewnfudwyr i integreluddio i'r gymuned leiafrifol: 'the shift from an ethnic to post-ethnic definition of Québécois nationhood could only occur if Quebecers were persuaded that immigrants would contribute to Québécois society, rather than integrating into the anglophone society. . . And this required establishing a range of incentives and pressures to ensure that the majority of immigrants would indeed become part of the francophone society in Quebec. . . . I think we can see the same situation in Catalonia. Here too the willingness to adopt a post-ethnic conception of minority nationalism has depended on the existence of a range of policies which enhance the prestige of the minority language and which pressure immigrants to integrate into the minority society.'

67 Gweler Marion Iris Young, *Justice and the Politics of Difference* (Princeton: Princeton University Press, 1990), t. 10, am feirniadaeth ar y sifig o safbwynt adain chwith: 'This universalist ideal of the civic public has operated to effectively exclude from citizenship persons identified with the body and feeling – women, Jews, Blacks, American Indians, and so on.'

68 Young, *Justice and the Politics of Difference*, [t. 3.]: 'instead of focusing on distribution, a conception of justice should begin with the concepts of domination and oppression.' Dywed hefyd: 'I argue that where social differences exist and some groups are privileged while others are oppressed, social justice requires explicitly acknowledging and attending to those group differences in order to undermine oppression.'

69 Young, *Justice and the Politics of Difference*, t. 41: 'structural'. Hefyd, t. 82: 'common good'.

70 Gweler Charles Taylor, 'The politics of recognition', yn Amy Gutmann (gol.), *Multiculturalism: Examining the Politics of Recognition* (Princetown, New Jersey: Princetown University Press, 1994), tt. 25–73, am ymdriniaeth ddisglair â'r paradocs hwn. Er enghraifft, gweler t. 39, lle mae'n dadlau fod cyfiawnder cyffredinol yn gofyn am ddatrys anghyfiawnderau neilltuol: 'The politics of difference is full of denunciations of discrimination and refusals of second-class citizenship. This gives the principle of universal equality a point of entry within the politics of dignity. ... The universal demand powers an acknowledgment of specificity.' Ceir crynodeb Cymraeg defnyddiol o'i ddadl yn E. Gwynn Matthews, 'Cydnabyddiaeth a hunaniaeth', yn Matthews (gol.), *Cenedligrwydd, Cyfiawnder a Heddwch*, tt. 85–101.

Mynegai